Em seus passos o que faria Jesus?

Em seus passos o que faria Jesus?

CHARLES M. SHELDON

Traduzido por Robinson Malkomes

Copyright © 2023 por Editora Mundo Cristão

Os textos bíblicos foram extraídos da *Almeida Revista e Atualizada* (ARA), da Sociedade Bíblica do Brasil, salvo indicação específica.

Todos os direitos reservados e protegidos pela Lei 9.610, de 19/02/1998.

É expressamente proibida a reprodução total ou parcial deste livro, por quaisquer meios (eletrônicos, mecânicos, fotográficos, gravação e outros), sem prévia autorização, por escrito, da editora.

CIP-Brasil. Catalogação na publicação
Sindicato Nacional dos Editores de Livros, RJ

S548e

Sheldon, Charles M., 1857-1946
    Em seus passos o que faria Jesus? / Charles M. Sheldon ; tradução Robinson Malkomes. - 1. ed. - São Paulo : Mundo Cristão, 2023.
    288 p. ; 21cm.

    Tradução de: In His steps
    ISBN 978-65-5988-240-3

    1. Ficção cristã. 2. Ficção americana. I. Malkomes, Robinson. II. Título.

23-85373
CDD: 813
CDU: 82-97(73):27

Meri Gleice Rodrigues de Souza - Bibliotecária - CRB-7/6439

Edição
Equipe MC
Revisão
Theófilo Vieira
Produção
Felipe Marques
Diagramação
Marina Timm
Capa
Rafael Brum
Colaboração
Ana Luiza Ferreira
Daniel Faria

Publicado no Brasil com todos os direitos reservados por:

Editora Mundo Cristão
Rua Antônio Carlos Tacconi, 69
São Paulo, SP, Brasil
CEP 04810-020
Telefone: (11) 2127-4147
www.mundocristao.com.br

Categoria: Literatura
1ª edição: janeiro de 2008
1ª edição (nova capa): outubro de 2023
1ª reimpressão: 2024

Capítulo 1

*Porquanto para isto mesmo fostes chamados,
pois que também Cristo sofreu em vosso lugar,
deixando-vos exemplo para seguirdes os seus passos.*

Era uma manhã de sexta-feira, e o rev. Henry Maxwell tentava concluir o sermão para o domingo cedo. Ele já havia sofrido várias interrupções e estava ficando irritado à medida que a manhã ia passando; chegar a uma conclusão satisfatória para o sermão era um processo que parecia se arrastar.

— Mary — disse ele à esposa enquanto subia as escadas depois da última interrupção — se chegar mais alguém, gostaria que você dissesse que estou muito ocupado e não posso descer, a não ser que se trate de algo muito importante.

— Claro, Henry. Mas estou dando uma saída até o jardim de infância, e você vai ficar sozinho em casa.

O ministro voltou para o gabinete e fechou a porta. Depois de alguns minutos, ouviu a esposa que saía, e tudo ficou em silêncio. Suspirando aliviado, acomodou-se em sua escrivaninha e começou a escrever. O texto que ia servir de base era 1Pedro 2:21: "Porquanto para isto mesmo fostes chamados, pois que também Cristo sofreu em vosso lugar, deixando-vos exemplo para seguirdes os seus passos".

Na primeira parte do sermão ele tinha dado destaque à Expiação como sacrifício pessoal, frisando o fato de Jesus haver sofrido de diferentes modos, tanto em vida quanto na morte. Em seguida, continuou destacando a Expiação sob a perspectiva do exemplo, apresentando ilustrações tiradas da vida e dos ensinamentos de Jesus, para demonstrar como a fé em Cristo ajudava a salvar as pessoas, em face do modelo que Jesus apresentou para ser imitado. Ele agora estava no terceiro e último ponto, a necessidade de seguir Jesus em seu sacrifício e exemplo.

Já havia escrito "Três passos. Quais são eles?". Ia agora colocá-los em ordem lógica, mas ouviu o toque estridente da campainha. Era uma daquelas campainhas que tocavam como se fosse um carrilhão, dando doze badaladas de uma só vez.

Henry Maxwell sentou-se na beirada da cadeira com a fisionomia de quem não havia gostado daquilo. Não mexeu um só dedo para atender à campainha. Mas logo ela tocou de novo; então se levantou e andou até uma das janelas de onde podia avistar a porta da frente. Havia um homem de pé na escada. Era jovem e estava malvestido.

"Parece que é um andarilho", disse o ministro. "Acho que vou ter de descer e..." Sem terminar a frase, desceu as escadas e abriu a porta da rua. Enquanto um olhava para o outro houve um breve momento de silêncio, mas então o jovem de aparência miserável disse:

— Senhor, estou desempregado e pensei que talvez pudesse me ajudar a conseguir alguma coisa.

— Não sei de nada no momento. Há muita falta de emprego — respondeu o ministro, enquanto ia fechando a porta devagar.

— Eu não sabia, mas talvez o senhor pudesse me encaminhar para trabalhar na estrada de ferro, ou me indicar para alguém da oficina de trens, ou qualquer outra coisa — prosseguiu o jovem enquanto passava o seu chapéu surrado de uma mão para outra num claro sinal de nervosismo.

— Não iria adiantar. Desculpe-me, mas estou muito ocupado agora de manhã. Espero que você encontre alguma coisa.

Lamento não poder lhe dar nada para fazer aqui. Crio apenas um cavalo e uma vaca, e eu mesmo dou conta do trabalho.

O rev. Henry Maxwell fechou a porta e ainda pôde ouvir o rapaz que descia a escada. Enquanto voltava para seu gabinete, enxergou da janela do corredor o jovem, que seguia devagar pela rua, ainda segurando o chapéu com as mãos. Havia algo naquela figura abatida, sem-teto e desamparada, e o ministro hesitou um momento enquanto olhava para aquilo. Então voltou para a escrivaninha e, dando um suspiro, recomeçou a escrever de onde havia parado. E não foi mais interrompido. Quando sua esposa chegou duas horas depois, o sermão estava pronto, e as folhas de papel haviam sido juntadas, organizadas e colocadas sobre a Bíblia, prontas para o culto do domingo cedo.

— Henry, aconteceu uma coisa estranha hoje de manhã no jardim de infância — disse a esposa enquanto os dois jantavam. — Fui com a sra. Brown visitar a escola e, logo depois das brincadeiras, enquanto as crianças estavam nas mesas, a porta se abriu e entrou um moço com um chapéu sujo nas mãos. Ele sentou-se junto à porta e não abriu a boca; ficou ali olhando para as crianças. Era evidente que se tratava de um andarilho. No começo, a srta. Wren e sua secretária, srta. Kyle, ficaram um pouco assustadas, mas ele ficou ali, sentado e bem quieto. Depois de alguns minutos foi embora.

— Quem sabe ele estivesse cansado e quisesse descansar em algum lugar. Acho que era a mesma pessoa que passou por aqui. Você disse que parecia um andarilho?

— É, ele parecia um andarilho, estava sujo e malvestido. Eu diria que ele não tinha mais que 30 ou 33 anos.

— É a mesma pessoa — disse pensativo o rev. Henry Maxwell.

— Você terminou o sermão, Henry? — perguntou a esposa depois de uma pausa.

— Terminei, já está pronto. Foi uma semana muito cheia para mim. Os dois sermões me deram muito trabalho.

— Espero que no domingo muita gente goste deles — respondeu a esposa com um sorriso. — Qual o assunto da pregação na parte da manhã?

— O assunto é seguir Cristo. Vou analisar a Expiação sob as perspectivas do sacrifício e do exemplo. Em seguida, vou apresentar os passos necessários para seguir Jesus em seu sacrifício e exemplo.

— Tenho certeza de que é um bom sermão. Espero que não chova no domingo. Ultimamente os domingos têm sido de chuva forte.

— É verdade, já faz algum tempo que o número de pessoas é pequeno. Ninguém vai à igreja no meio de uma tempestade.

O rev. Henry Maxwell suspirou enquanto dizia isso. Estava se lembrando do trabalho cuidadoso e árduo que era preparar sermões para grandes plateias, que acabavam não comparecendo.

Mas no domingo cedo raiou sobre a cidade de Raymond um daqueles dias perfeitos que às vezes surgem depois de longos períodos de vento, chuva e lama. O dia estava limpo, estimulante, e o céu não se mostrava nem um pouco ameaçador. Todos os membros da paróquia do sr. Maxwell estavam prontos para ir à igreja. Quando o culto começou, às onze horas, o edifício, que era grande, estava tomado por uma plateia formada por pessoas bem vestidas e de ótima aparência, gente de prestígio na cidade de Raymond.

A Primeira Igreja de Raymond investia pesado na programação musical, e naquela manhã o quarteto foi motivo de grande prazer para a igreja toda. O hino foi inspirador. Toda a parte musical ia ao encontro do assunto do sermão. O hino declarava: "Jesus, tomei minha cruz, deixei tudo p'ra te seguir".

Logo antes do sermão, uma moça com voz de soprano fez um solo cujas palavras declaravam: "Aonde quer que seja com Jesus irei, com Jesus irei".

Rachel Winslow estava muito bonita naquela manhã e posicionou-se atrás de um gradil de carvalho esculpido em que se destacavam os símbolos da cruz e da coroa. A beleza de sua voz superava a de seu rosto, o que conferia a todo o cenário um significado ainda maior. Quando ela se levantou, percebeu-se um murmurinho causado pela expectativa das pessoas. Todo satisfeito, o sr. Maxwell sentou-se atrás do púlpito. A música que Rachel Winslow trazia sempre o ajudava. Normalmente ele incluía uma música especial antes do sermão, e isso tinha um efeito inspirador que deixava a pregação ainda mais impressionante.

As pessoas comentavam entre si que nunca tinham ouvido um solo como aquele, até mesmo na Primeira Igreja. Com certeza, se o ambiente não fosse de culto, seu solo teria arrancado aplausos. Quando ela voltou ao seu lugar para sentar-se, o pastor chegou até a pensar ter ouvido uma manifestação das pessoas, algo como um aplauso ou pés batendo no chão. Ao se levantar, porém, colocou seu sermão sobre a Bíblia e pensou consigo mesmo que havia se enganado. É claro que algo assim não poderia acontecer. Em poucos minutos ele estava inteiramente envolvido com o sermão, e todas as outras coisas foram postas de lado diante do prazer que sua pregação proporcionava.

Ninguém jamais havia acusado Henry Maxwell de ser um pregador chato. Pelo contrário, várias vezes lhe atribuíram o rótulo de sensacionalista, não pelo que ele dizia, mas pela forma como dizia. Mas os membros da Primeira Igreja gostavam disso, pois tinham um pastor e pregador que se distinguia de modo simpático e agradável.

Também era verdade que o pastor da Primeira Igreja adorava pregar. Ele raramente entregava o púlpito a outra pessoa.

Mostrava-se ansioso para estar ali a cada domingo. Aquela meia hora era de prazer para ele, quando ficava de frente para uma igreja cheia de pessoas que estavam ali para ouvi-lo. As variações no número de presentes representavam alguma dificuldade para ele. Suas pregações diante de um público pequeno nunca eram muito boas. Com certeza, o clima também mexia com ele. A situação em que se via agora, diante de um público daqueles e numa manhã tão linda, era tudo de que precisava. Sentia-se tomado por uma onda de satisfação à medida que prosseguia. Aquela igreja era a primeira da cidade. Tinha o melhor conjunto coral. Seus membros eram pessoas de destaque, representantes da riqueza e da cultura da sociedade de Raymond. Ele estava para tirar três meses de férias de verão, durante os quais faria uma viagem para o exterior; as circunstâncias do seu pastorado; sua influência e posição como pastor da Primeira Igreja na cidade...

Era difícil entender como o rev. Henry Maxwell tinha tantos pensamentos junto com o sermão, mas, ao se aproximar do fim, ele tinha consciência de que, em algum momento de sua pregação, tinha abrigado aqueles sentimentos. Eles haviam entrado e chegado ao nível consciente do raciocínio; era possível que isso tivesse acontecido durante apenas alguns segundos. Mas ele tinha consciência de que havia definido sua posição e suas emoções, como se fosse num solilóquio; e a sua pregação foi afetada por essa emoção marcada por profunda realização pessoal.

O sermão foi interessante, pontuado por declarações de impacto. Se impressas, teriam também demandado atenção. Proferidas com toda a emoção de um discurso dramático, que demonstrava o bom gosto de não ofender com clamores bombásticos nem declamando impropérios, elas eram muito eficazes. Se naquela manhã o rev. Henry Maxwell sentiu-se satisfeito com as condições do seu pastorado, a Primeira Igreja também experimentou sensações semelhantes, ao se congratular por aquela figura que ocupava o púlpito, pessoa sofisticada, erudita e de fisionomia impressionante. Ali estava ele, pregando com grande entusiasmo e isento de maneirismos vulgares, barulhentos ou desagradáveis.

De repente, no meio dessa perfeita harmonia entre o público e o pregador, aconteceu uma interrupção bastante incomum. Seria muito difícil avaliar a extensão do choque que ela provocou. Foi algo tão inesperado, tão contrário a qualquer pensamento dos presentes, que não houve espaço para argumentos nem tempo para resistência.

O sermão havia chegado ao fim. O sr. Maxwell havia acabado de fechar a Bíblia, colocando no meio dela as folhas com o texto do sermão, e estava para se sentar, enquanto o quarteto se preparava para levantar-se e cantar a música de encerramento: "Tudo por Jesus, tudo por Jesus, todo o meu ser foi liberto do pecado...". Nesse exato momento, toda a congregação espantou-se com a voz de um homem. Ela vinha da parte de trás do templo, de algum assento debaixo da galeria. Em seguida, a figura de um homem saiu da penumbra e veio caminhando pelo corredor central. Antes que a congregação atônita conseguisse ao menos entender o que estava acontecendo, o homem já havia chegado ao espaço em frente ao púlpito. Então virou-se para as pessoas.

"Desde que entrei aqui estou pensando", foram essas suas palavras ainda debaixo da galeria, e ele as repetiu, "se seria apropriado dizer algumas palavras no encerramento do culto. Não estou bêbado, não sou louco e sou completamente inofensivo, mas se eu morrer, como parece que vai acontecer dentro de poucos dias, quero ter a satisfação de pensar que disse o que precisava ser dito num lugar como este, diante de um grande número de pessoas".

O sr. Maxwell não se havia sentado ainda; continuava em pé, inclinado sobre o púlpito, olhando para aquele estranho lá embaixo. Era o mesmo homem que havia batido na sua porta na sexta-feira, o mesmo moço sujo e vestido com roupas surradas. E segurava seu chapéu desbotado com as duas mãos. Parecia ser um hábito. Não havia feito a barba, e os cabelos estavam despenteados e embaraçados. Não dava para acreditar que alguém assim estivesse dentro do santuário, dirigindo a palavra à Primeira Igreja. Os membros conheciam e toleravam esse tipo de situação humana nas ruas, no comércio junto à estrada de ferro, circulando para cima e para baixo pela avenida, mas nem sequer podiam sonhar que um incidente assim pudesse acontecer tão perto deles.

Não havia nada de ofensivo no jeito ou no tom de voz do rapaz. Ele não estava agitado e falou num volume baixo, mas marcante. O sr. Maxwell, apesar de estar ali perplexo e sem palavras, sabia que de certa forma a atitude daquele moço fez que se lembrasse do que ele tinha visto uma vez durante o sono: um rapaz andando e falando.

Ninguém no recinto fez menção de deter o rapaz nem de interrompê-lo. Talvez o choque inicial causado por sua aparição repentina houvesse se transformado em perplexidade sincera a respeito do que era melhor fazer naquele caso. Fosse o que fosse, ele prosseguiu como se não esperasse ser interrompido e sem se preocupar com aquele elemento estranho que havia introduzido no decoro do culto da Primeira Igreja.

Durante todo o tempo em que esteve falando, o pastor ficou debruçado sobre o púlpito, e a cada instante sua fisionomia ficava mais triste e pálida. Mas não mexeu um dedo sequer para interrompê-lo, e a congregação permaneceu sentada, golpeada por um silêncio de tirar o fôlego. Havia outro rosto, o da corista Rachel Winslow, que olhava fixamente para baixo, na direção daquela figura malvestida com o chapéu desbotado. A fisionomia da moça era sempre impressionante. Mas debaixo da pressão de um incidente tão inusitado, ela tinha uma característica bem pessoal, como se seu rosto estivesse numa moldura em chamas.

"Eu não sou um mendigo como os outros, embora não conheça nenhum ensino de Jesus que torne um tipo de mendigo menos digno de salvação do que outro. Alguém conhece?" A pergunta foi feita com naturalidade, como se toda a congregação fosse uma pequena classe de estudo bíblico. Então fez uma pequena pausa e tossiu como se tivesse dor. E continuou:

"Faz dez meses que perdi meu emprego. Sou impressor por profissão. As novas máquinas de linotipo são belos produtos da tecnologia, mas conheço seis homens que se suicidaram em um ano por causa dessas máquinas. É lógico que não estou culpando os jornais por comprarem essas máquinas. No entanto, o que se pode fazer? Só sei que nunca aprendi outro ofício; é tudo o que sei fazer. Perambulei por todo o país tentando achar alguma coisa. Há muita gente que se encontra nessa mesma situação. Não estou reclamando, estou? Só apresentando fatos. Mas, sentado ali debaixo da galeria, eu estava pensando se o que vocês chamam de seguir Jesus é a mesma coisa que Jesus tinha em mente. O que ele quis dizer quando falou: 'Segue-me!'? O pastor disse", e nessa hora ele se virou e olhou para o púlpito, "que é necessário que o discípulo de Jesus siga seus passos, e acrescentou que os passos são 'obediência, fé, amor e imitação'. Mas eu não o vi lhes dizer o que isso significa, principalmente o último passo. O que vocês, cristãos, querem dizer com seguir os passos de Jesus?

"Perambulei por toda esta cidade três dias tentando achar um emprego e durante esse tempo nunca recebi uma palavra de simpatia ou de conforto, com exceção do pastor de vocês, que disse que lamentava por mim e esperava que eu encontrasse emprego em algum lugar. Imagino que isso se deva à exploração que vocês sofrem dos profissionais da mendicância, e chega uma hora em que se perde o interesse por todos os mendigos. Não estou acusando ninguém, estou? Só apresentando fatos. É claro, eu compreendo que vocês não podem deixar seus afazeres e sair procurando emprego para alguém como eu. Não estou pedindo que façam isso; mas o que me intriga é: o que significa seguir Jesus? O que vocês querem dizer quando cantam. 'Aonde quer que seja com Jesus irei, com Jesus irei'? Vocês estão dizendo que sofrem, negando-se a si mesmos e tentando salvar a humanidade perdida e sofrida, à semelhança do que Jesus fez? O que vocês querem dizer com isso?

Eu enxergo muita coisa da realidade nua e crua. Sei que nesta cidade há mais de quinhentos homens na mesma situação que a minha. A maioria deles tem família. Minha mulher morreu faz quatro meses. Acho bom que ela esteja livre disso tudo. Minha filhinha está com a família de um impressor até que eu encontre um trabalho. Fico intrigado quando vejo tantos cristãos vivendo no luxo e cantando 'Jesus, tomei minha cruz, deixei todo o resto p'ra te seguir', e lembro-me de como minha mulher morreu num cortiço na cidade de Nova York, tentando desesperadamente respirar e pedindo a Deus que também levasse sua menina. É claro que não espero que vocês impeçam que todos morram de fome, de desnutrição ou de falta de ar num cortiço, mas o que significa seguir Jesus? Sei que os cristãos são proprietários de um bom número de cortiços. Um membro de igreja era o dono do cortiço onde minha esposa morreu, e eu fiquei me perguntando se seguir Jesus por onde quer que seja era uma declaração verídica no caso dele.

"Outra noite, ouvi umas pessoas cantando numa reunião de oração de uma igreja: 'Tudo por Jesus, tudo por Jesus, todo o meu ser foi liberto do pecado, tudo o que penso, tudo o que faço, todos os meus dias, todas as minhas horas', e fiquei imaginando, sentado nos degraus do lado de fora, o que queriam dizer com essas palavras. Parece-me que existe uma quantidade medonha de problemas no mundo, problemas que não existiriam se as pessoas que cantam essas músicas também as colocassem em prática. Acho que não consigo entender. Mas o que faria Jesus? É isso o que vocês querem dizer quando falam em seguir seus passos?

"Às vezes tenho a impressão de que as pessoas nas igrejas grandes têm boas roupas e moram em casas bonitas, têm dinheiro para gastar com coisas supérfluas, podem sair de férias no verão etc., ao passo que as pessoas que estão fora das igrejas, e estou falando de milhares de pessoas, morrem em cortiços, andam pelas ruas procurando emprego, jamais terão um piano ou um quadro na parede de casa e envelhecem no meio da miséria, do álcool e do pecado."

De repente, atordoado, o moço bambeou o corpo em direção à mesa da ceia e apoiou-se sobre ela com a mão suja. Seu chapéu caiu sobre o carpete a seus pés. As pessoas ficaram tomadas por uma comoção geral. O dr. West levantou-se um pouco do banco, mas assim mesmo o silêncio não foi quebrado por nenhuma voz nem movimento perceptível na plateia. O moço passou a outra mão sobre os olhos e, então, sem que se esperasse, desabou por terra com o rosto no chão, de frente para o corredor. Henry Maxwell então falou: "O culto está encerrado".

Desceu a escada do púlpito e, antes de qualquer outra pessoa, ajoelhou-se ao lado do corpo prostrado. As pessoas levantaram-se de imediato, e os corredores ficaram lotados. O dr. West informou que o moço estava vivo. Havia desmaiado. "Algum problema de coração", murmurou o médico, ajudando a carregá-lo para o gabinete pastoral.

Capítulo 2

Henry Maxwell e alguns membros da igreja permaneceram mais um tempo no gabinete. O moço estava deitado sobre um sofá e respirava com dificuldade. Quando surgiu a pergunta sobre o que fazer com ele, o pastor insistiu em levar o rapaz para sua casa; ele morava ali perto e tinha um quarto sobrando. Rachel Winslow disse: "Minha mãe está sem companhia no momento. Tenho certeza de que para nós seria bom oferecer-lhe um lugar conosco".

Ela parecia bem agitada. Ninguém percebeu isso com clareza. Estavam todos emocionados por causa do estranho acontecimento, o mais estranho que os membros da Primeira Igreja podiam recordar. Mas o pastor insistiu em se responsabilizar pelo rapaz e, quando chegou o transporte, o moço, que estava inconsciente, porém vivo, foi levado para a casa do pastor. Com a entrada do rapaz no quarto de hóspedes do pastor, começava um novo capítulo na vida de Henry Maxwell; mesmo assim, ninguém, muito menos ele, ao menos sonhava com a incrível mudança que ocorreria em sua definição de discipulado cristão.

Esse acontecimento criou uma grande movimentação entre os membros da Primeira Igreja. Durante uma semana inteira as pessoas não falaram de outra coisa. A impressão geral era que o rapaz havia perambulado até entrar no templo com um quadro de perturbação mental causada por seus problemas e que durante todo o tempo em que falou estava delirando de febre e sem consciência das coisas ao seu redor. Era essa a avaliação mais condescendente que se fazia da atitude do rapaz. Todos também concordavam que não havia traços de amargura nem de queixa no que o moço havia falado. Todo o seu discurso fora feito num tom calmo e argumentativo, quase como se ele fosse um membro da igreja procurando entender uma questão muito complexa.

Três dias depois de ter sido levado para a casa do pastor, houve uma sensível mudança na sua condição. O médico falou sobre ela, mas não deu esperanças. No sábado de manhã, ele ainda se mantinha com vida, embora tivesse piorado rapidamente, à medida que o fim de semana se aproximava. Na madrugada de domingo, antes que o relógio marcasse uma hora da manhã, ele recobrou um pouco as forças e perguntou se sua filha havia chegado. O pastor havia mandado buscá-la assim que localizou o endereço em algumas cartas encontradas no bolso do rapaz. Depois do desmaio na igreja, foram poucos os momentos em que esteve consciente e conseguiu falar com lucidez.

— A menina está a caminho. Ela vai chegar — disse o pastor Maxwell, sentado a seu lado e com o rosto marcado pela semana de vigília, pois havia insistido em ficar ali sentado todas as noites.

— Eu não me encontrarei mais com ela neste mundo — sussurrou o moço. Então, com muita dificuldade proferiu as seguintes palavras:

— Vocês foram bons comigo. De certa forma pude sentir que é isso que Jesus também teria feito.

Passados alguns minutos, o rapaz inclinou levemente a cabeça para o lado e, antes que o pastor Maxwell pudesse se dar conta do que havia acontecido, o médico disse baixinho:

— Ele faleceu.

A manhã de domingo estava raiando sobre a cidade de Raymond. Era exatamente como a manhã do domingo anterior.

O pastor Maxwell subiu ao púlpito e ficou de frente para um dos maiores públicos que já haviam lotado a Primeira Igreja. Ele tinha o cansaço estampado no rosto, como se tivesse acabado de sair de um longo período de enfermidade. Sua esposa ficara em casa com a menina, que havia chegado com o trem da manhã, uma hora depois da morte de seu pai. Ele estava ali no quarto de hóspedes, seus problemas haviam acabado, e o pastor pôde ver o seu rosto ao abrir a Bíblia, enquanto arrumava vários papéis com anotações que estavam sobre o púlpito, hábito que ele cultivava havia dez anos.

Naquela manhã, o culto teve um novo elemento. Ninguém conseguia se lembrar de algum domingo em que Henry Maxwell tivesse pregado sem suas anotações. A bem da verdade, ele havia pregado sem notas logo que entrara para o ministério, mas fazia muito tempo que ele escrevia todas as palavras de seu sermão da manhã e quase todas as suas mensagens da noite também. Não dava para dizer que o sermão daquela manhã havia sido contundente ou impressionante. Ele pregou com uma boa dose de hesitação. Estava claro que havia algum pensamento que ele queria expor, mas não se encaixava no assunto que havia escolhido para o sermão daquela manhã. Foi quase no fim da pregação que ele começou a reunir as forças que lhe faltaram no início.

Então fechou a Bíblia, saiu de trás do púlpito, olhou para a congregação e começou a falar sobre a cena impressionante da semana anterior.

"O nosso irmão", de certa forma essas palavras pareciam um pouco estranhas vindas da sua boca, "faleceu esta manhã. Ainda não tive tempo para me inteirar de tudo. Ele tem uma irmã que mora em Chicago. Escrevi para ela, mas ainda não recebi resposta. Sua filhinha está conosco e vai ficar durante algum tempo".

Então fez uma pausa e passou os olhos pela congregação. E pensou que nunca tinha visto tantos rostos tão solenes e atentos em todo o seu tempo de pastorado. Ele ainda não estava em condições de lhes falar de suas experiências nem do momento crítico pelo qual estava passando. Mas um pouco do sentimento que ele trazia no coração acabou passando dele para o público. De forma alguma lhe parecia que agiria por impulso se continuasse e lhes transmitisse um pouco da mensagem que ele agora abrigava no coração. Então, prosseguiu.

"As palavras e a aparência daquele desconhecido aqui na igreja no domingo passado exerceram um profundo impacto sobre mim. Não posso ocultar de vocês nem de mim o fato de que as coisas que ele disse, seguidas que foram por sua morte dentro de minha casa, levaram-me a questionar, como nunca antes, 'o que significa seguir Jesus?'. Tampouco estou em condições de condenar as pessoas ou, até certo ponto, condenar a mim mesmo, seja em nosso relacionamento como cristãos com aquele rapaz, seja com o número de pessoas que ele representa em todo o mundo. Mas nada disso impede que eu sinta que muito do que ele disse é tão vital e verdadeiro, que precisamos encarar tudo isso e oferecer uma resposta, ou do contrário estaremos condenados como discípulos de Cristo. Grande parte do que foi falado aqui no domingo passado tinha a natureza de um desafio para o cristianismo visto e vivenciado em nossas igrejas. Desde então, tenho sentido isso de forma cada vez mais palpável.

"E acho que o melhor momento para mim é agora, momento de propor um plano, ou um propósito, algo que está tomando corpo em minha mente, uma resposta satisfatória para muito do que foi dito aqui no domingo passado".

Henry Maxwell fez uma nova pausa e olhou para o rosto de toda aquela gente. Havia homens e mulheres sérios e influentes na Primeira Igreja.

Ele podia ver Edward Norman, proprietário do jornal *Diário de Notícias* de Raymond. Fazia dez anos que ele era membro da Primeira Igreja. Era um homem de grande honra na cidade.

Ali estava Alexander Powers, um típico ferroviário, superintendente da grande oficina de manutenção de trens de Raymond, alguém que parecia ter isso no sangue. Ali também se encontrava Donald Marsh, diretor do Lincoln College, situado nos arredores de Raymond. Milton Wright, um dos grandes comerciantes de Raymond, com pelo menos uma centena de homens trabalhando para ele em várias lojas, também estava presente. O dr. West, embora relativamente jovem, era tido como autoridade em cirurgias especiais. Encontrava-se também o jovem Jasper Chase, autor que havia escrito um livro de sucesso e aparentemente estava trabalhando em um novo livro. Ali se achava a sra. Virginia Page, a herdeira, que, com o falecimento recente do pai, tinha herdado no mínimo um milhão de dólares, pessoa dotada de atrativos pessoais e intelectuais incomuns. E não menos importante, ali estava também Rachel Winslow, em seu lugar no conjunto coral, irradiando naquela manhã uma luz de beleza peculiar, de tão interessada que estava em todo aquele quadro.

Em vista de tais elementos na Primeira Igreja, havia razão para que Henry Maxwell se sentisse satisfeito sempre que pensava em sua paróquia como fizera no domingo anterior. Havia um grande número de indivíduos influentes que eram membros daquela igreja. Mas naquela manhã, ao observar aqueles rostos, ele tentava imaginar quantos deles abraçariam a estranha proposta que ele estava prestes a fazer. Ele prosseguiu devagar, dando-se tempo para escolher as palavras com cuidado, deixando para as pessoas uma impressão que elas nunca tinham tido, mesmo nos melhores momentos de pregação dele.

"A proposta que vou fazer agora é algo que não deveria parecer estranho e muito menos impossível de ser executado. Assim mesmo, tenho consciência de que ela será vista assim por um número talvez até grande de membros desta igreja. Mas para que tenhamos plena compreensão do que estou pensando, farei minha proposta de forma direta, talvez abrupta. Quero voluntários da Primeira Igreja que se comprometam séria e honestamente durante um ano a não fazer coisa alguma sem antes perguntar: 'O que faria Jesus?'. Depois de fazer essa pergunta, cada um deverá seguir Jesus de acordo com o seu conhecimento, não importando em que isso possa resultar. É claro que me incluo nesse grupo de voluntários, tendo a certeza de que esta igreja não se sentirá surpresa com minha conduta no futuro, pois será baseada nesse modelo de ação, e não fará oposição a nada que venha a ser feito, se determinada coisa for o que todos pensam que Cristo faria. Está claro o sentido do que acabei de dizer?

No fim deste culto, gostaria que todos os membros dispostos a fazer parte desse grupo não saíssem, para que possamos discutir os detalhes do plano. Nosso lema será "O que faria Jesus?". Nosso alvo será agir da forma como ele agiria se estivesse em nosso lugar, quaisquer que sejam os resultados imediatos. Trocando em miúdos, nossa proposta é seguir os passos de Jesus do modo mais próximo e literal possível em relação ao que cremos que ele ensinou a seus discípulos. E os que se dispuserem a fazer isso assumirão o compromisso de que irão agir assim durante um ano inteiro a partir de hoje".

Henry Maxwell fez outra pausa e olhou para as pessoas ali sentadas. É difícil descrever a sensação que uma proposta tão simples parecia ter causado. Atônitas, as pessoas olhavam umas para as outras. Aquele não era o jeito de Henry Maxwell definir o discipulado cristão. Era evidente a confusão no pensamento das pessoas a respeito da proposta. Ela fora perfeitamente entendida, mas parece que havia uma grande diferença de opiniões quanto à aplicação do ensinamento e do exemplo de Jesus.

Com tranquilidade, ele encerrou o culto fazendo uma breve oração. A organista começou o poslúdio logo depois que a bênção foi impetrada, e as pessoas começaram a sair. Muita gente saiu conversando. Grupos com pessoas animadas se espalharam por todo o templo discutindo a proposta do pastor. Era óbvio que tudo aquilo havia provocado uma grande discussão do assunto. Depois de vários minutos, ele pediu que todos os que haviam resolvido ficar se dirigissem para o salão social, adjacente ao lugar onde se encontravam. Ele mesmo havia ficado envolvido falando com várias pessoas na parte da frente da igreja e, quando se virou, o local já estava vazio. Então seguiu para o salão social, e quase ficou chocado ao ver as pessoas que estavam no recinto. Ele não havia tentado pressupor a presença de nenhum dos membros, mas também não esperava que tanta gente estivesse disposta a participar de uma prova literal do discipulado cristão. Havia por volta de cinquenta pessoas, dentre as quais se achavam Rachel Winslow e Virginia Page, o sr. Norman, o diretor Marsh, Alexander Powers, superintendente da empresa ferroviária, Milton Wright, o dr. West e Jasper Chase.

Fechando a porta do recinto, ele se posicionou de frente para o grupo. Estava pálido, e seu queixo tremia de emoção. Era indiscutível que se tratava de um momento crucial em sua vida e na vida do rebanho. Antes de ser tocado pelo Espírito divino, nenhuma pessoa pode afirmar o que o Espírito pode fazer nem como pode mudar o curso de uma vida inteira de hábitos arraigados nos pensamentos, nas palavras e nos atos. Henry Maxwell, como já dissemos, ainda não estava entendendo bem o que vinha acontecendo, mas tinha consciência de que sua definição de discipulado cristão estava dando uma enorme guinada. A profundidade dos sentimentos que ele tinha ao olhar para o rosto daqueles homens e mulheres era difícil de ser avaliada.

Pareceu-lhe que a palavra mais apropriada para o início daquilo era uma palavra de oração. E ele pediu a todos que orassem com ele. Assim que começaram a orar, logo nas primeiras palavras, todos perceberam a presença inconfundível do Espírito. E a força dessa percepção aumentava, à medida que a oração prosseguia. Todos podiam senti-la. O recinto estava repleto da presença do Espírito, uma presença tão óbvia, que quase era visível. Terminada a oração, houve um período de silêncio que durou um bom tempo. Todos estavam com a cabeça curvada. Podiam-se ver as lágrimas no rosto de Henry Maxwell. Não havia como ter certeza maior da bênção divina, mesmo que se ouvisse uma voz do céu confirmando o compromisso que aquelas pessoas haviam firmado de seguir os passos do Mestre. E assim começou o mais sério movimento da história da Primeira Igreja de Raymond.

— Todos nós entendemos — disse ele num tom de voz tranquilo — o que nos comprometemos a fazer. Assumimos o compromisso de fazer todas as coisas do nosso dia a dia só depois de responder à seguinte pergunta: "O que faria Jesus?", qualquer que seja a consequência que isso traga. Qualquer hora dessas poderei contar a vocês todos a mudança maravilhosa ocorrida em minha vida no período de uma semana. Não posso fazer isso agora. Mas a experiência que tenho vivido desde o domingo passado tem me deixado tão insatisfeito com minha antiga definição de discipulado, que me vi obrigado a tomar essa atitude. Não ousei começar isso sozinho. Em todas essas coisas, sei que estou sendo guiado pela mão do amor divino. O mesmo impulso de Deus deve tê-los guiado também.

Todos entenderam direito o compromisso aqui assumido?

— Tenho uma pergunta — disse Rachel Winslow. Todos se viraram na direção dela. O seu rosto irradiava uma beleza que não poderia advir de nenhuma beleza humana.

— Estou meio na dúvida quanto à origem do nosso conhecimento acerca do que Jesus faria. Quem vai decidir por mim o que ele faria em meu lugar? Estamos vivendo em outros tempos. Há muitas questões que nos deixam perplexos em nossa cultura, questões que nem sequer foram mencionadas nos ensinamentos de Jesus. Como vou fazer para decidir o que ele faria?

— Não conheço nenhum meio — respondeu o pastor — a não ser aprender de Jesus pela mediação do Espírito Santo. Lembre-se do que Cristo disse a seus discípulos acerca do Espírito: "... quando vier, porém, o Espírito da verdade, ele vos guiará a toda a verdade; porque não falará por si mesmo, mas dirá tudo o que tiver ouvido e vos anunciará as coisas que hão de vir. Ele me glorificará, porque há de receber do que é meu e vo-lo há de anunciar. Tudo quanto o Pai tem é meu; por isso é que vos disse que há de receber do que é meu e vo-lo há de anunciar". Não conheço nenhum outro critério. Todos teremos de decidir o que Jesus faria recorrendo a essa fonte de conhecimento.

— E se, ao fazermos certas coisas, os outros disserem que Jesus não agiria assim? — perguntou o superintendente da estrada de ferro.

— Não será possível evitar essas coisas. Mas precisamos ser totalmente honestos com nós mesmos. O padrão de comportamento cristão não pode variar na grande maioria dos nossos atos.

— Assim mesmo, um membro da igreja pensa que Jesus faria isso e aquilo, mas outro se recusa a concordar. Como fazer o desempate em caso de opiniões divergentes a respeito da conduta de maior afinidade com Cristo? Vai ser possível sempre chegar às mesmas conclusões em todos os casos? — perguntou o diretor Marsh.

O pastor Maxwell ficou em silêncio por um tempo. Depois, respondeu:

— Não, não acho que devamos ter essa expectativa. Mas se o que nos interessa é seguir os passos de Jesus de forma legítima, com sinceridade e conhecimento, não consigo acreditar que haverá confusão, quer em nossa mente, quer na opinião de terceiros. Por um lado, precisamos não cair no fanatismo; por outro, devemos ser cautelosos. Se o exemplo que Jesus deu é o que o mundo deve seguir, com certeza é algo viável. Mas precisamos ter consciência desse fato importante. Uma vez que tenhamos pedido ao Espírito Santo que nos mostre o que Jesus faria, e tendo recebido uma resposta, devemos agir sem nos preocupar com os resultados que possam nos atingir. Isso está claro?

Todos os presentes olharam para o ministro em sinal de consentimento solene. A proposta havia sido totalmente entendida. Henry Maxwell notou que o presidente da sociedade de jovens e vários de seus integrantes estavam sentados no fundo, atrás de homens e mulheres mais velhos.

Todos permaneceram um pouco mais para conversar sobre alguns detalhes e fazer perguntas. Resolveram que os membros iriam se reunir uma vez por semana e relatar uns aos outros o resultado de suas experiências seguindo Jesus daquele modo. Henry Maxwell orou novamente. E, a exemplo do que havia acontecido antes, o Espírito se fez presente. Todos permaneceram de cabeça baixa por um longo período. Por fim, foram embora em silêncio. O sentimento que predominava não era apropriado para palavras. O pastor apertou a mão de cada um dos presentes, à medida que iam saindo. Então foi para seu gabinete, que ficava atrás do púlpito, e ajoelhou-se. Ficou ali sozinho quase meia hora.

Ao voltar para casa, dirigiu-se ao cômodo onde estava o corpo do rapaz. Olhando para o seu rosto, clamou no coração pedindo forças e sabedoria. Ele ainda não tinha percebido que ali se iniciara um movimento que levaria à mais impressionante série de eventos de toda a história da cidade de Raymond.

Capítulo 3

❧

*... aquele que diz que permanece nele, esse deve
também andar assim como ele andou.*

Edward Norman, proprietário do *Diário de Notícias* de Raymond, sentou-se em seu escritório na segunda-feira cedo, agora de frente para uma nova realidade que cercava suas ações. Com toda boa-fé, havia se comprometido a fazer tudo somente depois de perguntar "O que faria Jesus?", sempre com os olhos abertos para todas as consequências possíveis. Mas, ao iniciar uma nova semana de correria e de atividades que marcavam a rotina do jornal, ele enfrentou tudo isso com algum nível de hesitação e com um sentimento que beirava o medo.

Havia chegado bem cedo ao escritório e estava sozinho por alguns minutos. Sentou-se atrás de sua mesa, numa atitude de reflexão cada vez maior que acabou se transformando numa determinação muito importante, mas também incomum. Ele ainda iria aprender, assim como todos os outros daquele pequeno grupo que se comprometeram a viver tendo Cristo como modelo, que o Espírito de vida estava se movendo com poder por meio de sua vida como nunca antes. Ele se levantou, fechou a porta e fez o que não fazia há anos. Ajoelhou-se ao lado de sua mesa e orou pedindo a presença e a sabedoria de Deus para dirigi-lo.

Então se levantou. O dia estava apenas começando, mas ele tinha em mente sua promessa clara e inequívoca. "Agora, mãos à obra!" era o que parecia estar dizendo. Mas não demoraria para que fosse levado pelos fatos, assim que estes surgiram.

Abriu então a porta de sua sala e deu início à rotina do escritório. O editor-chefe tinha acabado de chegar e estava em sua mesa, na sala ao lado. Um dos repórteres dali estava datilografando alguma coisa. Edward Norman começou a escrever o editorial. O *Diário de Notícias* era um jornal vespertino, e geralmente ele terminava de escrever o editorial antes das nove horas da manhã.

Fazia quinze minutos que ele estava escrevendo, quando o editor-chefe anunciou:

— Aqui está a notícia sobre a luta de boxe de ontem no Resort. Vai dar três colunas e meia. Suponho que vamos incluí-la na íntegra, certo?

Norman era um daqueles *publishers* que cuidavam de todos os detalhes do jornal. O editor-chefe sempre o consultava quando precisava definir o grau de importância das matérias. Às vezes, como parecia ser o caso agora, era uma mera consulta de praxe. "Sim ou não. Deixe-me dar uma olhada."

Ele pegou a matéria do jeito que havia chegado pelo telégrafo e percorreu-a com os olhos cuidadosamente. Em seguida, colocou as folhas sobre a mesa e começou a pensar. Sua fisionomia era de grande seriedade.

— Não vamos imprimir isso hoje — disse ele finalmente.

O editor-chefe estava em pé junto à porta que separava as duas salas. Ficou perplexo diante das palavras do chefe e pensou que ele podia não ter entendido direito sua pergunta.

— O que foi que o senhor disse?

— Deixe isso de fora. Não incluiremos a matéria.

— Mas... — O editor-chefe estava simplesmente pasmo. Ficou ali olhando para Norman como se ele houvesse enlouquecido.

— Clark, eu não acho que isso deva ser impresso, e fim de conversa — disse Norman, olhando da sua mesa.

Clark raramente discutia com o chefe. O que ele falava era lei dentro da redação e não tinha o hábito de mudar de ideia. Entretanto, as circunstâncias do momento pareciam tão incomuns, que Clark não podia deixar de dizer o que pensava.

— O senhor está dizendo que o jornal vai sair sem uma linha sequer sobre a luta de boxe?

— Sim, é exatamente isso.

— Mas isso nunca aconteceu. Todos os outros jornais vão trazer alguma coisa. O que os nossos assinantes vão dizer? Por quê? É simplesmente... — Clark fez uma pausa; não conseguia encontrar palavras para expressar o que pensava.

Norman olhou para Clark com consideração. O editor--chefe era membro de uma igreja de outra denominação. Os dois nunca haviam conversado sobre religião, apesar de estarem juntos no jornal por muitos anos.

— Clark, venha aqui por um minuto e feche a porta — disse Norman.

Clark entrou, e os dois ficaram se olhando. Norman ficou em silêncio durante um tempo. Então, de repente disse:

— Clark, se Cristo fosse proprietário de um jornal, você acha, com toda honestidade, que ele iria publicar uma matéria de três colunas e meia sobre boxe?

— Não, acho que ele não faria isso.

— Muito bem, é somente por essa razão que estou deixando isso de fora. Decidi que nos próximos doze meses não farei nada relacionado com o jornal que eu não tenha certeza de que Jesus também faria.

Nem que seu chefe tivesse enlouquecido de repente, Clark olharia com uma expressão de tanto assombro. Na verdade, ele achava mesmo que algo estava errado, embora, na sua opinião, o sr. Norman fosse a última pessoa do mundo que poderia enlouquecer.

— Que consequências isso vai trazer para o jornal? — ele conseguiu perguntar com um tom de voz abatido.

— O que você acha? — perguntou Norman, olhando-o com firmeza.

— Eu acho que o jornal vai simplesmente quebrar — respondeu Clark de imediato. Ele estava tentando se recompor do susto e começou a argumentar. — Nos dias atuais, é inviável manter um jornal nessas condições. O mundo não está pronto para isso. O jornal não se paga desse jeito. Tenho certeza, assim como tenho certeza de que o senhor está falando comigo agora, de que perderá centenas de assinantes se não incluir a notícia sobre a luta de boxe. Nem é preciso ser profeta para prever isso. As pessoas de maior prestígio na cidade estão ansiosas para ler a notícia. Elas sabem que a luta aconteceu, e hoje de tardezinha, com o jornal nas mãos, vão esperar pelo menos meia página sobre o assunto. Com toda certeza, o senhor não pode se dar ao luxo de desconsiderar a vontade do público desse jeito. Na minha opinião, se fizer isso, estará cometendo um erro gigantesco.

Norman ficou em silêncio por um minuto. Então falou de modo gentil, mas com firmeza:

— Clark, sinceramente, em sua opinião, qual o melhor critério para definir a conduta de alguém? Seria aquele o único critério correto para todos, ou seja, saber como Jesus provavelmente agiria? Você diria que o melhor e mais alto padrão pelo qual uma pessoa pode viver consiste em perguntar "O que faria Jesus?" e em seguida imitá-lo, sem se importar com os resultados? Em outras palavras, você acha que todas as pessoas devem seguir o exemplo de Jesus o máximo possível na vida do dia a dia?

Clark ficou vermelho e, todo desconfortável, remexeu-se na cadeira, antes de responder à pergunta do chefe.

— Sim, quer dizer, veja bem, eu suponho que, se pensarmos em termos do que as pessoas devem fazer, não há outro padrão de conduta. Mas a pergunta é: Isso é viável? Dá para fazer o jornal se pagar? Para ter sucesso no segmento de jornais temos de nos adaptar às regras e aos métodos que a sociedade aceita. Não podemos fazer do jeito que faríamos em um mundo ideal.

— Você quer dizer que não é possível administrar um jornal dentro de princípios estritamente cristãos e fazê-lo dar lucro?

— Isso. É exatamente o que eu quis dizer. Não é possível. Vamos quebrar em trinta dias.

Norman não respondeu de imediato. Estava refletindo bastante sobre aquilo.

— Vamos ter oportunidade de conversar outras vezes sobre isso, Clark. Por enquanto, sendo muito franco com você, acho que devemos entender os motivos um do outro. Assumi o compromisso de, durante um ano, fazer tudo o que esteja relacionado ao jornal depois de responder com toda sinceridade possível à seguinte pergunta: "O que faria Jesus?". Continuarei a agir assim na certeza de que não somente teremos lucro, mas teremos lucro como jamais tivemos.

Clark levantou-se.

— Então a notícia não entra? — disse ele.

— Não, ela não vai entrar. Há muita coisa boa que pode ser colocada no lugar dela, e você sabe como fazer isso.

Clark hesitou. — O senhor vai dizer alguma coisa sobre a falta da matéria?

— Não. Faça o jornal ser impresso como se ontem não tivesse acontecido nenhuma luta de boxe.

Clark saiu da sala em direção a sua mesa, sentindo como se lhe faltasse o chão. Estava perplexo, pasmo, agitado e consideravelmente irritado. O grande respeito que ele tinha por Norman restringiu sua indignação e revolta, mas ao lado de tudo isso havia um espanto cada vez maior diante da repentina mudança de motivação que acabava de entrar na redação do *Diário de Notícias* e, segundo ele acreditava com firmeza, ameaçava acabar com o jornal.

Antes da hora do almoço, todos os repórteres, impressores e funcionários já haviam sido informados da notícia explosiva de que o jornal ia ser impresso sem incluir nem sequer uma linha sobre a famosa luta de boxe do domingo. Os repórteres ficaram simplesmente perplexos com o anúncio da decisão. Todos os que trabalhavam nas salas de gravação de chapas e de composição opinavam sobre a omissão sem precedentes. Durante o dia, o sr. Norman passou duas ou três vezes pelas salas de composição; as pessoas interrompiam o trabalho e, por cima das caixas de tipos, olhavam para ele com curiosidade. Ele sabia que estava sendo observado, mas não dizia uma palavra, nem parecia ligar para aquilo. Haviam ocorrido algumas pequenas mudanças no jornal, sugeridas pelo *publisher*, mas nada marcante. Ele estava esperando e pensando com toda seriedade.

Sentia que necessitava de tempo e de uma boa oportunidade para decidir várias questões da melhor forma possível, antes de responder corretamente à pergunta que não saía de sua cabeça. Ele não havia agido de imediato, não porque não houvesse muitas coisas importantes no jornal contrárias ao espírito de Cristo, mas porque ele estava sinceramente em dúvida sobre o que Jesus faria.

Naquela noite, quando o *Diário de Notícias* foi para as ruas, levou para seus assinantes uma sensação bem diferente.

A inclusão da notícia sobre a luta de boxe não poderia ter produzido algo nem parecido com o efeito da sua omissão. Centenas de homens nos hotéis e no comércio no centro da cidade, além dos assinantes, abriram o jornal com toda avidez, procurando a notícia da grande luta; quando não a encontraram, correram para os locais de venda e compraram outros jornais. Até mesmo os garotos que vendem jornais não tinham entendido a falta da notícia. Um deles gritava:

— *Diário de Notícias!* Reportagem completa sobre a grande luta no Resort! Jornal, senhor?

Um homem que estava na esquina da avenida, próximo da redação do *Diário de Notícias*, comprou o jornal, correu os olhos pela primeira página e, furioso, chamou o menino de volta.

— Ô, moleque! Que jornal é este? Aqui não tem nada sobre a luta! Que negócio é esse de vender jornal velho?

— Jornal velho, coisa nenhuma! — respondeu o garoto, indignado. — É jornal de hoje. O que deu em você?

— Mas aqui não tem nada sobre a luta de boxe! Olhe aqui!

O homem devolveu o jornal para o menino, que então deu uma olhada rápida. Em seguida, assobiou enquanto uma expressão de espanto se desenhava em seu rosto. Ao ver passar outro menino que vendia jornais, ele gritou:

— Ei, Sam, deixe-me dar uma olhada no seu lote. — Um rápido exame revelou o fato surpreendente: todos os exemplares do jornal não falavam absolutamente nada sobre a luta de boxe.

— Olhe aqui, dê-me outro jornal! — gritou o leitor. — Algum que traga informações sobre a luta de boxe. E saiu com o jornal nas mãos, enquanto os dois garotos ficaram ali comparando os jornais, perplexos com o que acabavam de confirmar.

— Com toda certeza, alguém cometeu um grande erro lá no *Diário* — disse o primeiro garoto. Mas ele não sabia por que aquilo havia acontecido; então correu para a redação do jornal para descobrir.

Havia muitos outros garotos na expedição do jornal, todos agitados e revoltados. A quantidade de protestos dirigidos ao balconista era suficiente para levar qualquer um ao desespero.

Ele estava acostumado a passar por coisas mais ou menos assim e, por isso, já estava meio calejado. O sr. Norman estava descendo as escadas para ir para casa, mas parou junto à porta da expedição e olhou para dentro.

— George, o que está acontecendo aqui? — perguntou ao balconista quando viu aquela confusão toda.

— Os garotos estão dizendo que não conseguiram vender nenhum exemplar do jornal porque a notícia da luta de boxe não foi incluída — respondeu George, olhando com curiosidade para o dono do jornal, à semelhança do que os outros funcionários haviam feito durante o dia. O sr. Norman ficou meio em dúvida, mas entrou na sala e enfrentou os garotos.

— Quantos exemplares temos aqui? Rapaziada, vamos contar quantos são, e eu os comprarei.

Afoitos, os meninos contaram os jornais, ao mesmo tempo em que olhavam estarrecidos para ele.

— George, dê-lhes o dinheiro de volta; se chegar mais alguém reclamando da mesma coisa, compre os exemplares que sobraram. Isso parece justo? — perguntou aos garotos, que se encontravam atordoados num silêncio incomum por causa do ato inédito de sua parte.

— Justo! Bom, eu devia, mas... o senhor vai manter a sua palavra? O senhor fará isso outras vezes pelo bem dos vendedores de jornal?

O sr. Norman esboçou um sorriso, mas não achou que era preciso responder à pergunta.

Então, saiu e foi para casa. Durante o trajeto, não conseguia deixar de pensar: "Será que Jesus teria feito isso?". Ele não se referia à compra dos jornais encalhados, mas à motivação que o impulsionava desde que havia feito a promessa.

Os garotos que vendiam jornais haviam sido prejudicados pela decisão que ele tomara. Por que deveriam ter prejuízo com isso? A culpa não era deles. Ele era um homem rico e podia se dar ao luxo de beneficiá-los dessa forma, se assim quisesse. A caminho de casa, ele seguia pensando que Jesus teria feito a mesma coisa ou algo semelhante para isentar-se de um possível sentimento de injustiça.

Ele não estava tomando essas decisões por causa de alguma pessoa, mas por causa da sua conduta. Não estava em condições de ser dogmático e sentia que o único critério era sua opinião e consciência diante daquilo que considerasse a provável forma de agir do Senhor.

Até certo ponto, ele já havia previsto a queda nas vendas do jornal. Mas ainda estava por perceber a extensão do efeito que o prejuízo teria sobre o negócio, caso resolvesse seguir com essa política.

Capítulo 4

Durante a semana, o sr. Norman recebeu inúmeras cartas que comentavam a falta da notícia sobre a luta de boxe. Pode ser que algumas dessas cartas nos interessem.

Ao Editor do *Diário de Notícias*:

Prezado senhor:
Há tempos venho pensando em mudar de jornal. Quero um que seja atualizado, progressista e empreendedor, que atenda a todas as exigências do público. Esse capricho do seu jornal de se recusar a publicar a notícia da famosa competição no Resort fez com que eu finalmente tomasse a decisão de trocar de jornal.
Por favor, suspenda a entrega.
Atenciosamente...
E seguia o nome de um empresário que era assinante há muitos anos.

Edward Norman, Editor do *Diário de Notícias*, Raymond:

Caro Ed.
Que agitação é essa que você causou no meio do povo da sua cidade? Que nova política está tentando implementar? Espero que não pretenda nenhuma revolução administrativa que passe pelo segmento da imprensa. É perigoso fazer muitos experimentos nessa linha. Siga meu conselho e fique com os modernos métodos empresariais que você

fez funcionar tão bem em seu jornal. O público quer ver lutas de boxe e coisas do gênero. Dê ao público o que ele quer e deixe que outra pessoa faça as reformas administrativas.

Atenciosamente...

E seguia o nome de um dos velhos amigos de Norman, editor de um jornal na cidade vizinha.

Meu caro sr. Norman:

Vim sem demora escrever-lhe algumas palavras em reconhecimento do fato de que é óbvio que o senhor está cumprindo a promessa que fez. É um início grandioso, e ninguém mais do que eu sente o valor de tudo o que foi feito. Sei que isso lhe custará algumas coisas, mas não todas.

Seu pastor, Henry Maxwell.

Logo depois de ler a carta do pastor Maxwell, ele abriu outra que lhe revelava um pouco do prejuízo que sua empresa podia esperar.

Sr. Edward Norman, Editor do *Diário de Notícias:*

Prezado senhor:

Quando vencer o meu período contratual para propaganda, peço-lhe o favor de não renová-lo como normalmente tem feito. Segue um cheque para quitação dos débitos, e a partir de hoje considero encerrada minha conta publicitária com seu jornal.

Atenciosamente

E seguia o nome de um dos maiores distribuidores de cigarros da cidade, que sempre inseria uma coluna com propagandas que chamavam muito a atenção, pagando muito bem pelo anúncio.

Norman, absorto em seus pensamentos, colocou a carta sobre a mesa e, depois de um instante, pegou um exemplar do seu jornal para olhar as colunas de propaganda. Não havia nada que ligasse a carta do distribuidor de cigarros à omissão da notícia sobre a luta, mas era impossível não relacionar as duas coisas. A bem da verdade, mais tarde ele ficou sabendo que o distribuidor de cigarros suspendera a publicidade porque havia sido informado que o editor do *Diário de Notícias* estava para implementar uma política de reforma excêntrica, que certamente iria reduzir o número de assinantes do jornal.

Mas a carta fez que Norman olhasse para as propagandas de seu jornal. Ele nunca havia pensado nelas.

Ao correr os olhos pelas colunas, foi adquirindo a certeza de que o seu Senhor não permitiria que algumas delas fossem publicadas em seu jornal.

O que Jesus faria com o outro anúncio de bebidas e charutos? Como membro da igreja e cidadão de respeito, ele não havia sofrido nenhuma censura específica por causa dos anúncios que os donos de bares faziam nas colunas do seu jornal. Ninguém se preocupava com isso. Era uma atividade comercial legítima. Por que não? Raymond era uma cidade onde imperava grande liberdade, e os bares, o salão de bilhar e as cervejarias faziam parte da civilização cristã do local. Ele estava fazendo o que todos os empresários da cidade de Raymond faziam. E aquilo representava uma das melhores fontes de receita para o jornal. O que seria do jornal se esses anunciantes fossem cortados? Será que ele sobreviveria? Era essa a questão. Mas será que era a questão mais importante? "O que faria Jesus?" Era a essa pergunta que ele estava respondendo, ou tentando responder, durante aquela semana. Jesus publicaria em seu jornal anúncios de *whisky* e cigarros?

Edward Norman fez essa pergunta com toda sinceridade e, depois de orar suplicando ajuda e sabedoria, pediu a Clark que viesse até sua sala.

Clark entrou, sentindo que o jornal passava por uma crise e preparado para quase tudo depois da experiência da segunda-feira cedo. Agora era quinta-feira.

— Clark — disse Norman, falando pausadamente e com cuidado — andei olhando nossas colunas de publicidade e decidi que não renovarei o contrato de algumas quando chegar a hora. Gostaria que você informasse o responsável pela publicidade do jornal que ele não deve solicitar a renovação nem renovar os anúncios que marquei aqui.

E entregou o jornal com os lugares marcados a Clark, que o pegou e correu os olhos pelas colunas com um ar grave.

— Isso vai representar um grande prejuízo para o jornal. Por quanto tempo o senhor acha que é possível manter uma situação como essa? — Clark estava perplexo diante da decisão de Norman e não conseguia entender seus motivos.

— Clark, você acha que, se Jesus fosse editor e proprietário de um jornal em Raymond, ele iria aceitar anúncios de *whisky* e cigarros?

— Bom, não... eu não acho que ele iria aceitar. Mas o que isso tem a ver com a gente? Não dá para fazer o mesmo que ele faria. Não se administra um jornal desse jeito.

— Por que não? — perguntou Norman num tom sereno.

— Por que não? Porque o jornal vai perder mais dinheiro do que faturar, é só por isso! — falou Clark tomado por uma irritação que ele realmente estava sentindo. — Com toda certeza, com essa política administrativa vamos levar o jornal à falência.

— Você acha isso? — perguntou Norman, não como se esperasse uma resposta, mas simplesmente como se estivesse falando consigo mesmo. Depois de uma pausa, disse:

— Você pode mandar o Marks fazer o que estou dizendo. Acredito que é isso que Cristo faria e, como já lhe disse, Clark, foi o que prometi tentar fazer durante um ano, sem me importar com as possíveis consequências que me sobrevenham. Não acredito que haja algum argumento que nos faça concluir que o Senhor, nos dias de hoje, aceitaria fazer propaganda de *whisky* e cigarro em seu jornal. Há outros anúncios publicitários de caráter duvidoso que ainda quero avaliar melhor. Por enquanto, tenho certeza quanto a estes aqui. E não dá para ficar parado diante disso.

Clark voltou para sua mesa com a sensação de que havia estado na presença de uma pessoa muito peculiar. Ele não conseguia entender o sentido de tudo aquilo. Sentia-se com raiva e amedrontado. Tinha certeza de que uma política daquelas iria arruinar o jornal, assim que se tornasse público que o seu proprietário estava tentando fazer todas as coisas segundo um critério moral absurdo. Se esse critério fosse adotado, o que seria da empresa? Isso iria deixar todos os clientes apreensivos e instalaria um clima de confusão interminável. Era uma grande bobagem. Uma burrice absoluta. Foi o que Clark disse para si mesmo. Quando Marks foi informado da decisão, apoiou o editor-chefe com algumas declarações bem agressivas. O que havia de errado com o patrão? Será que estava louco? Será que estava para levar a empresa à falência?

Mas Edward Norman ainda não havia passado pelo problema mais sério. Quando chegou ao jornal na sexta-feira cedo, foi abordado com a pauta para a edição do domingo cedo. O *Diário de Notícias* era um dos poucos jornais vespertinos em Raymond que lançava uma edição dominical e sempre alcançava um resultado financeiro impressionante. Havia mais ou menos uma página de matérias literárias e religiosas para trinta ou quarenta páginas de esporte, teatro, fofocas, moda, sociedade e política. Tudo isso fazia daquilo uma publicação muito interessante, sempre acolhida por todos os assinantes, incluindo membros de igrejas, que a consideravam uma necessidade das manhãs de domingo. Edward Norman estava agora de frente para esse fato e perguntou a si mesmo: "O que faria Jesus?". Se o Senhor fosse editor de um jornal, iria deliberadamente planejar levar à casa de todos os membros de igrejas e cristãos de Raymond todo esse material para leitura, bem no dia da semana que deveria ser dedicado a algo superior, mais sagrado? É claro que ele conhecia as justificativas de sempre para um jornal de domingo, como a de que o público precisava de algo do gênero; principalmente o operário, que não ia mesmo à igreja, precisava ter alguma coisa divertida e informativa aos domingos, seu único dia de descanso. Mas e se o jornal de domingo não se pagasse? Se ele não gerasse receita? O editor ou *publisher* iria se prontificar a atender ao clamor da necessidade dos humildes operários? Edward Norman estava com toda sinceridade refletindo sobre o assunto.

Levando tudo isso em conta, será que Jesus iria publicar um jornal para as manhãs de domingo? Não interessava se o jornal se pagava ou não. A questão não era essa. A bem da verdade, o *Diário de Notícias* dava tanto lucro, que tirá-lo de circulação representaria uma perda imediata de milhares de dólares. Além disso, os assinantes regulares já haviam pago para receber o jornal sete dias por semana. Teria ele agora o direito de oferecer-lhes menos do que esperavam?

Ele estava realmente perplexo diante do assunto. Havia tanta coisa envolvida na questão de pôr fim à edição de domingo, que pela primeira vez ele quase decidiu que não iria se orientar segundo o critério da atitude que Jesus provavelmente tomaria. Ele era o único dono do jornal; tinha o direito de configurar as coisas conforme achasse melhor. Não precisava consultar nenhuma diretoria para definir a política da empresa. Mas, sentado ali, cercado por todo aquele material que iria compor a edição de domingo, chegou a algumas conclusões bem claras. Entre estas se encontrava a determinação de convocar todos os funcionários para uma reunião e, diante deles, expor com toda franqueza seus motivos e propósitos. Então pediu que todos fossem para a sala de correspondências: Clark e os outros que estavam na redação, incluindo alguns poucos repórteres que se encontravam no prédio, e o supervisor, além dos que estivessem na sala de composição (ainda era cedo e nem todos haviam chegado). O lugar da reunião era amplo, e os funcionários foram chegando e se acomodando em volta das mesas e do balcão. Tratava-se de um procedimento inédito, mas, de qualquer forma, todos sabiam que o jornal estava sendo administrado segundo novos princípios. E todos ouviram com atenção enquanto o sr. Norman falava.

"Chamei-os aqui para que conheçam meus próximos planos para o jornal. Estou propondo certas mudanças que julgo necessárias. Compreendo muito bem que algumas coisas que já fiz estão sendo consideradas muito estranhas pelas pessoas daqui. Gostaria de declarar o motivo que me está levando a fazer o que fiz."

Nesse momento, ele lhes contou o que já havia falado para Clark; a exemplo deste, eles também ficaram parados, olhando com ar de preocupação.

"Muito bem; ao agir pautado por esse modelo de conduta, tomei uma decisão que, sem dúvida, deixará todos surpresos. Decidi que a edição das manhãs de domingo do *Diário de Notícias* não mais será publicada depois do número deste próximo domingo. Nesta mesma edição declararei as razões que me levaram a tirá-lo de circulação. Para compensar os assinantes que já pagaram pelas edições de domingo e, portanto, julgam-se no direito de receber o mesmo volume de informações, poderemos publicar duas edições aos sábados, a exemplo do que fazem muitos jornais vespertinos que não publicam nada aos domingos. Estou convencido de que, de uma perspectiva cristã, nosso jornal das manhãs de domingo tem sido mais nocivo do que benéfico. Não acredito que Jesus seria responsável por ele, se estivesse em meu lugar hoje. Isso vai gerar algumas dificuldades para acertarmos com anunciantes e assinantes alguns desdobramentos causados por essa mudança. Eu mesmo me encarregarei disso. A mudança vai acontecer mesmo. Pelo que posso prever, o prejuízo recairá sobre mim. Repórteres e impressores não precisam fazer mudanças em seus planos."

Ele olhou por toda a sala, mas ninguém abriu a boca. Pela primeira vez na vida ele estava impressionado com o fato de que, em todos aqueles anos de vida do jornal, ele nunca havia reunido todos os funcionários desse jeito. Será que Jesus faria isso? Ou seja, será que ele administraria um jornal dentro de um adorável ambiente familiar, em que editores, repórteres, impressores e os demais se reuniriam para discutir, formular e planejar uma publicação que tivesse em vista...

Ele se flagrou imaginando essas coisas sem olhar para a realidade dos sindicatos dos tipógrafos, para as regras do escritório, para o trabalho dos repórteres e para todos os outros métodos administrativos desprovidos de afeto, mas que coroam com êxito um grande jornal. Assim mesmo, aquele retrato que começou a se desenhar em sua mente na sala de correspondências não se apagou quando ele voltou a sua mesa nem quando os funcionários voltaram aos seus postos de trabalho com olhar de perplexidade e perguntas de toda espécie, enquanto comentavam as decisões espantosas do patrão.

Clark entrou e teve uma longa e séria conversa com seu chefe. Clark estava totalmente exaltado, e seu protesto chegava às raias do pedido de demissão. Norman se continha com cuidado. Cada minuto daquela conversa o fazia sofrer, mas ele sentia mais do que nunca a necessidade de agir tendo Cristo como modelo. Clark era um homem valoroso. Seria difícil substituí-lo. Mas ele não conseguia apresentar razões convincentes para a manutenção do jornal de domingo. A resposta para a pergunta "O que faria Jesus?" não indicava que Jesus publicaria aquela edição.

— Portanto, chego à conclusão — disse Clark com franqueza — de que o senhor vai quebrar este jornal em trinta dias. Teremos de enfrentar esse fato no futuro.

— Não acho que teremos. Você vai continuar no jornal até que ele venha a falir? — perguntou Norman com um sorriso misterioso.

— Sr. Norman, eu não consigo entendê-lo. Durante esta semana, o senhor não tem sido o homem que sempre conheci.

— Também não estou me reconhecendo, Clark. Alguma coisa espantosa me envolveu e está me conduzindo. Mas nunca estive tão certo de que, no final, o jornal vai prosperar e se fortalecer. Você ainda não respondeu a minha pergunta. Você vai ficar comigo?

Clark hesitou por um momento, mas acabou dizendo "sim". Trocaram um aperto de mãos, e Clark voltou para sua mesa; chegou a sua sala tomado por várias emoções conflitantes. Ele nunca havia passado por uma semana tão agitada e estressante; agora se sentia ligado a uma empresa que poderia quebrar a qualquer hora e arruinar a vida de todos os que estivessem ligados a ela.

Capítulo 5

A manhã de domingo raiou novamente sobre Raymond, e a igreja de Henry Maxwell estava outra vez lotada. Antes do início do culto, Edward Norman foi quem atraiu as atenções. Ele estava sentado no seu lugar de sempre, na terceira fileira da frente. A edição do *Diário de Notícias* daquela manhã de domingo trazia a declaração sobre sua extinção numa linguagem tão extraordinária que todos os leitores ficaram sensibilizados. Nunca tantas sensações tão distintas haviam abalado as tradições empresariais de Raymond. Os fatos ligados ao *Diário* não eram tudo o que estava acontecendo. Agitadas, as pessoas falavam sobre as coisas incomuns que Alexander Powers havia feito durante a semana na oficina da estrada de ferro, e Milton Wright, nas suas lojas.

O culto seguiu com as pessoas meio inquietas nos bancos. Henry Maxwell encarou tudo aquilo com uma calma que revelava força e propósito acima do normal. Suas orações foram de grande ajuda. Não era tão simples descrever seu sermão. Como um ministro do evangelho estaria apto para pregar para suas ovelhas depois de ter passado uma semana inteira se perguntando: "Como Jesus pregaria? O que será que ele iria dizer?". Com toda certeza, ele não pregou como nos dois domingos anteriores. Na terça da semana passada, estivera de pé junto ao túmulo do rapaz desconhecido e declarara: "... porque tu és pó, e ao pó tornarás". Assim, ainda estava comovido e profundamente motivado ao pensar sobre o rebanho, ansiando pela mensagem de Cristo para quando se dirigisse novamente ao púlpito.

Agora que o domingo havia chegado e as pessoas estavam ali para ouvir, o que o Senhor iria lhes dizer? Ele havia sofrido para preparar a mensagem e sabia que não havia conseguido conciliá-la com seus pensamentos sobre Cristo. Assim mesmo, ninguém da Primeira Igreja conseguia se lembrar de alguma vez ter ouvido um sermão como aquele. O sermão incluiu reprovação do pecado, principalmente da hipocrisia, reprovação da ganância por riquezas e pelo egoísmo da moda, duas coisas que a Primeira Igreja nunca vira reprovadas dessa maneira, e incluiu também amor pelo rebanho, que foi ganhando força à medida que o sermão era pregado. Ao término dele, havia pessoas que diziam no coração: "O Espírito dirigiu esse sermão". E elas estavam certas.

Em seguida, a pedido do sr. Maxwell, Rachel Winslow levantou-se para cantar, desta vez após o sermão. O canto de Rachel não arrancou aplausos desta feita. Que sentimento mais profundo teria conduzido o coração das pessoas àquele silêncio reverente e a pensamentos afetivos? Rachel estava bonita. Mas a consciência que ela tinha de ser especialmente graciosa sempre havia conspurcado seu canto para os que tinham um sentimento espiritual mais profundo. Também havia conspurcado para si mesma a forma como interpretava certos tipos de música. Mas agora não havia nada disso. Sua voz sublime não tinha perdido potência. Mas havia um novo elemento de humildade e pureza que era sentido e reverenciado pelo público.

Antes do fim do culto, o sr. Maxwell pediu aos que haviam ficado na semana anterior que ficassem de novo para terem alguns momentos de interação, estendendo o convite a qualquer pessoa que também quisesse assumir o compromisso. Logo que pôde, foi para o salão social. Para sua grande surpresa, o lugar estava quase lotado. Desta vez havia uma boa porcentagem de jovens, mas também havia alguns empresários e oficiais da igreja.

Como da outra vez, Maxwell convidou-os a orar com ele. E novamente uma resposta se fez perceptível pela presença do Espírito de Deus. Não havia dúvida nas pessoas presentes de que o que elas haviam se prontificado a fazer estava claramente alinhado com a vontade de Deus, e assim foram abençoadas de uma forma especial.

Então ficaram algum tempo ali, fazendo perguntas e interagindo umas com as outras. Havia um sentimento de comunhão como nunca antes experimentado pelos membros da igreja. A atitude do sr. Norman foi bem compreendida por todos, e ele respondeu a várias perguntas.

— O que o senhor acha que pode acontecer com a extinção do jornal de domingo? — perguntou Alexander Powers, que estava sentado ao lado dele.

— Eu ainda não sei. Penso que acarretará uma redução no número de assinantes e de anunciantes. É o que posso prever.

— O senhor ficou em dúvida sobre sua decisão? Quero dizer, o senhor lamenta ter feito isso, ou teme que não seja o que Jesus faria? — perguntou o sr. Maxwell.

— Nem um pouco. Mas, para minha própria satisfação, gostaria de perguntar se alguém aqui acha que Jesus publicaria um jornal para circular nas manhãs de domingo.

Ninguém disse nada por um minuto. Então Jasper Chase falou:

— Parece que pensamos o mesmo sobre o assunto. Mas durante a semana fiquei várias vezes confuso para decidir o que Jesus faria. Nem sempre é fácil responder a essa pergunta.

— Eu senti a mesma dificuldade — disse Virginia Page, sentada ao lado de Rachel Winslow. Todos que a conheciam queriam saber se ela conseguiria manter sua palavra.

— Talvez eu ache mais difícil responder a essa pergunta em face do meu dinheiro. O Senhor nunca teve nenhuma propriedade, e o exemplo que ele deixou não parece me orientar no uso dos meus bens. Estou estudando e orando. Acho que enxergo um pouco do que ele faria, mas não tudo. O que ele faria com um milhão de dólares? É isso que eu realmente pergunto. Confesso que ainda não tenho uma resposta que me satisfaça.

— Eu poderia lhe dizer o que você pode fazer com parte do seu dinheiro — disse Rachel, voltando-se na direção de Virginia.

— Não é isso que me preocupa — respondeu Virginia com um leve sorriso. — O que estou tentando descobrir é um princípio que me permita ficar o mais próximo possível das atitudes de Jesus que devem influenciar minha vida por inteiro no que tange a meus bens e ao uso que faço deles.

— Isso vai levar tempo — disse o ministro pausadamente. Todos os outros na sala estavam refletindo sobre a mesma coisa. Milton Wright contou um pouco da sua experiência. Ele estava desenvolvendo um plano que visava o relacionamento profissional com seus empregados, e isso estava abrindo novos horizontes para todos. Alguns jovens relataram como haviam tentado responder à pergunta. Havia praticamente um consenso sobre o fato de que aplicar o espírito de Cristo e suas práticas à vida do dia a dia era algo muito sério. Exigia conhecer Jesus e ter uma percepção do que o motivava, e a maioria ainda não tinha isso.

Quando finalmente encerraram a reunião depois de um período de oração silenciosa, marcada com o grande poder da presença de Deus, todos saíram conversando sobre suas dificuldades, um procurando tirar as dúvidas do outro.

Rachel Winslow e Virginia Page saíram juntas. Edward Norman e Milton Wright estavam tão envolvidos na conversa que caminharam juntos até depois da casa pastoral e voltaram. Jasper Chase e o presidente da sociedade de jovens continuaram a conversar com todo interesse num dos cantos do salão. Alexander Powers e Henry Maxwell ficaram, mesmo depois que os outros já haviam saído. Então o sr. Powers disse:

— Gostaria que você fosse amanhã às oficinas de manutenção, visse o que estou planejando e dirigisse uma palavra aos trabalhadores. Sinto que você, mais do que ninguém, pode se aproximar deles neste momento.

— Não tenho certeza disso, mas irei — respondeu o sr. Maxwell, meio preocupado. Como é que ele poderia se colocar diante de duzentos ou trezentos operários e dirigir-lhes uma mensagem? Mas ele mesmo se censurou por ter feito uma pergunta dessas num momento de fraqueza. O que faria Jesus? Isso acabava com a discussão.

No dia seguinte, ele se dirigiu para lá e encontrou o sr. Powers na sua sala. Faltavam alguns minutos para o meio-dia, e o superintendente disse:

— Suba as escadas, e eu vou lhe mostrar o que estou pensando em fazer.

Eles atravessaram toda a oficina de máquinas, subiram uma longa escadaria e chegaram a um salão amplo e vazio. O lugar já havia sido usado pela empresa como depósito.

— Desde que fiz aquela promessa na semana passada, tenho pensado em várias coisas — disse o superintendente. — Entre elas encontra-se esta: a empresa permite que eu faça uso deste salão. Vou adaptá-lo com mesas e com um espaço para café no canto, ali onde estão aqueles canos condutores de vapor. Minha ideia é preparar um lugar aonde os operários possam ir para almoçar. Duas ou três vezes por semana eu lhes darei a oportunidade de terem uma palavra de quinze minutos sobre algum assunto que possa lhes ser útil na vida prática.

Maxwell olhou surpreso e perguntou se os operários compareceriam para algo assim.

— Sim, eles vêm. Afinal de contas, eu os conheço bem. Estão entre os operários mais inteligentes do país. Mas, de modo geral, estão desligados de toda influência das igrejas. Fiz a pergunta, "o que faria Jesus?", e pareceu-me entre outras coisas que ele iria começar a fazer alguma coisa para proporcionar um pouco mais de conforto físico e espiritual para esses homens. Sei que este salão e o que ele representa não significam muita coisa, mas agi sem pestanejar e resolvi fazer a primeira coisa que achasse de bom-senso. Então quero implementar essa ideia. Gostaria que o senhor lhes dirigisse uma palavra quando eles subirem para o almoço. Pedi que viessem para ver o lugar, e eu lhes falarei um pouco sobre tudo isso.

Maxwell ficou com vergonha de dizer que não se sentia à vontade para falar a um grupo de operários. Como poderia falar sem suas anotações, ainda mais para um grupo tão grande? Ele estava apavorado diante dessa perspectiva. Na verdade, estava com medo de encarar aqueles operários. Encolheu-se diante da experiência de enfrentar um grupo tão numeroso de pessoas que não se pareciam nem um pouco com aquelas com as quais estava acostumado aos domingos.

Havia um pouco mais de uma dezena de bancos e mesas no salão. Quando a sirene deu meio-dia, os operários subiram as escadas vindos das oficinas de máquinas, sentaram-se e começaram a almoçar. Havia cerca de trezentos homens. Tinham lido o aviso do superintendente, que o havia colocado em vários lugares, e vieram movidos principalmente pela curiosidade.

A impressão que tiveram foi positiva. O salão era amplo e arejado, não havia fumaça nem poeira, e os canos condutores de vapor aqueciam o ambiente. Quando faltavam vinte minutos para uma da tarde, o sr. Powers falou aos presentes sobre sua ideia. Falou com simplicidade, pois conhecia muito bem as pessoas que o ouviam. Então apresentou o seu pastor, o rev. Henry Maxwell, da Primeira Igreja, que aceitara falar alguns poucos minutos.

Maxwell nunca mais iria se esquecer da sensação que teve ao ficar pela primeira vez diante de um público constituído de operários com o rosto sujo de fuligem. À semelhança de centenas de outros ministros, ele nunca havia falado a grupos que não fossem formados por pessoas de sua classe social, gente que usava roupas da mesma qualidade, tinha hábitos semelhantes e educação do mesmo nível. Era uma realidade que ele desconhecia, e somente a sua nova regra de conduta poderia viabilizar sua mensagem e o efeito que ela teve. Ele falou sobre a satisfação na vida: o que a tornava possível e de onde ela vinha. Nesse primeiro contato, teve o cuidado de não olhar para os trabalhadores como integrantes de uma classe diferente da sua. Não empregou o termo "operário", nem mencionou coisa nenhuma que desse a entender alguma diferença entre a sua vida e a vida que eles tinham.

Os trabalhadores gostaram do que viram. Antes de voltar ao trabalho, vários deles trocaram um aperto de mãos com o pastor. Quando chegou em casa, ao contar à esposa o que acontecera, mencionou que em toda a vida nunca tinha tido o prazer de apertar a mão de um trabalhador braçal. Aquele dia havia sido importante em sua experiência como cristão, mais importante do que ele podia supor. Marcara o início de um relacionamento entre ele e o mundo da classe operária. Foi o primeiro passo dado para a aproximação entre a igreja e o operariado em Raymond.

Naquela tarde, Alexander Powers voltou para sua mesa satisfeito com seu plano, que poderia ser muito útil para os operários. Ele sabia onde podia conseguir algumas mesas em bom estado, mesas que haviam sido abandonadas num refeitório algumas estações à frente, e sabia como transformar o espaço para café num lugar muito atraente. Os trabalhadores haviam reagido melhor do que ele esperava, e tudo aquilo não poderia deixar de lhes trazer um grande benefício.

Ele retomou a rotina do trabalho com um semblante de satisfação. Afinal de contas, o que havia falado para si mesmo é que queria fazer o mesmo que Jesus faria.

Perto das quatro horas da tarde, abriu um envelope com o timbre da empresa, achando que continha ordens de compra. Passou os olhos rapidamente pela primeira página datilografada, mas viu em seguida que o que estava lendo não era para ele, mas para o superintendente do departamento de fretes.

Virou uma página mecanicamente, sem querer ler algo que não lhe tivesse sido endereçado, mas, antes que se desse conta disso, viu-se com um documento que oferecia provas cabais de que a empresa estava envolvida numa violação sistemática das leis que regiam o comércio interestadual nos Estados Unidos. Era uma infração clara e inequívoca, como se um cidadão em particular invadisse uma casa e roubasse os moradores. A discriminação que se evidenciava nos descontos desprezava completamente todas as normas. Pelas leis estaduais era também uma clara violação de certas medidas aprovadas recentemente pelos deputados para evitar monopólios das estradas de ferro. Não havia dúvida de que ele tinha em mãos provas suficientes para condenar a empresa por violação premeditada e inteligente da lei da comissão interestadual e também da lei estadual.

Ele colocou os papéis em cima da mesa, como se lhe queimassem as mãos, e de imediato ocorreu-lhe a pergunta "O que faria Jesus?". Então, tentou não ligar a pergunta àquela situação. Procurou raciocinar consigo mesmo, afirmando que aquilo não era assunto que lhe dizia respeito.

Ele sabia mais ou menos, a exemplo de todos os oficiais da companhia, que isso ocorria praticamente em todas as empresas ferroviárias. E não tinha condições de provar nada, por causa de seu lugar nas oficinas de manutenção. Já havia considerado o assunto como algo que não era de sua conta. Mas aqueles documentos agora revelavam todo o esquema. Por algum descuido haviam sido enviados para ele. Aquilo era algo que lhe dizia respeito? Se visse alguém arrombando a casa de seu vizinho para roubar, não seria seu dever informar os agentes da lei? Será que uma empresa ferroviária era algo tão diferente, que estava debaixo de outra regra de conduta, de modo que podia roubar o público, menosprezar a lei e ficar impune pelo simples fato de ser uma empresa de grande porte? O que faria Jesus? Mas também tinha a sua família. É claro que se ele fizesse alguma coisa para informar as autoridades, isso iria lhe custar o emprego. Sua esposa e a filha sempre haviam desfrutado de luxo e de uma boa posição na sociedade. Se ele se manifestasse contra esse ato de corrupção na qualidade de testemunha, seria levado aos tribunais, suas razões poderiam ser malinterpretadas, e tudo acabaria em desgraça para si mesmo, causando-lhe a perda do emprego. É claro que aquilo não era assunto que lhe dizia respeito. Ele facilmente poderia fazer que os documentos chegassem ao departamento de fretes e não posaria de sabichão. A corrupção, que continuasse! A lei, que fosse desafiada! O que ele tinha a ver com isso? Iria implementar suas ideias para melhorar as condições ao seu redor. O que mais um homem poderia fazer pelo transporte ferroviário? Havia tanta coisa que acontecia sem que ele pudesse interferir, que acabava sendo impossível viver segundo o modelo deixado por Cristo.

Mas o que faria Jesus, se conhecesse aqueles fatos? À medida que ia anoitecendo, era com essa pergunta que Alexander Powers estava às voltas.

As luzes no escritório estavam agora acesas. O barulho do motor e o som metálico das plainas da oficina continuaram a ser ouvidos até às seis horas da tarde. Então, a sirene tocou, o motor desacelerou até parar, os operários largaram as ferramentas e correram para o prédio onde se preparavam para ir embora. À medida que iam saindo, Powers ouvia o conhecido clique-clique dos relógios. Então disse aos escriturários:

"Não estou saindo agora. Tenho mais algumas coisas para fazer ainda hoje." Ele esperou até que a última pessoa tivesse ido embora. O engenheiro e seus assistentes tinham de trabalhar mais meia hora, mas saíram por outra porta.

Às sete horas da noite, qualquer pessoa que olhasse para dentro da sala do superintendente teria visto algo incomum. Ele estava de joelhos, com o rosto entre as mãos e com a cabeça baixa sobre os documentos em sua mesa.

Capítulo 6

Se alguém vem a mim e não aborrece a seu pai,
e mãe, e mulher, e filhos, e irmãos, e irmãs e ainda
a sua própria vida, não pode ser meu discípulo.

Assim, pois, todo aquele que dentre vós não renuncia
a tudo quanto tem não pode ser meu discípulo.

Ao se separarem depois da reunião na Primeira Igreja, Rachel Winslow e Virginia Page combinaram de continuar a conversa no dia seguinte. Virginia convidou Rachel para ir almoçar com ela ao meio-dia; Rachel chegou às onze e meia e tocou a campainha da mansão da família Page. A própria Virginia veio abrir a porta, e logo as duas estavam conversando animadas.

— A verdade — dizia Rachel depois de alguns momentos de conversa — é que eu não consigo conciliar isso com minha opinião sobre o que Cristo faria. Não posso dizer a outra pessoa o que fazer, mas acho que não devo aceitar essa proposta.

— Então, o que você vai fazer? — perguntou Virginia, muito interessada.

— Eu ainda não sei — disse Rachel —, mas decidi que não vou aceitar a proposta.

Rachel pegou uma carta que estava sobre seu colo e outra vez correu os olhos pelo seu conteúdo. Era uma carta de um gerente de um grupo de ópera cômica, que lhe oferecia um lugar junto com uma grande companhia que sairia em turnê naquela temporada. O salário era bem atraente, e as perspectivas apresentadas pelo gerente, lisonjeiras. Ele a tinha ouvido cantar naquela manhã de domingo em que o rapaz desconhecido interrompera o culto. E havia ficado muito impressionado. Aquela voz era sinônimo de dinheiro e precisava ser usada na ópera cômica, dizia a carta, e o gerente queria uma resposta sem demora.

— Não há nenhuma virtude em recusar esta proposta, se tenho a outra — continuou Rachel de forma ponderada. — Aquela é mais difícil de decidir. Mas já tenho uma opinião. Virginia, a verdade é que, quanto à primeira, estou inteiramente convencida de que Jesus jamais usaria algum talento como uma boa voz apenas para ganhar dinheiro. Mas agora pense nessa proposta do concerto. Trata-se de uma companhia respeitável, que sairá em viagem com um ator, um violinista e um quarteto masculino, todos de boa reputação. Fui convidada para acompanhar o grupo na condição de primeira soprano. Acho que lhe falei sobre o salário, não? Eles garantem 200 dólares por mês nessa temporada. Mas não me sinto convencida de que Jesus iria. O que você acha?

— Você não deve pedir que eu decida por você — respondeu Virginia com um sorriso triste. — O sr. Maxwell tinha razão quando disse que cada um de nós deve decidir por si mesmo que atitude Cristo teria. Minha querida, estou tendo mais dificuldade que você para decidir o que ele faria.

— Está? — perguntou Rachel. Então levantou-se e caminhou até a janela, de onde ficou olhando para fora. Virginia também foi e ficou ao lado dela. A rua estava cheia de vida, e as duas jovens olharam para aquilo por um momento. De repente, Virginia exclamou de um modo que Rachel nunca tinha ouvido:

— Rachel, o que lhe significa todo esse contraste de condições quando você pergunta o que faria Jesus? Parece-me loucura pensar que a sociedade na qual cresci, à qual nós duas supostamente pertencemos, se satisfaz ano após ano em ter roupas, comida e diversão, em dar e receber, em gastar dinheiro com casas e luxo e, de vez em quando, para aliviar a consciência, em fazer doações para instituições de caridade, sem que isso represente nenhum sacrifício pessoal. Fui educada, assim como você, em uma das escolas mais caras do país; ingressei na sociedade na condição de herdeira, supostamente numa situação bastante invejável. Está tudo bem para mim; posso viajar ou ficar em casa. Posso fazer as coisas que me agradam. Posso satisfazer quase todos os meus desejos ou necessidades. Mesmo assim, quando sinceramente tento imaginar Jesus levando a vida que eu levo e espero levar, fazendo pelo resto da vida o que milhares de pessoas ricas fazem, coloco-me sob condenação por ser uma das criaturas mais perversas, egoístas e inúteis da face da terra. Faz semanas que não olho por esta janela sem me sentir horrorizada comigo mesma, quando observo as pessoas que passam na frente desta casa.

Virginia virou-se e ficou andando de um lado para outro na sala. Rachel a observava e não conseguia reprimir a força de sua definição de discipulado, que tomava conta de seu pensamento. De que serventia para o cristianismo era o seu talento como cantora? Será que o melhor que ela podia fazer era vender seu talento por um valor mensal, sair em turnê com uma companhia de concertos, vestir-se com roupas lindas, desfrutar do entusiasmo do aplauso da plateia e fazer nome como grande cantora? É isso que Jesus faria?

Virginia não estava com nenhum desequilíbrio mental. Estava com a saúde perfeita, tinha consciência da sua grande capacidade como cantora e sabia que, se entrasse para o mundo artístico, poderia ganhar muito dinheiro e tornar-se famosa. Ela não parecia superestimar sua competência para realizar as coisas para as quais se sentia capaz. Quanto a Virginia, o que ela tinha acabado de dizer tocou fundo em Rachel, em vista das condições semelhantes em que as duas se encontravam.

O almoço havia ficado pronto, e então elas foram comer. Também estavam presentes a avó de Virginia, senhora Page, uma mulher de 65 anos, elegante e imponente, e Rollin, irmão de Virginia, um rapaz que passava a maior parte do tempo num dos clubes, não tinha nenhuma ambição, mas cada vez mais admirava Rachel Winslow. Sempre que ele ficava sabendo que ela vinha para jantar ou almoçar, fazia de tudo para ficar em casa.

Os três formavam a família Page. O pai de Virginia tinha sido banqueiro e atuara também no comércio de grãos. A mãe havia morrido fazia dez anos, e o pai falecera no ano anterior. A avó, uma senhora nascida e educada no sul, carregava tradições e sentimentos inabaláveis inerentes à posse de riquezas e à posição social. Ela era uma empresária competente e cuidadosa, com habilidade acima da média. Em larga escala, a riqueza e as propriedades da família eram administradas pessoalmente por ela. A parte que cabia a Virginia era exclusivamente dela. O pai a havia ensinado sobre o mundo dos negócios, e até a avó era obrigada a reconhecer a capacidade que a moça tinha para cuidar de seu próprio dinheiro.

Parecia que no mundo inteiro não havia duas pessoas que entendessem menos uma moça como Virginia do que a senhora Page e Rollin. Rachel, que conhecia a família desde a época que brincava com Virginia, não podia deixar de pensar no que Virginia enfrentaria dentro da própria casa, agora que havia se decidido a seguir o caminho que ela acreditava que Jesus também seguiria. Naquele dia, na hora do almoço, lembrando-se do desabafo de Virginia na sala da frente, ela tentou visualizar a cena que uma hora ou outra iria se desenhar entre a senhora Page e sua neta.

— Fiquei sabendo que você está para entrar na vida artística, srta. Winslow. Tenho certeza de que todos iremos gostar disso — disse Rollin durante a conversa, que até aquele momento não tinha sido muito animada.

Rachel ficou vermelha de vergonha e sentiu-se incomodada com aquilo. — Quem lhe disse isso? — perguntou ela, enquanto Virginia, que até então estivera em silêncio e reservada, animou-se de repente e mostrou-se desejosa de participar da conversa.

— Ah!, sempre ficamos sabendo de uma coisa ou outra nas ruas. Além disso, todo mundo viu Crandall, o gerente, na igreja duas semanas atrás. Ele não vai à igreja para ouvir a pregação. Na verdade, ele não é o único a não se interessar pela pregação, se há coisa melhor para ser ouvida.

Desta vez, Rachel não ficou vermelha, mas respondeu com calma:

— Você está enganado. Não vou ingressar na vida artística.

— É uma grande pena. Você fez sucesso. Todos estão falando de como você canta.

Desta vez, Rachel ficou vermelha, mas foi de raiva. E, antes que conseguisse dizer alguma coisa, Virginia interveio:

— Como assim, "todos"?

— Refiro-me às pessoas que ouvem a srta. Winslow aos domingos. Em que outro momento podem ouvi-la? O que eu digo é que é uma pena que o público em geral fora de Raymond não possa ouvir sua voz.

— Vamos falar de outra coisa — disse Rachel meio bruscamente. A senhora Page olhou para ela e disse com muita educação:

— Minha cara, Rollin jamais conseguiria ser sutil ao fazer um elogio. Nesse ponto, é parecido com o pai. Mas estamos todos curiosos para saber quais são seus planos. Sabe, nossa velha amizade nos dá essa liberdade; e Virginia já nos contou sobre a proposta que você recebeu da companhia de concertos.

— Eu achava, é claro, que isso já era de conhecimento público — disse Virginia, sorrindo do outro lado da mesa. Anteontem, estive na redação do *Diário de Notícias*.

— Sim, sim — respondeu Rachel rapidamente — entendo o que aconteceu, senhora Page. Virginia e eu estivemos conversando sobre isso. Decidi não aceitar; por enquanto, isso é tudo.

Rachel tinha consciência do fato de que, até ali, a conversa estava conduzindo sua hesitação quanto à proposta da companhia de concertos a uma decisão que iria satisfazer plenamente sua opinião sobre qual seria a provável atitude de Jesus. Entretanto, a última coisa que ela queria era ver sua decisão se tornar pública desse jeito. De alguma forma, o que Rollin Page tinha dito e a maneira como disse precipitaram a decisão de Rachel.

— Rachel, você se importaria de nos contar as razões que a levaram a recusar a proposta? Parece que se trata de uma excelente oportunidade para uma moça tão jovem como você. Não acha que o público em geral deve ouvi-la? Concordo com Rollin nesse ponto. Uma voz como a sua pertence a um público bem maior que o de Raymond e o da Primeira Igreja.

Rachel Winslow era uma moça introspectiva por natureza. Ela se retraía para que seus planos ou pensamentos não se tornassem públicos. Mesmo com toda sua retração, ela era capaz de, uma vez ou outra, manifestar-se de repente, numa expressão simplesmente impulsiva, embora franca e verdadeira, de seus sentimentos mais íntimos. Então, em resposta às observações da senhora Page, ela falou num desses raros momentos de desembaraço que ajudavam a compor a atração que seu caráter costumava exercer:

— Não tenho outra razão, a não ser a plena certeza de que Jesus Cristo faria a mesma coisa — disse ela, fitando os olhos da senhora Page com clareza e determinação.

A senhora Page ficou vermelha, e Rollin, perplexo. Antes que sua avó dissesse alguma coisa, Virginia interveio. A cor que foi tomando conta do seu rosto era sinal de que ela estava agitada. Seu semblante claro e alvo era de aparência saudável, mas contrastava bastante com a beleza tropical de Rachel.

— Vovó, a senhora sabe que prometemos que esse seria nosso padrão de conduta durante um ano. A proposta do sr. Maxwell foi clara para todos que a ouviram. Não tem sido fácil tomar nossas decisões. A dificuldade em descobrir o que Jesus faria tem me deixado razoavelmente perplexa, e o mesmo tem acontecido com Rachel.

A senhora Page lançou sobre Virginia um olhar penetrante, antes de dizer qualquer coisa.

— É claro que entendo a proposta do sr. Maxwell. Ela é totalmente impraticável. Naquela oportunidade, tive a certeza de que os que haviam feito a promessa iriam, depois de uma tentativa frustrada, perceber que se trata de um idealismo absurdo. Não vou opinar sobre os assuntos concernentes à srta. Winslow, mas — então fez uma pausa e continuou com uma aspereza que Rachel nunca tinha visto — espero que você não venha com ideias absurdas sobre isso, Virginia.

— Tenho muitas ideias — respondeu Virginia com serenidade — e se elas são absurdas ou não depende da minha compreensão correta do que Jesus faria. Assim que eu tiver certeza, farei o mesmo.

— Peço-lhes desculpas — disse Rollin, levantando-se da mesa. — A conversa está ficando profunda demais para mim. Vou me retirar para fumar um charuto na biblioteca.

Tendo ele saído da sala de jantar, houve silêncio por um instante. A senhora Page esperou a empregada que lhe trazia alguma coisa e em seguida pediu que se retirasse. Ela estava irritada, e sua raiva era medonha, embora contida até certo ponto pela presença de Rachel.

— Sou muitos anos mais velha que vocês, mocinhas — disse ela, e sua figura tradicional parecia para Rachel uma grande muralha de gelo que se erguia entre ela e qualquer concepção de Jesus como sacrifício. — A promessa que vocês fizeram, tomadas por uma falsa emoção, presumo, é impossível de ser cumprida.

— Vovó, a senhora quer dizer que não é possível agirmos como o Senhor agiria? Ou a senhora quer dizer que, se tentarmos fazer isso, estaremos ofendendo os costumes e as crenças da sociedade? — perguntou Virginia.

— Ninguém é obrigado a fazer isso! Não é preciso! Além disso, como é possível agir com algum... — a senhora Page fez uma pausa, interrompeu o que estava dizendo e voltou-se para Rachel. — O que sua mãe vai dizer dessa sua decisão? Minha querida, isso não é uma bobagem? Afinal de contas, o que você espera fazer com a sua voz?

— Eu não sei ainda o que minha mãe vai dizer — respondeu Rachel, tentando não falar qual seria a provável reação da mãe. Se havia uma mulher em toda a cidade de Raymond com altos planos para uma carreira de sucesso da filha como cantora, essa mulher era a sra. Winslow.

— Ah! você há de pensar diferente depois de refletir um pouco sobre isso. Minha querida — prosseguiu a senhora Page enquanto se levantava da mesa — você vai se arrepender até o fim da vida se não aceitar o convite da companhia de concertos ou algo semelhante.

Rachel disse alguma coisa que deixou entrever a luta que ela ainda estava enfrentando. E, depois de um tempo, saiu, sentindo que sua ausência iria precipitar uma conversa difícil entre Virginia e sua avó. Mais tarde ficou sabendo que, durante o episódio com sua avó, Virginia havia enfrentado um momento crítico que aceleraria sua decisão sobre o que fazer com seu dinheiro e com sua posição social.

Capítulo 7

Rachel sentiu-se bem por sair e ficar sozinha. Estava com um plano em mente e queria sossego para pensar direito. Mas, antes de chegar ao fim do segundo quarteirão, teve o desprazer de encontrar Rollin Page andando a seu lado.

— Desculpe-me por atrapalhar seus pensamentos, srta. Winslow, mas aconteceu de eu estar indo pelo mesmo caminho que o seu, e imaginei que você não faria objeção. Na verdade, já caminhei um quarteirão inteiro perto de você e não ouvi ninguém se queixar.

— Eu não vi você — disse Rachel sem perder tempo.

— Eu não me importaria se você pensasse em mim pelo menos de vez em quando — disse Rollin de repente. Então deu a última tragada em seu charuto, jogou-o na rua e, com uma expressão meio pálida, continuou caminhando junto com ela.

Rachel estava surpresa, mas não com medo. Afinal, conhecia Rollin desde que ele era garoto, e houve uma época em que se tratavam com bastante informalidade pelo primeiro nome. Nos últimos tempos, porém, algo no jeito de Rachel havia acabado com isso. Ela estava acostumada com os elogios que ele lhe fazia e de vez em quando até gostava de ouvi-los. Mas, naquele dia, sinceramente queria-o longe.

— Srta. Winslow, você pensa em mim às vezes? — Rollin perguntou depois de uma pausa.

— Ah, sim, muitas vezes! — respondeu Rachel com um sorriso.

— Você está pensando em mim agora?

— Sim, estou.

— Pensando em quê?

— Você quer que eu seja totalmente sincera?

— Claro.

— Eu estava pensando em como gostaria que você não estivesse aqui.

Rollin mordeu o lábio inferior e pareceu ter ficado triste.

— Olha, Rachel, eu sei que não tenho liberdade para isso, mas preciso falar com você um pouco! Você sabe o que eu sinto. Por que me trata desse jeito? Você sabe que já gostou de mim um pouco.

— Gostei? É claro que a gente se dava bem quando nós dois éramos crianças. Mas agora estamos mais velhos.

Rachel ainda estava falando com calma, sem se alterar, do jeito que se sentiu quando ele a abordou. Ela ainda estava preocupada com seus planos, mas a chegada repentina de Rollin tinha atrapalhado tudo.

Os dois caminharam juntos em silêncio por mais um pequeno trecho. A avenida estava cheia de gente. Entre os que passavam estava Jasper Chase. Ao ver Rachel e Rollin, curvou-se educadamente ao passarem. Rollin estava olhando de perto para Rachel.

— Eu gostaria de ser Jasper Chase. Talvez eu tivesse alguma chance — disse ele um pouco desanimado.

Rachel ficou vermelha, apesar da cor de sua pele. Ela não disse nada e apressou um pouco o passo. Rollin se mostrava determinado a dizer alguma coisa, e Rachel parecia não poder evitar. Afinal de contas, pensou, ele terá de saber a verdade qualquer hora dessas.

— Rachel, você sabe muito bem o que sinto por você. Você não me dá nenhuma esperança? Eu poderia fazê-la feliz. Faz anos que eu a amo.

— Como assim? Quantos anos você pensa que eu tenho? — exclamou Rachel com um riso de nervosismo. Isso a havia desestabilizado um pouco.

— Você entende o que eu quero dizer — prosseguiu Rollin, inflexível. — E não tem nenhum direito de zombar de mim só porque eu quero que você se case comigo.

— Não estou zombando de você! Mas não adianta falar com você, Rollin — disse Rachel depois de hesitar um pouco, chamando-o pelo primeiro nome de uma forma tão franca e simples, que ele não poderia atribuir nenhum significado a isso, a não ser a informalidade por causa do tempo que se conheciam. — É impossível.

Ela ainda estava um pouco agitada por ter recebido uma proposta de casamento no meio da rua. Mas o barulho da rua e da calçada deu privacidade à conversa como se estivessem em casa.

— Se... você acha... se você me desse algum tempo eu poderia...

— Não! — disse Rachel com firmeza. Mais tarde ela percebeu que pareceu grosseira, apesar de não ter sido essa a intenção.

Então caminharam mais um pouco sem dizer uma palavra sequer. Estavam se aproximando da casa de Rachel, que estava ansiosa para acabar com aquela cena.

Ao virarem a esquina da avenida, entrando para uma rua mais calma, Rollin falou de repente e de um jeito muito másculo. Havia em sua voz um inconfundível tom de dignidade, que Rachel nunca tinha visto.

— Srta. Winslow, peço-lhe que aceite ser minha esposa. Há alguma chance de um dia você aceitar?

— Não há a menor chance — respondeu Rachel, determinada.

— Você pode me dizer por quê? — ele fez a pergunta como se tivesse o direito de receber uma resposta sincera.

— Porque não me sinto em relação a você como uma mulher deve se sentir em relação ao homem com quem se casará.

— Em outras palavras, você não me ama?

— Não amo, nem conseguiria amar.

— Por quê? — essa era outra questão, e Rachel ficou surpresa com a pergunta.

— Porque — e hesitou com medo de exagerar na tentativa de exprimir exatamente a verdade.

— Diga-me o porquê disso. Você não vai me magoar mais do que já magoou.

— Bom, eu não o amo nem conseguiria amar porque você não tem propósito na vida. O que você já fez para que o mundo fosse um pouco melhor? Você gasta a sua vida dentro de clubes, em diversão, viagens e luxo. O que existe nessa sua vida que possa atrair uma mulher?

— Não muito, acho — respondeu Rollin com um riso amargo. — Mesmo assim, eu não sou pior do que o resto dos homens a minha volta. Também não sou ruim como alguns. Mas gostei de ouvir suas razões.

Então parou de repente, tirou o chapéu, curvou-se com seriedade para cumprimentá-la e foi embora. Rachel foi para casa e correu para o quarto, perturbada com o episódio que vivenciara de forma tão inesperada.

Quando teve tempo de repassar tudo aquilo, sentiu-se condenada pelo mesmo julgamento que havia imposto a Rollin Page. Que propósito tinha ela na vida? Havia morado no exterior e estudado música com um dos professores mais famosos da Europa. Havia voltado para Raymond e fazia um ano que estava cantando no conjunto coral da Primeira Igreja. Era bem recompensada. Até dois domingos atrás sentia-se bem satisfeita consigo mesma e com sua posição. Tinha a mesma ambição da mãe e previa um sucesso cada vez maior no mundo da música. Que carreira a aguardava, exceto a carreira normal de toda cantora?

Ela fez a mesma pergunta outra vez e, diante da resposta que tinha acabado de dar a Rollin, perguntou de novo se tinha algum propósito especial para sua vida. O que faria Jesus? Sua voz valia uma fortuna. Ela sabia disso, não por orgulho pessoal nem por vanglória profissional, mas apenas porque aquilo era um fato. E ela foi obrigada a reconhecer que até duas semanas atrás seu propósito era usar a voz para ganhar dinheiro, admiração e aplausos. Afinal de contas, será que um propósito como esse seria mais sublime do que aquele pelo qual Rollin Page vivia?

Ela ficou sentada em seu quarto por um longo tempo, mas acabou descendo as escadas, disposta a ter uma conversa franca com sua mãe a respeito da proposta da companhia de concertos e dos novos planos que aos poucos iam ganhando forma em sua mente. Ela já tinha tido uma conversa com a mãe e sabia que ela esperava que a filha aceitasse a proposta e ingressasse numa carreira de sucesso como cantora.

— Mãe — disse Rachel, entrando logo no assunto, ainda que temendo a conversa — decidi que não vou viajar com a companhia. Tenho uma boa razão para isso.

A sra. Winslow era uma mulher de porte e elegante, gostava de companhia, ambicionava ser reconhecida na sociedade e se devotava, de acordo com sua definição de sucesso, ao sucesso dos filhos. Louis, o caçula, dois anos mais novo que Rachel, estava para se formar numa academia militar no verão seguinte. Enquanto isso, ela e Rachel ficavam sozinhas em casa. O pai de Rachel, assim como o de Virginia, tinha morrido quando a família estava morando no exterior. A exemplo de Virginia, sob a atual regra de conduta, ela se achava em total antagonismo com seu círculo familiar mais imediato. A sra. Winslow deixou que Rachel continuasse a falar.

— Mãe, sabe aquela promessa que fiz duas semanas atrás?

— A promessa do sr. Maxwell?

— Não, a minha promessa. A senhora sabe o que foi, não sabe, mãe?

— Acho que sim. Todos os membros da igreja pretendem imitar Cristo e segui-lo naquilo que for compatível com as circunstâncias de hoje. Mas o que isso tem a ver com a sua decisão sobre a companhia de concertos?

— Tem tudo a ver com isso. Depois de perguntar "o que faria Jesus?" e recorrendo à fonte de autoridade para me orientar, fui obrigada a dizer que não acredito que ele iria, no meu caso, fazer uso da voz desse jeito.

— Por quê? O que há de errado com uma carreira dessa?

— Nada, não posso dizer que haja algo errado.

— Você vai ficar julgando as pessoas que seguem a mesma carreira? Vai dizer agora que elas estão fazendo o que Cristo não faria?

— Mãe, gostaria que a senhora me entendesse. Não estou julgando ninguém; não estou condenando nenhum cantor profissional. Estou simplesmente decidindo a minha vida. Quando olho para ela, tenho a certeza de que Jesus faria outra coisa.

— Que outra coisa? — a sra. Winslow ainda não havia perdido a paciência. Ela não estava entendendo a situação nem Rachel no meio disso tudo, mas estava ansiosa para que o futuro da filha fosse tão promissor como seus dons naturais pareciam mostrar. E ela estava confiante, pensando que, assim que aquela empolgação religiosa desaparecesse da Primeira Igreja, Rachel seguiria com sua vida artística, conforme o desejo da família. Ela estava completamente despreparada para ouvir o que Rachel iria dizer em seguida.

— Que outra coisa? Alguma coisa que sirva à humanidade onde a música for mais necessária. Mãe, decidi usar minha voz de alguma forma que me permita satisfazer a minha alma fazendo algo mais do que agradar plateias sofisticadas, ganhar dinheiro ou mesmo gratificar o meu amor pela música. Vou fazer alguma coisa que me satisfaça quando eu perguntar "o que faria Jesus?". Não estou satisfeita, nem poderia estar, quando penso em mim mesma cantando na condição de uma profissional de uma companhia de concertos.

Rachel falou com tanto vigor e seriedade, que sua mãe ficou surpresa. Mas agora a sra. Winslow estava irritada, e ela jamais tentava esconder o que sentia.

— Isto é simplesmente um absurdo! Rachel, você é uma fanática! O que você poderia fazer?

— O mundo tem sido agraciado com homens e mulheres que lhe têm oferecido outros dons. Por que eu deveria, sendo abençoada com um dom natural, ir em frente, colocar um valor de mercado nesse dom e ganhar todo o dinheiro que fosse possível com ele? A senhora sabe, mãe, que me ensinou a pensar numa carreira musical sempre em termos de sucesso social e financeiro. Desde que fiz minha promessa há duas semanas, não consigo imaginar Jesus integrando uma companhia de concertos para fazer o que eu deveria fazer e levar a vida que eu deveria levar se entrasse para a companhia.

A sra. Winslow ficou de pé e sentou-se de novo. Foi com grande esforço que conseguiu se recompor.

— Então, o que você pretende fazer? Você não me respondeu ainda.

— Por enquanto, continuarei a cantar na igreja. Assumi o compromisso de cantar ali durante a primavera. Durante a semana, vou cantar nas reuniões da White Cross, lá no Retângulo.

— O quê? Rachel Winslow! Você tem ideia do que está dizendo? Sabe que tipo de gente vive ali?

Rachel quase se acovardou diante da mãe. Por um momento ela se encolheu e ficou em silêncio. Mas então falou com firmeza:

— Sei muito bem. É por isso mesmo que estou indo. O sr. e a sra. Gray estão trabalhando lá já faz algumas semanas. Foi só hoje cedo que fiquei sabendo que estão precisando de cantores das igrejas para ajudar nas reuniões. Eles se reúnem numa tenda. Fica numa parte da cidade onde a obra cristã é extremamente necessária. Vou oferecer-lhes ajuda, mãe! — exclamou Rachel, pela primeira vez demonstrando paixão com suas palavras.

— Quero fazer alguma coisa que me custe algum sacrifício — continuou. — Eu sei que a senhora não vai me entender. Mas estou desejosa de sofrer por alguma coisa. Durante toda a nossa vida, o que foi que fizemos em prol daquela parte de Raymond onde há pecado e sofrimento? Até que ponto negamos a nós mesmos ou oferecemos do nosso bem-estar e prazer pessoal para abençoar o lugar em que vivemos ou para imitar a vida do Salvador do mundo? Será que sempre vamos fazer o que a sociedade nos ordena com todo seu egoísmo, transitando em seu pequeno circuito de prazer e diversão, sem nunca conhecer o sofrimento?

— Você está pregando para mim? — perguntou a sra. Winslow com serenidade. Rachel ficou de pé, entendendo o que sua mãe queria dizer.

— Não. Estou pregando para mim mesma — respondeu com educação. Então fez uma pausa, como se achasse que a mãe ia lhe dizer mais alguma coisa, e saiu. Ao chegar ao seu quarto, percebeu que, pelo menos da parte da mãe, não podia esperar simpatia nem compreensão.

Então ajoelhou-se. Pode-se afirmar com segurança que naquelas duas semanas, desde que a igreja de Henry Maxwell havia ficado de frente para aquela figura esfarrapada com o chapéu surrado nas mãos, mais membros haviam sido levados a ficar de joelhos em oração do que durante todo o período anterior de seu pastorado. Então se levantou com o rosto molhado pelas lágrimas. Sentou-se pensativa por um momento e em seguida escreveu um bilhete para Virginia Page. Enviou-o por um mensageiro e então desceu as escadas para dizer à mãe que, naquela noite, ela e Virginia estariam indo ao Retângulo para ver o sr. e a sra. Gray, o casal de evangelistas.

"O tio de Virginia, dr. West, também vai se ela for. Pedi a ela que lhe telefonasse e pedisse que nos acompanhasse. O médico é amigo do casal e participou de algumas reuniões que eles fizeram no inverno passado".

A sra. Winslow não disse uma palavra sequer. Seu jeito revelava sua total reprovação do caminho escolhido por Rachel, que acabou sentindo a amargura silenciosa da mãe.

Por volta das sete horas, o médico e Virginia chegaram, e os três foram juntos para o local das reuniões da White Cross.

O Retângulo era o bairro mais famoso de Raymond. Ficava numa região perto das oficinas de trens e dos armazéns onde as frutas eram selecionadas, classificadas e preparadas para distribuição. Era o bairro onde os piores elementos, os mais miseráveis, concentravam-se em favelas e cortiços em torno de um terreno vazio onde as companhias circenses se instalavam no verão e artistas mambembes se apresentavam. A área era cercada por bares, um ao lado do outro, casas de jogatinas e pensões sujas, de quinta categoria.

A Primeira Igreja de Raymond nunca havia olhado para o problema que o Retângulo representava. Tudo aquilo era sujo, vulgar, pecaminoso e medonho, tanto que ninguém queria chegar perto. A verdade seja dita. Houve algumas tentativas de limpar aquela chaga com o envio eventual de grupos de cantores, professores de Escola Dominical ou evangelistas de várias igrejas. Mas, ao longo dos anos, a Primeira Igreja de Raymond, como instituição, realmente nunca havia feito nada para que o Retângulo não continuasse a ser aquela tamanha fortaleza do Diabo.

Foi bem no meio desse lado vulgar e pecaminoso de Raymond que o evangelista itinerante e sua corajosa esposa haviam armado uma tenda de tamanho razoável e começado as reuniões. Era primavera, e as noites estavam começando a ficar mais agradáveis. O casal de evangelistas havia solicitado ajuda de cristãos da cidade e recebido apoio maior do que o normal. Mas sentiam muita falta de música, tanto em quantidade quanto em qualidade. Durante as reuniões do domingo anterior o organista havia se sentido mal. Havia poucos voluntários na cidade, e as pessoas tinham uma voz apenas regular.

— A reunião de hoje não será das grandes, John — disse a esposa ao chegarem à tenda um pouco depois das sete horas para começar a arrumar as cadeiras e iluminar o local.

— Receio que sim.

O sr. Gray era um homem de baixa estatura, cheio de energia, dono de uma voz agradável e de uma coragem digna de um lutador de primeira. Ele havia feito algumas amizades na redondeza, e um dos que se converteram com o trabalho dele, um senhor de fisionomia grave que tinha acabado de chegar, começou a ajudar na arrumação das cadeiras.

Já passava das oito horas quando Alexander Powers abriu a porta de seu escritório e saiu para ir para casa. Estava indo pegar uma condução numa das esquinas do Retângulo. Mas foi interrompido por uma voz que vinha da tenda.

Era a voz de Rachel Winslow. Aquela voz despertou-lhe a lembrança da luta que ele estava travando com uma questão que o colocara na presença de Deus para obter uma resposta. Ele ainda não havia chegado a uma conclusão. A incerteza o torturava. Seu histórico como ferroviário não o qualificava para algo que envolvesse sacrifício. E ele ainda não sabia o que fazer quanto ao assunto. Como? O que ela estava cantando? Como havia ido parar ali? Várias janelas se abriram. Alguns homens que estavam brigando perto de um bar pararam e começaram a escutar. Outros andavam apressados na direção do Retângulo e da tenda. Com toda certeza, Rachel Winslow nunca havia cantado daquele jeito na Primeira Igreja. Sua voz era melodiosa. O que ela estava cantando? Alexander Powers, superintendente das oficinas de trens, parou outra vez e ouviu. A mensagem da música referia-se a sua disposição para seguir Jesus por onde quer que ele a guiasse e acompanhá-lo por todo o caminho.

A vida impura, brutal e vulgar do Retângulo parecia se renovar, à medida que a música com toda sua pureza foi inundando a redondeza repugnante, chegando aos bares, aos locais de jogatinas e às pensões imundas. Alguém passou às pressas por Alexander Powers e disse em resposta a uma pergunta:

— A tenda *tá* começando a brilhar agora de noite. É isso que o talento chama de música!

O superintendente voltou-se na direção da tenda e ficou ali parado. Depois de um momento de indecisão, seguiu até a esquina e pegou o transporte para casa. Mas antes que a voz de Rachel sumisse com a distância, ele já sabia que havia chegado a sua conclusão sobre a pergunta acerca do que faria Jesus.

Capítulo 8

*Se alguém quiser vir após mim, negue-se a si mesmo,
tome a sua cruz e siga-me.*

Henry Maxwell andava de um lado para outro em seu escritório. Era quarta-feira, e ele tinha começado a pensar no assunto do culto daquela noite. De uma das janelas podia ver as altas chaminés das oficinas de trens. O topo da tenda do evangelista aparecia no meio das construções do Retângulo. Cada vez que ele se virava, olhava para fora pela janela. Um pouco depois sentou-se a sua mesa e puxou uma folha grande de papel. Depois de pensar por alguns minutos, escreveu com letras grandes:

Algumas coisas que Jesus provavelmente faria aqui no meu campo pastoral:
    Viveria de um modo simples e modesto, sem luxo desnecessário por um lado e sem ascetismo por outro.
    Pregaria com coragem aos hipócritas na igreja, sem se importar com posição social ou riqueza.
    Mostraria de alguns modos práticos sua simpatia e amor pelas pessoas comuns, mas também pelas que se encontram bem de vida, são instruídas e sofisticadas, que constituem a maioria na igreja.
    Ele se identificaria com as grandes causas da humanidade de um modo pessoal, que exigisse negação de si mesmo e sofrimento.
    Pregaria contra os bares em Raymond.

Seria amigo e companheiro dos pecadores do Retângulo.

Abriria mão da viagem à Europa este ano. (Já estive no exterior duas vezes e não posso dizer que preciso tirar férias de novo. Estou me sentindo bem e posso ficar sem esse prazer, aproveitando para usar o dinheiro com alguém que precise de férias mais do que eu. É provável que haja muitas pessoas nessa condição na cidade.)

Ele tinha consciência, com uma humildade que lhe era desconhecida até então, que faltavam profundidade e poder ao seu esboço das prováveis ações de Jesus, mas ele estava procurando com cuidado formas concretas de reproduzir aquilo que pensava ser o comportamento de Jesus. Quase todos os pontos que ele escrevera significavam uma completa reviravolta nas práticas e hábitos que há anos faziam parte de seu ministério. Mesmo assim, ele continuava a procurar outras fontes mais profundas de onde pudesse depreender o espírito semelhante ao de Cristo. Não continuou a escrever a lista, mas sentou-se em à mesa envolvido pelo esforço de captar cada vez mais o espírito de Jesus para sua vida. Havia se esquecido de que começara o dia tentando achar o assunto para a reunião de oração da noite.

Estava tão absorto em seu pensamento, que não ouviu a campainha tocar; foi avisado pela empregada que anunciou o visitante. O nome dele era sr. Gray. Maxwell foi até o alto da escadaria e o convidou a subir. Ao chegar lá em cima, explicou o motivo da visita.

— Preciso de sua ajuda, sr. Maxwell. Com certeza o senhor já sabe das excelentes reuniões que tivemos na noite de segunda e terça. A srta. Winslow alcançou mais resultado com sua voz do que eu mesmo seria capaz, tanto que as pessoas não cabiam na tenda.

— Sim, fiquei sabendo. É a primeira vez que o povo de lá tem a oportunidade de ouvi-la. Não é à toa que estejam impressionados.

— Foi uma descoberta maravilhosa para nós e um acontecimento que nos encheu de coragem para aquela obra. Mas vim para perguntar se o senhor pode pregar lá hoje à noite. Estou com um forte resfriado. Não quero confiar outra vez em minha voz. Sei que isso é pedir muito a uma pessoa ocupada como o senhor. Mas se não for possível, seja franco, e tentarei dar outro jeito.

— Lamento, mas minha reunião de oração semanal será hoje — ele começou a dizer. Mas então ficou vermelho de vergonha e acrescentou: — Vou dar um jeito nas coisas para que eu possa ir. Pode contar comigo.

Gray agradeceu-lhe de coração e levantou-se para ir embora.

— Você ficaria mais um minuto, Gray, para orarmos juntos?

— Sim — respondeu Gray sem hesitar.

Os dois se ajoelharam no gabinete. Henry Maxwell orou como se fosse uma criança. Gray ficou emocionado e chegou a derramar lágrimas ajoelhado ali. Havia algo que quase chegava a causar dó no modo como aquele homem, que até então vivera seu ministério dentro de limites tão estreitos, agora suplicava sabedoria e força para pregar às pessoas do Retângulo.

Gray levantou e estendeu a mão: — Deus o abençoe, sr. Maxwell. Tenho certeza de que esta noite o senhor será capacitado pelo Espírito Santo.

Henry Maxwell não disse nada. Não se sentia confiante nem para dizer "assim espero". Mas ele ficou com a promessa do sr. Gray, e ela lhe trouxe um pouco de paz, que reanimou sua mente e coração.

Aconteceu então que, naquela noite, as pessoas da Primeira Igreja chegaram ao salão social e depararam com outra surpresa. O número de presentes era muito maior que o habitual. Desde aquela incrível manhã de domingo, as reuniões de oração nunca haviam sido tão bem frequentadas em toda a história da Primeira Igreja. O sr. Maxwell entrou logo no assunto.

"Creio ter sido chamado para ir agora de noite ao Retângulo e deixo com vocês a decisão sobre dar prosseguimento a esta reunião aqui ou não. Acho que talvez o melhor seja que alguns voluntários dirijam-se comigo ao Retângulo, preparados para ajudar nos contatos após o culto, caso seja necessário. O restante dos presentes pode permanecer e orar para que o poder do Espírito nos acompanhe".

Assim, meia dúzia de homens acompanhou o pastor, e o restante das pessoas permaneceu no salão social. Ao sair, Maxwell não pôde deixar de se lembrar de que era provável que em toda a história daquela igreja nunca tivesse havido um grupo de discípulos capazes de trabalhar para conduzir pecadores necessitados ao conhecimento de Cristo. Esse pensamento não persistiu a ponto de incomodá-lo pelo caminho, mas fazia parte de seu conceito totalmente novo do discipulado cristão.

Quando ele e o pequeno grupo de voluntários chegaram ao Retângulo, a tenda já estava abarrotada de gente. Foi difícil até mesmo chegar ao púlpito. Ali estavam Rachel, Virginia e Jasper Chase, que tinha ido no lugar do médico naquela noite.

Ao começar a reunião, Rachel cantou uma música da qual os presentes participavam cantando o estribilho; não havia lugar para mais nada na tenda. A noite estava agradável, o que permitiu que as laterais da tenda fossem levantadas, possibilitando que se vissem muitos rostos do lado de fora, olhando para o interior e ajudando a compor a plateia. Depois da música, houve uma oração dirigida por um dos pastores da cidade. Então Gray comunicou a razão de não estar em condições de falar e com seu jeito simples passou a direção do culto para o "Irmão Maxwell, da Primeira Igreja".

— Quem é que é? — perguntou alguém com uma voz rouca já quase do lado de fora da tenda.

— O pastor da Primeira Igreja. Hoje a coisa aqui vai ser de luxo e em grande estilo.

— Você disse Primeira Igreja? Eu o conheço. O cara para quem pago aluguel comprou um dos bancos de lá, bem na frente — disse outra pessoa. E isso provocou risadas, porque quem havia falado era dono de um bar.

Um bêbado que estava ali por perto começou a cantar imitando um cantor itinerante local num tom nasalado. Uma avalanche de risadas e manifestações de apoio explodiram em volta dele. As pessoas se voltaram na direção da confusão. Ouviam-se gritos de "coloquem esse cara p'ra fora!", "uma chance p'ra Primeira Igreja!", "música, música, queremos mais música!".

Henry Maxwell levantou-se, mas foi dominado por uma onda de pavor. Aquilo não era o mesmo que pregar para pessoas bem-vestidas, respeitáveis e educadas. Ele começou a falar, mas a confusão só aumentava. Gray desceu ao encontro da multidão, mas não foi capaz de acalmar os ânimos. Maxwell levantou o braço e a voz. A multidão na tenda começou a prestar um pouco de atenção, mas o barulho do lado de fora só aumentava. Em poucos minutos, o público estava fora de controle. Ele virou-se para Rachel com um sorriso triste.

— Cante alguma coisa, srta. Winslow. Eles a ouvirão. — Então sentou-se e cobriu o rosto com as mãos.

Era a oportunidade de Rachel, e ela estava plenamente pronta para ela. Virginia estava no órgão, e Rachel pediu-lhe que tocasse algumas notas do hino. A mensagem do hino declarava: "Salvador, eu prossigo guiado por ti, sem ver ainda a mão que me conduz; que meu coração se aquiete, não terei mais medo; a minha vontade será somente fazer a tua vontade".

Rachel não havia terminado de cantar nem a primeira linha, e o povo na tenda voltou-se para ela, em silêncio e reverência. Antes que ela terminasse o verso, o Retângulo havia sido subjugado e contido, como se fosse um animal selvagem a seus pés, e ela cantou num clima que não oferecia riscos. Ah! aqueles públicos petulantes, perfumados e críticos das salas de concerto não se comparavam com essa massa humana suja, bêbada, impura e estúpida, que estremecia e chorava, cada vez mais estranha e tristemente compenetrada sob o toque do ministério divino daquela moça tão bonita!

O sr. Maxwell, levantando a cabeça e vendo que a turba se acalmara, pôde enxergar um pouco do que Jesus provavelmente faria com uma voz como a de Rachel Winslow. Jasper Chase tinha o olhar fixo na cantora, e seu grande anseio como autor ambicioso foi engolido por seu pensamento sobre o que o amor de Rachel Winslow significava para ele. E na escuridão do lado de fora achava-se a última pessoa que alguém poderia esperar encontrar num culto dentro de uma tenda, a saber, Rollin Page. Acotovelando-se com homens e mulheres grosseiros que olhavam para a beleza de suas roupas finas, parecia não se incomodar com o que o cercava e, ao mesmo tempo, vacilava diante da força que Rachel demonstrava. Ele acabara de chegar do clube. Nem Rachel nem Virginia o tinham visto ainda.

A música chegou ao fim. Maxwell levantou-se novamente. Desta vez ele se sentia mais calmo. O que faria Jesus? E falou de um jeito como jamais imaginara que pudesse. Quem eram essas pessoas? Eram almas imortais. O que era o cristianismo? Um chamado ao arrependimento, mas para pecadores, não justos. Como Jesus falaria? O que diria? Ele não sabia dizer tudo o que a mensagem de Jesus incluiria, mas tinha certeza de que sabia uma parte dela. E foi com essa certeza que ele falou. Ele nunca havia sentido "compaixão pela multidão".

Durante seus dez anos na Primeira Igreja, a multidão não havia passado de um fator social incômodo, perigoso e sujo, fora dos domínios e do alcance da igreja, um elemento que de vez em quando lhe trazia peso na consciência. Era uma realidade discutida em associações que a chamavam de "massas" e em documentos que irmãos redigiam na tentativa de mostrar por que as "massas" não estavam sendo alcançadas. Mas, naquela noite, ao ficar de frente para as massas, ele se perguntou se, afinal de contas, aquela multidão não era como as multidões com as quais Jesus tantas vezes manteve contato. E sentiu-se emocionado pelo amor às multidões, que é um dos maiores indicadores de que um pregador está vivendo próximo ao coração da Vida eterna para o mundo. É fácil amar um indivíduo pecador, principalmente se ele for uma pessoa diferente ou interessante. Amar uma multidão de pecadores é uma qualidade distintivamente cristã.

Encerrada a reunião, ninguém demonstrou interesse especial ficando para conversar depois do culto. As pessoas deixaram rapidamente a tenda, e os bares, que andavam com pouco movimento, voltaram com carga total. O Retângulo, como se estivesse compensando o tempo perdido, deu início com toda força a sua esbórnia noturna de sempre. Maxwell e sua pequena comitiva, incluindo Virginia, Rachel e Jasper Chase, passaram em frente aos bares e antros de jogatina até chegarem à esquina onde pegariam a condução de volta.

— Este lugar aqui é terrível — disse o ministro, enquanto esperava pelo transporte. — Nunca imaginei que Raymond tivesse tamanha ferida purulenta. Nem parece que a cidade está cheia de discípulos de Cristo.

— O senhor acha que alguém pode acabar com essa grande maldição da bebida? — perguntou Jasper Chase.

— Tenho pensado como nunca antes sobre o que os cristãos poderiam fazer para pôr fim à maldição que os bares representam. Por que não fazemos alguma coisa juntos contra isso? Por que os pastores e membros das igrejas de Raymond não se mobilizam contra a venda de bebidas? O que faria Jesus? Ele ficaria quieto? Daria seu voto autorizando essas coisas que provocam crimes e mortes?

Ele estava falando mais consigo mesmo do que com os demais. Lembrou-se de que sempre dera seu voto de apoio ao comércio de bebidas, a exemplo de quase todos os membros de sua igreja. O que faria Jesus? Conseguiria ele responder a essa pergunta? Se o Senhor vivesse hoje, iria pregar e agir contra os bares? Como haveria de pregar e agir? Suponha que não fosse muito bem visto pregar contra o livre comércio de bebidas. Suponha que os cristãos pensassem que o máximo que poderia ser feito fosse legalizar o mal e tirar proveito financeiro do pecado inevitável. Suponha que os próprios membros das igrejas fossem os proprietários dos imóveis que abrigavam os bares. E daí, como ficariam as coisas? Ele sabia que essa era a realidade em Raymond. O que faria Jesus?

Na manhã do outro dia, ele subiu para seu gabinete com uma resposta apenas parcial para aquela pergunta. Havia pensado nela o dia todo. Ainda estava pensando e chegando a algumas conclusões quando o *Diário de Notícias* chegou. Sua esposa o havia levado para cima e ficou ali sentada por alguns minutos, enquanto ele lia as notícias para ela.

Nos últimos dias, o *Diário de Notícias* era o jornal que mais causava sensações em Raymond. Estava sendo editado num formato tão impressionante, que os assinantes nunca tinham se empolgado tanto com um jornal. Em primeiro lugar, perceberam a falta de notícias sobre pugilismo, e aos poucos começaram a entender que o *Diário* havia deixado de publicar notícias de crimes com descrições detalhadas ou escândalos na vida íntima das pessoas. Depois viram que os anúncios de bebida e cigarro haviam desaparecido, além de outros de natureza questionável. A extinção da edição de domingo foi o que mais provocou comentários. Mas agora eram os editoriais que estavam criando o maior alvoroço. Um trecho extraído da edição da última segunda-feira servirá para mostrar o que Edward Norman estava fazendo para cumprir sua promessa. O título do editorial era:

O LADO MORAL DAS QUESTÕES POLÍTICAS

O editor deste jornal tem sempre defendido os princípios do importante partido político que atualmente está no poder e até aqui tem discutido as questões políticas da perspectiva do interesse do partido ou para apoiá-lo como força contrária às outras organizações políticas. De hoje em diante, usando de toda sinceridade com nossos leitores, o editor irá apresentar e discutir todas as questões políticas da perspectiva do que é certo ou errado. Em outras palavras, a primeira pergunta que se fará nesta redação acerca de qualquer assunto político não será "Isto é do interesse do nosso partido?" nem "Isto respeita os princípios da plataforma do nosso partido?", mas a primeira pergunta a ser feita será "Esta medida está de acordo com o espírito e os ensinamentos de Jesus, o autor do maior padrão para a vida que os homens conhecem?".

Assim, para ser perfeitamente claro, o lado moral de todas as questões políticas será considerado a coisa mais importante, e a nossa clara pressuposição será que tanto nações como indivíduos estão debaixo da mesma lei de fazer todas as coisas para a glória de Deus como a primeira regra de conduta.

O mesmo princípio será observado nesta redação quando se tratar de candidatos a cargos de responsabilidade ou de confiança para o país. Sem influência de partidos políticos, o editor do *Diário de Notícias* fará tudo o que estiver a seu alcance para colocar no poder as melhores pessoas e não prestará nenhuma ajuda intencional a quaisquer candidatos indignos, não importando o apoio que o partido lhes dê. As primeiras perguntas sobre a pessoa e sobre as propostas serão: "Trata-se da pessoa certa para o cargo?" "Trata-se de pessoa idônea e competente?" "As propostas são corretas?".

Há mais coisas semelhantes a essas, mas citamos o suficiente para mostrar a natureza do editorial. Centenas de pessoas em Raymond leram essas palavras e ficaram atônitas, quase sem conseguir acreditar. Várias delas escreveram de imediato para o *Diário*, dizendo ao editor que suspendesse a entrega de seus exemplares. Mas o jornal continuou a ser publicado, sendo devorado por leitores em toda a cidade. No fim daquela semana, Edward Norman tinha plena consciência de que estava perdendo rapidamente um grande número de assinantes. Enfrentou essas condições com calma, embora Clark, o editor-chefe, tenha vaticinado que o jornal iria quebrar de vez, principalmente depois do editorial da segunda-feira.

À noite, enquanto Maxwell lia o jornal para a esposa, percebeu em quase todas as colunas provas de que Norman estava cumprindo com responsabilidade sua promessa. Não havia manchetes com linguagem abusiva nem sensacionalista. As matérias que vinham após as manchetes estavam em perfeita harmonia com elas. Notou em duas colunas que o nome dos repórteres aparecia no final do texto. Havia ainda mais dignidade e melhoria no estilo dos textos produzidos por eles.

— Então Norman está começando a fazer que os repórteres assinem as matérias de sua autoria. Ele tinha me falado disso. É uma coisa boa. Coloca a responsabilidade pelos textos no devido lugar e sobe o nível do trabalho apresentado. Isso é bom tanto para o público quanto para os escritores.

De repente, Maxwell ficou em silêncio. Sua esposa levantou os olhos, desviando-os do trabalho que estava fazendo. Ele estava lendo alguma coisa com um interesse fora de série.

— Mary, ouça isto — disse com os lábios trêmulos.

"Esta manhã, Alexander Powers, Superintendente das oficinas da L. and T. R. R. desta cidade, entregou seu pedido de demissão à empresa. Apresentou como razão o fato de que haviam chegado às suas mãos algumas provas de violação da Lei de Comércio Inte-restadual e também da lei estadual, recentemente regulamentada para coibir e punir o favorecimento ilegal de certas empresas de transporte. O sr. Powers declara em seu pedido de demissão que não tem mais condições de ocultar as informações que possui contra a empresa ferroviária. E será testemunha de acusação contra a empresa. Ele colocou as provas contra a empresa nas mãos das autoridades, com as quais está o dever de tomar as providências cabíveis.

"O *Diário* deseja expressar seu parecer sobre essa atitude do sr. Powers. Em primeiro lugar, ele não tem nada a ganhar com isso. Ele perdeu de livre e espontânea vontade um cargo valioso, mas poderia tê-lo mantido se ficasse em silêncio. Em segundo lugar, cremos que essa atitude deve receber a aprovação de todos os cidadãos honestos e conscientes, que acreditam que é possível fazer as leis serem cumpridas e colocar os infratores nas mãos da justiça.

"Num caso como esse, em que as provas contra uma empresa ferroviária são geralmente consideradas impossíveis de ser obtidas, o sentimento geral é de que os oficiais da companhia têm muitas vezes em seu poder fatos que incriminam, mas não acham que faz parte de suas atribuições informar as autoridades sobre a violação da lei. A consequência dessa falta de responsabilidade é o sentimento de impunidade transmitido a todos os jovens ligados à empresa.

"O editor do *Diário de Notícias* traz à memória a declaração de um importante oficial da companhia ferroviária desta cidade, apresentada algum tempo atrás. Ele afirmou que praticamente todos os funcionários de qualquer departamento da empresa tinham conhecimento das altas quantias envolvidas em violações conscientes da Lei de Comércio Interestadual. Dizia admirar a esperteza com que tudo aquilo era feito e declarou que esses funcionários fariam o mesmo se tivessem autonomia nos departamentos da empresa.

"Não é necessário dizer que tais circunstâncias nas atividades empresariais têm o poder de destruir os mais nobres e sublimes padrões de conduta. Nenhum jovem pode conviver com uma atmosfera de desonestidade e transgressão das leis sem que seu caráter seja atingido".

Capítulo 9

Henry Maxwell terminou a leitura e largou o jornal.

— Tenho de falar com Powers. Isso é consequência da promessa que ele fez.

Então se levantou e, quando estava saindo, a esposa lhe perguntou:

— Henry, você acha que Jesus teria feito o mesmo?

Maxwell pensou por um momento e respondeu sem pressa:

— Sim, acho que ele teria feito a mesma coisa. De qualquer forma, a decisão foi de Powers. Todos que fizeram a promessa sabem que não estão decidindo o que os outros devem fazer, mas decidindo apenas para si próprios.

— E a família, como fica nessa história? Como será que a sra. Powers e a Celia vão receber isso?

— Será bem difícil, não tenho dúvida. Essa será a cruz de Powers. Elas não entenderão as razões dele.

Maxwell saiu e caminhou até o outro quarteirão onde o superintendente Powers morava. Para seu alívio, ele mesmo veio abrir a porta.

Houve um aperto de mãos silencioso, pois logo entenderam um ao outro sem necessidade de palavras. Nunca havia existido um vínculo tão forte entre um pastor e sua ovelha.

— O que você vai fazer? — perguntou Maxwell, depois de terem conversado um pouco sobre o assunto.

— Com relação a um novo emprego? Ainda não sei, não pensei em nada. Posso voltar para minha profissão anterior de operador de telégrafo. Minha família não será afetada, a não ser no aspecto social.

Powers falava com tristeza, mas estava calmo. Henry Maxwell nem precisava lhe perguntar como se sentiam a esposa e a filha. Ele sabia que o superintendente estava sofrendo bastante por causa delas.

— Há uma questão que gostaria de deixar com o senhor — disse Powers depois de um momento. — É o trabalho que começamos nas oficinas. Pelo que eu saiba, a companhia não vai se opor a sua continuidade. Uma das contradições no mundo ferroviário é que eles incentivam a presença da Associação Cristã de Moços e de outros grupos cristãos, mas ao mesmo tempo cometem atos perversos e contrários à fé cristã no gerenciamento das próprias companhias. Com certeza, eles sabem que, para a empresa, vale a pena ter em seus quadros funcionários cristãos honestos e equilibrados. Por isso não tenho dúvida de que cederão o espaço para que seja usado com esse propósito. Mas gostaria que o senhor fizesse a minha ideia ser implementada. É possível? O senhor conhece bem o plano que eu tinha em mente. E a impressão que deixou sobre os operários foi muito positiva. Apareça por lá sempre que puder. Faça que Milton Wright se envolva, fornecendo móveis e patrocinando o espaço do café e as mesas de leitura. Posso lhe pedir isso?

— Sim — respondeu Henry Maxwell. Ele ficou um pouco mais e, antes de sair, orou com o superintendente. Então se despediram com um aperto de mãos silencioso, como se fosse um novo sinal do discipulado e da comunhão cristã que desfrutavam.

O pastor da Primeira Igreja foi para casa profundamente movido pelos fatos da semana. Aos poucos desenvolvia-se nele a certeza de que o compromisso de fazer o que Jesus faria estava revolucionando sua igreja e toda a cidade. A cada dia viam-se novas consequências do cumprimento daquela promessa. Maxwell não achava que aquilo era tudo. Na verdade, ele estava vendo só o início dos eventos que iriam transformar a história de centenas de famílias, não só em Raymond, mas por todo o país. Quando pensava em Edward Norman, Rachel e sr. Powers, com todos os desdobramentos que seus atos tornaram possíveis, ele não podia deixar de ficar extremamente interessado em saber que efeito haveria se todas as pessoas da Primeira Igreja que tinham assumido o compromisso fossem fiéis em honrá-lo. Será que todos cumpririam a promessa feita, ou alguns desistiriam quando a cruz ficasse pesada demais?

Era essa pergunta que ele estava se fazendo na manhã seguinte em seu gabinete, quando o presidente da sociedade de jovens de sua igreja chegou para conversar com ele.

— Acho que não devo incomodar o senhor com o meu problema — disse o jovem Morris, indo logo ao assunto —, mas, sr. Maxwell, acho que o senhor pode me orientar um pouco.

— Ainda bem que você veio; pode falar, Fred. — Ele conhecia o jovem desde seu primeiro ano no pastorado e o amava e admirava pelo trabalho coerente e fiel que realizava na igreja.

— Bom, a verdade é que estou desempregado. O senhor sabe que fiz algumas reportagens para o jornal *Sentinela* depois que me formei no ano passado. Acontece que no sábado passado o sr. Burr me pediu que no domingo cedo eu saísse para obter informações detalhadas sobre aquele assalto ao trem no entroncamento. Ele queria que eu escrevesse a matéria inteira para a edição extraordinária que saiu na segunda--feira, e tudo isso apenas para ser mais rápido que o *Diário de Notícias*. Recusei-me a ir, e ele me despediu. Ele não estava num dia muito bom, e acho que, se não fosse isso, não teria agido assim. Ele sempre me tratou muito bem. Bom, o senhor acha que Jesus teria feito a mesma coisa que fiz? Estou perguntando isso porque alguns colegas disseram que fui um tolo ao não fazer o trabalho. Como cristão, preciso sentir que meus atos têm motivações que podem parecer estranhas para os outros, mas não tolas. Qual a sua opinião sobre isso?

— Fred, acho que você manteve seu compromisso. Não acho que Jesus faria matérias para um jornal em pleno domingo.

— Obrigado, sr. Maxwell. A princípio fiquei um pouco perturbado com tudo isso, mas, quanto mais reflito sobre a questão, melhor me sinto.

Morris levantou-se para ir embora, mas o pastor também se levantou e colocou a mão sobre o ombro dele em sinal de afeto.

— O que você está pensando em fazer, Fred?

— Eu ainda não sei. Tenho pensado em ir para Chicago ou qualquer outra cidade grande.

— Por que você não tenta alguma coisa no *Diário de Notícias*?

— Eles não estão precisando. Não pensei em me candidatar ali.

Maxwell pensou por um momento. — Vamos à redação do *Diário* para conversar com Norman sobre o assunto.

Assim, poucos minutos depois, Edward Norman recebeu em sua sala o pastor e o jovem Morris. E Maxwell explicou-lhe rapidamente o motivo da visita.

— Posso arrumar um lugar para você no *Diário* — disse Norman, olhar incisivo, mas suavizado por um sorriso cativante. — Quero repórteres que não aceitem trabalhar aos domingos. Além disso, estou planejando iniciar um tipo especial de reportagem que acho que você poderá fazer, já que tem afinidade com o que Jesus faria.

Ele encarregou Morris de uma tarefa específica, e Maxwell iniciou o caminho de volta para o seu estudo, sentindo uma profunda satisfação por ter sido útil e ajudado uma pessoa desempregada a encontrar trabalho remunerado.

Ele pretendia ir direto para o gabinete, mas a caminho de casa passou por uma das lojas de Milton Wright. E imaginou que iria apenas dar uma entrada, cumprimentar sua ovelha e desejar-lhe as bênçãos de Deus, pois sabia do que ele estava fazendo para introduzir Cristo em suas atividades comerciais. Mas quando ele entrou, Wright insistiu para que ficasse e ouvisse quais eram suas ideias. Maxwell perguntou a si mesmo se aquele era o Milton Wright que ele conhecia, uma pessoa prática, um negociante que se pautava pelo código do mundo do comércio, alguém que sempre olhava para todas as coisas se perguntando se podiam dar lucro.

— Sr. Maxwell, não adianta esconder o fato de que, desde que assumi aquele compromisso, tenho me empenhado para revolucionar a forma como as coisas são feitas na minha empresa. Nos últimos vinte anos, fiz muitas coisas nesta loja que Jesus não faria. Mas isso não tem muita importância se comparado com as muitas coisas que comecei a crer que Jesus faria. Nas relações comerciais, meus pecados de omissão têm sido mais numerosos que os pecados que cometi fazendo alguma coisa.

— Qual foi a primeira mudança que você fez? — Maxwell sentiu que o seu sermão podia esperá-lo no gabinete. À medida que prosseguia a conversa com Milton Wright, ele percebia que tinha achado material para um sermão sem ter de voltar ao gabinete.

— Acho que a primeira mudança que eu tinha de fazer estava relacionada com o conceito que eu tinha dos meus empregados. Na segunda-feira depois daquele domingo, vim para cá e comecei a me perguntar: O que faria Jesus em seu relacionamento com estes funcionários, contadores, *office-boys*, transportadores e vendedores? Procuraria estabelecer algum tipo de contato pessoal com eles diferente do relacionamento que tenho mantido esses anos todos? Respondi de imediato com um "sim". Então me perguntei como seria esse relacionamento e o que ele me levaria a fazer. Não consegui responder a minha pergunta de forma satisfatória sem antes reunir todos os meus empregados e ter uma conversa com eles.

— Convidei a todos — continuou — e na terça-feira de noite fizemos uma reunião lá fora no depósito. Muitas coisas boas resultaram daquela reunião. Não foi algo fácil, pois eu não tinha o hábito de fazer isso, e devo ter cometido alguns erros. Mas, sr. Maxwell, o senhor não acreditaria se eu lhe contasse o efeito que aquela reunião teve sobre alguns dos meus empregados. Perto do final, vi mais de uma dezena deles com lágrimas escorrendo pelo rosto. E continuei perguntando: O que faria Jesus? Quanto mais eu perguntava, mais era levado a pensar em desenvolver um relacionamento pessoal e de amor cristão com os funcionários que têm trabalhado para mim todos esses anos.

Há coisas novas acontecendo todos os dias, e neste exato momento me encontro no meio de uma completa reformulação de todo o negócio no que se refere aos motivos que me levam a tocá-lo — disse. — Não conheço praticamente nada sobre planos de cooperação nem sobre a aplicação que se pode fazer deles na minha loja; por isso, estou tentando encontrar informações em todas as fontes possíveis. Faz pouco tempo, estudei a vida de Titus Salt, o grande proprietário de engenhos de Bradford, na Inglaterra. Ele construiu uma cidade-modelo às margens do Aire. Há muita coisa em suas idéias que poderá me ajudar. Mas ainda não decidi todos os detalhes. Não estou bem habituado com os métodos de Jesus. Mas veja isto.

Wright estendeu a mão animadamente até um dos escaninhos de sua escrivaninha e pegou uma folha de papel.

— Fiz um esboço do planejamento que Jesus provavelmente faria num estabelecimento comercial como este. Gostaria que me desse sua opinião sobre ele.

O QUE JESUS PROVAVELMENTE FARIA COMO EMPRESÁRIO NO LUGAR DE MILTON WRIGHT.

Em primeiro lugar, entraria para o negócio com o propósito de glorificar a Deus e não com o objetivo primário de ganhar dinheiro.

Não consideraria seu o dinheiro gerado pelo negócio, mas o veria como um fundo a ser usado para o benefício das pessoas.

Seu relacionamento com todas as pessoas por ele empregadas seria pautado no amor e na ajuda.

Ele sempre pensaria em todos os funcionários como almas a serem salvas. Esse pensamento sempre seria mais importante do que ganhar dinheiro com o negócio.

Nunca faria nem uma só coisa sequer que fosse desonesta ou questionável, nem tentaria sob circunstância alguma tirar vantagem de outros do mesmo ramo.

O princípio do altruísmo e do serviço iria dirigir todos os detalhes no negócio.

Baseado nesse princípio, ele iria configurar todo o planejamento das suas relações com empregados, com clientes e em geral com o mundo dos negócios com o qual estava acostumado.

Henry Maxwell leu o documento com atenção. Lembrou-se de sua tentativa, no dia anterior, de esboçar de modo concreto o que ele considerava que Jesus provavelmente faria. Estava bem compenetrado quando levantou os olhos do papel e encontrou o olhar ansioso de Milton Wright.

— Você acredita que continuará tendo lucro se seguir essas diretrizes?

— Acredito. O senhor não acha que o altruísmo praticado com inteligência deve funcionar melhor do que o egoísmo inteligente? Se os funcionários começarem a perceber uma participação pessoal nos lucros da casa e, mais que isso, se tiverem amor por eles mesmos como parte da empresa, não serão mais cuidadosos, econômicos, diligentes e fiéis?

— Concordo com o senhor. Mas muitos outros empresários não concordam, certo? Refiro-me a isso de um modo geral. E o seu relacionamento com o mundo egoísta que não tenta ganhar dinheiro seguindo princípios cristãos?

— Isso complica as minhas ações, com certeza.

— O seu plano prevê o que será conhecido como cooperação?

— Sim, pelo menos até onde já cheguei. Como lhe disse, ainda estou estudando com cuidado os detalhes. Tenho toda certeza de que, em meu lugar, Jesus seria inteiramente altruísta. Ele amaria todas essas pessoas se trabalhassem para ele. Consideraria a ajuda mútua como o principal propósito da empresa e conduziria todas as coisas de modo que o reino de Deus fosse obviamente a primeira coisa a ser buscada. Como disse, estou trabalhando em cima desses princípios gerais. Preciso de tempo para completar os detalhes.

Ao sair, Maxwell estava profundamente impressionado com a revolução que já se operava na empresa. Ao sair da loja, captou um pouco do novo espírito que reinava no lugar. Não havia dúvida de que o novo relacionamento de Wright com os funcionários, em menos de duas semanas, estava começando a transformar todo o local. Isso podia ser visto com clareza no modo de agir e no rosto dos funcionários.

"Se ele continuar assim, será um dos pregadores mais influentes de Raymond", disse Maxwell consigo mesmo ao chegar de volta ao gabinete. Mas ficava a dúvida sobre sua perseverança quando começasse a perder dinheiro, como parecia que ia acontecer. Então orou para que o Espírito Santo, que já se manifestara com grande poder entre os discípulos da Primeira Igreja, pudesse habitar todos eles. Foi com essa oração nos lábios e no coração que ele começou a preparar o sermão que seria apresentado ao povo da igreja no domingo. O assunto eram os bares de Raymond, pois é isso que ele achava que Jesus faria. Maxwell nunca havia pregado contra os bares do jeito que faria. E sabia que as coisas que iria dizer poderiam causar-lhe sérias consequências. Assim mesmo, prosseguiu com seu sermão, e a cada trecho que escrevia, perguntava: "Jesus diria isso?"

No meio do trabalho de escrever o sermão, colocou-se de joelhos. Só ele sabia o que aquilo lhe significava. Quando havia feito algo assim ao preparar sermões, antes da transformação ocorrida em seu conceito de discipulado? Agora olhava para seu ministério de uma forma que não lhe permitia pregar sem pedir sabedoria por meio da oração. Não estava mais preocupado com oratória nem com o efeito sobre os ouvintes. A questão mais importante agora era: "O que faria Jesus?".

Na noite de sábado o Retângulo testemunhou uma das cenas mais impressionantes já vistas pelo sr. Gray e esposa. As reuniões eram cada vez mais frequentadas a cada noite que Rachel cantava. Alguém que passasse durante o dia pelo Retângulo poderia muito bem ouvir comentários sobre as reuniões. Não se pode dizer que antes daquela noite de sábado as blasfêmias, a impureza e as bebedeiras houvessem diminuído de modo considerável. O Retângulo não admitiria que estivesse ocorrendo alguma melhora ou que até as músicas haviam suavizado as condições reinantes. As pessoas do lugar orgulhavam-se de serem "duronas". Apesar disso, muitos estavam se curvando diante de um poder imensurável e irresistível que não conheciam o suficiente.

Gray havia melhorado da garganta, e no sábado já estava em condições de falar. Mas sua garganta ainda o obrigava a não abusar, de modo que as pessoas foram obrigadas a manter silêncio para conseguirem ouvi-lo. Aos poucos, elas começaram a entender que aquele homem estivera ali falando durante semanas, dedicando seu tempo e seus esforços para oferecer-lhes a oportunidade de conhecerem um Salvador, e tudo isso era motivado por um amor altruísta que sentia por elas. Naquela noite, a multidão fez silêncio, do mesmo modo que os respeitáveis ouvintes de Henry Maxwell sempre faziam. Havia muito mais pessoas ao redor da tenda, e os bares estavam praticamente vazios. O Espírito havia finalmente se manifestado, e Gray sabia que uma das principais orações de sua vida estava para ser respondida.

Quanto a Rachel, estava cantando melhor ainda, de um modo tão admirável, que nem Virginia nem Jasper Chase já tinham presenciado algo parecido. Eles haviam chegado junto com o dr. West, que, ao longo da semana, dedicara todo o tempo livre dando consultas grátis a algumas pessoas do Retângulo. Virginia estava no órgão, Jasper sentou-se num banco da frente e olhava para Rachel, e o Retângulo se movia embalado pela música que vinha do palco:

Jesus, Senhor, me chego a ti,
  Tua ira santa mereci,
  Oh! dá-me alívio mesmo aqui,
  Aceita um pecador!

Gray não precisou falar muito. E estendeu a mão num gesto de convite. E, de ambos os corredores da tenda, pecadores arrependidos, tanto homens como mulheres, caminhavam na direção do palco. Uma moça que vivia na rua parou junto ao órgão. Virginia olhou para o seu semblante. Então, repentina e poderosamente, aquela moça rica percebeu pela primeira vez na vida o que Jesus deve ter representado para a mulher pecadora. Foi como se Virginia tivesse renascido. Levantou-se do órgão, foi até ela, olhou-a no rosto e segurou-lhe as mãos. A moça estremeceu, caiu de joelhos e, soluçando, apoiou a cabeça sobre o encosto do banco a sua frente, mas ainda segurando-se em Virginia. Depois de hesitar por um instante, Virginia ajoelhou-se ao lado dela, e as duas ficaram ali de cabeça baixa.

As pessoas haviam se colocado em fila dupla junto ao palco, e muitas ficavam de joelhos e choravam. Então, um rapaz bem-vestido, diferente dos outros, avançou pelo meio dos bancos e ajoelhou-se ao lado do bêbado que havia perturbado a reunião no dia em que Maxwell pregara. Ele estava a uma pequena distância de Rachel Winslow, que ainda cantava com voz suave. Então, ela se virou por um momento e olhou em sua direção. E, maravilhada, percebeu que se tratava de Rollin Page! Sua voz falhou por um instante, mas ela continuou:

> Eu venho como estou,
> > Eu venho como estou,
> > Porque Jesus por mim morreu,
> > Eu venho como estou.

Sua voz era a voz do anseio divino, e naquela hora o Retângulo viu-se levado para o porto da graça redentora.

Capítulo 10

Se alguém me serve, siga-me.

Era quase meia-noite quando terminou a reunião no Retângulo. Gray ficou até bem mais tarde, orando e conversando com um pequeno grupo de convertidos que, com as incríveis experiências da nova vida, apegaram-se ao evangelista com um sentimento pessoal de impotência. Por isso, Gray não podia deixá-los, como se dependessem dele para escapar da morte física. Entre os convertidos encontrava-se Rollin Page.

Virginia e o tio foram para casa por volta das onze horas, e Rachel e Jasper Chase os acompanharam até a avenida onde Virginia morava. O dr. West os havia acompanhado só um pequeno trecho a caminho de sua casa. Rachel e Jasper continuaram caminhando juntos até a casa dela.

Isso aconteceu um pouco depois das onze horas. Agora que já soava meia-noite, Jasper Chase sentou-se em seu quarto, olhando para os papéis em cima da mesa e pensando na última meia hora com uma persistência que lhe causava sofrimento.

Ele havia declarado seu amor a Rachel Winslow, mas não foi correspondido. Era difícil saber o que era mais forte no impulso que o levara a falar com a moça. Ele havia cedido aos seus sentimentos sem se preocupar com as consequências para si mesmo, pois tinha certeza de que Rachel iria aceitá-lo. E estava tentando se lembrar da impressão que a moça lhe causara quando ele fez sua declaração.

A beleza e a força de Rachel nunca haviam mexido com ele da forma como acontecera naquela noite. Enquanto ela cantava, Jasper não via nem ouvia mais ninguém. A tenda fervilhava com uma confusa multidão de rostos, e ele sabia que estava sentado ali cercado por aquela gente toda, mas isso não significava nada para ele. Não conseguiria deixar de falar com ela e pensava que seria melhor fazê-lo quando estivessem a sós.

Agora que já havia se declarado, percebeu que se enganara sobre ela ou havia escolhido a hora errada para falar. Jasper sabia, ou achava que sabia, que ela gostava um pouco dele. Para os dois não era segredo que a heroína no primeiro livro de Jasper era inspirada em Rachel, e o herói da história baseava-se nele mesmo. No livro, os dois se amavam, e Rachel não havia feito nenhuma objeção. Ninguém mais sabia disso. Os nomes e as personagens tinham sido criados com uma inteligência sutil que revelou a Rachel, assim que recebeu um exemplar enviado por Jasper, a realidade do seu amor; e ela não havia ficado ofendida. Isso acontecera fazia quase um ano.

Naquela noite, ele se lembrava da cena entre eles sem que nenhum tom ou movimento lhe escapasse da memória. Lembrou ainda que havia começado a falar no mesmo ponto da avenida onde, dias antes, encontrara Rachel andando com Rollin Page. Naquela oportunidade, ele ficou imaginando o que Rollin estaria dizendo.

— Rachel — foi o que disse Jasper, mesmo sem nunca havê-la tratado pelo primeiro nome — foi só esta noite que percebi como a amo. Por que eu deveria tentar esconder o que você já sabe? Você sabe que a amo como se fosse a minha própria vida. Não quero mais esconder isso de você.

O primeiro sinal de rejeição foi sentir o braço de Rachel estremecer contra o seu, pois, como cavalheiro, havia lhe oferecido o braço. Ela permitiu que ele falasse, sem olhar diretamente para ele, mas também sem olhar para longe. Apenas olhava para a frente e, ao responder, seu tom de voz misturou tristeza e convicção.

— Por que você está dizendo isso tudo agora? Depois do que vi esta noite, não dá para pensar em nada disso.

— Por quê? O quê? — gaguejou Jasper antes de ficar em silêncio.

Rachel retirou o braço, mas continuou a caminhar a seu lado. Então, ele exclamou com a aflição de quem começa a perceber que uma grande perda se aproxima, justamente quando sua expectativa era de muita alegria.

— Rachel! Você não me ama? Meu amor por você não é sagrado como a vida?

Ela caminhou alguns passos em silêncio. Passaram debaixo de um poste de iluminação da rua. Sua fisionomia estava pálida, mas linda. Ele esboçou um movimento para tomar-lhe o braço, mas ela se afastou.

— Não! — respondeu ela. — Houve um tempo em que eu... hoje não posso responder por aquilo... você não devia ter me falado essas coisas agora.

Essas palavras eram uma resposta para ele. Jasper era uma pessoa de muita sensibilidade. Não se consideraria satisfeito com uma reação que não fosse de grande alegria pelo seu amor. E não pensava em contestar a resposta que havia recebido.

— Então, alguma outra hora, quando eu merecer mais? — perguntou com a voz abatida, mas ela pareceu não ter ouvido. Então se separaram ao chegar à casa de Rachel. E agora ele se lembrava de que nem boa-noite ela lhe desejara.

Ao repassar aquela cena tão rápida mas tão importante, ele se condenava por ter sido precipitado. Não havia respeitado o momento de Rachel, que estava arrebatada pelo que sentiu depois de tudo o que acontecera na tenda, envolvida por sensações e pensamentos inéditos para ela. Mas ele não a conhecia o suficiente nem para compreender o significado daquela recusa. Quando o relógio da Primeira Igreja bateu uma hora da madrugada, ele ainda estava sentado em sua escrivaninha, olhando para a última página do manuscrito de seu livro inacabado.

Rachel subiu para o quarto e refletiu sobre a experiência daquela noite com emoções conflitantes. Será que ela já havia amado Jasper Chase? Sim. Não. Por um momento sentiu-se como se a felicidade de sua vida estivesse em risco, dependendo de como ela agisse. Mas logo em seguida, viu-se aliviada por ter dado a resposta que dera. Havia nela um sentimento forte que a dominava. A reação das pessoas na tenda diante da sua música e a presença ágil e poderosa do Espírito Santo a haviam marcado como nunca. Na hora em que Jasper pronunciou seu nome e ela percebeu que ele ia falar de seu amor, sentiu uma repentina aversão por ele, como se o rapaz não estivesse respeitando os eventos sobrenaturais que haviam testemunhado. Rachel sentia que não era hora de se envolver com nada que não fosse a gloriosa maravilha daquelas conversões. A ideia de que Jasper Chase estivera pensando apenas no seu amor por ela durante todo o tempo em que cantava com paixão pelas almas na tenda, cujo coração ela desejava tocar, chocou-a como se os dois tivessem cometido um ato de irreverência.

Ela não sabia por que se sentiu daquele jeito; sabia apenas que, se Jasper não tivesse agido como naquela noite, seu sentimento por ele não teria mudado. Que sentimento era esse? O que o rapaz significava para ela? Teria ela cometido um erro? Dirigiu-se à estante e pegou o livro que Jasper lhe dera. Sua feição mudava ao ler certas passagens que já havia lido tantas outras vezes; ela sabia que aqueles trechos haviam sido escritos para ela. Leu-os de novo. Mas eles não a impressionavam mais. Então fechou o livro e deixou-o sobre a mesa. Aos poucos foi percebendo que seus pensamentos se dirigiam para o que presenciara na tenda. Aqueles semblantes, homens e mulheres que haviam sido tocados pela glória do Espírito pela primeira vez na vida! Afinal de contas, que coisa maravilhosa era a vida! O que se via naquelas pessoas era uma regeneração total; entre elas estavam bêbados e depravados, que agora se curvavam diante de uma vida de pureza e de semelhança com Cristo; ah! isso era prova da presença do sobrenatural neste mundo! E o semblante de Rollin Page ao lado daquele miserável que vivia na sarjeta! A lembrança era forte, como se ela ainda estivesse vendo tudo aquilo: Virginia chorando, abraçada com o irmão, logo antes de ir embora; o sr. Gray, ajoelhado ali perto; e a moça que vivia na rua, com quem Virginia conversou antes de sair. Todas aquelas imagens da tragédia humana, que o Espírito Santo havia alcançado no recanto mais abandonado de toda a cidade de Raymond, estavam agora na lembrança de Rachel, uma lembrança tão forte e recente que, ali em seu quarto, ela quase conseguia ver as pessoas e seus movimentos.

— Não! Não! — disse em voz alta. — Ele não tinha o direito de se declarar depois disso tudo. Precisava respeitar o lugar para onde nossas atenções deviam ter sido dirigidas. Tenho certeza de que não o amo, não o suficiente para entregar-lhe minha vida!

Tendo falado isso, as lembranças da experiência na tenda voltaram a dominar-lhe o pensamento, afastando todas as outras coisas. Talvez fosse a prova cabal de que Rachel sentia a tremenda realidade espiritual que estava sendo introduzida no Retângulo, mesmo após ter sido abordada por um moço determinado que se havia declarado a ela. Aquele fenômeno espiritual tocou-a mais profundamente do que qualquer outra coisa que Jasper sentisse por ela, ou ela pelo rapaz.

Os moradores de Raymond despertaram no domingo cedo com os acontecimentos que estavam começando a revolucionar muitos dos hábitos da cidade. A atitude de Alexander Powers na questão da corrupção na companhia ferroviária tinha ficado famosa não só em Raymond, mas em todo o país. As mudanças diárias que Edward Norman fazia na administração do seu jornal haviam deixado a cidade atônita, causando mais comentários do que qualquer fato político recente. A música de Rachel Winslow nas reuniões do Retângulo havia impactado a sociedade e maravilhado todos os seus amigos.

A conduta de Virginia, com sua presença todas as noites ao lado de Rachel, afastando-se do círculo de amigos ricos e sofisticados, fornecia muito combustível para fofocas e perguntas. Além desses fatos em torno de pessoas bem conhecidas, estavam acontecendo coisas estranhas em toda a cidade, nas casas, nos locais de trabalho e nos círculos sociais. Quase uma centena de pessoas na igreja de Henry Maxwell havia assumido o compromisso de, antes de agir, sempre perguntar: "O que faria Jesus?"; e as consequências, em muitos casos, eram inéditas. A cidade estava alvoroçada como nunca. O auge dos acontecimentos da semana tinha sido o fenômeno espiritual no Retângulo. Antes que o culto começasse, as pessoas já estavam sabendo da conversão de quase cinquenta pessoas entre as piores da redondeza, juntamente com a conversão de Rollin Page, o conhecido *habitué* de clubes e das altas rodas da sociedade.

Não é à toa que, por causa do impacto que tudo isso causou, os membros da Primeira Igreja de Raymond chegaram para o culto da manhã com uma disposição que as tornava receptivas a qualquer verdade importante. Talvez nada tenha deixado as pessoas tão perplexas quanto a grande mudança testemunhada no pastor, desde que lhes fizera a proposta de imitar a conduta de Jesus. A eloquência em seus sermões não mais as impressionava. No púlpito, a atitude de suficiência e despreocupação daquele homem refinado tinha sido substituída por um jeito de ser que não se comparava com o antigo estilo de sua comunicação. O sermão havia se transformado em mensagem. Não era mais um elemento de retórica. Era algo transmitido aos ouvintes com amor, seriedade, emoção, vontade e humildade, tanto que as verdades eram apresentadas com entusiasmo, e o ministro não aparecia mais do que devia como porta-voz de Deus. Suas orações não eram mais as mesmas que as pessoas estavam acostumadas a ouvir. Ele as interrompia com frequência, até mesmo cometendo erros gramaticais uma vez ou outra. Maxwell jamais se descontraíra tanto em suas orações, a ponto de cometer erros de linguagem. Ele sabia que sempre se orgulhara de sua dicção e retórica para orar ou pregar. Seria possível que agora estivesse abominando a sofisticação de um discurso público formal, chegando a repreender-se pelo formalismo de suas orações no passado? Era provável que não tivesse consciência de nada disso. Sua vontade de ser o porta-voz das necessidades do rebanho o impediu de dar importância a erros eventualmente cometidos. O que é certo é que ele nunca havia orado de modo tão eficaz quanto agora.

Há momentos em que a força e o valor de um sermão têm a ver com as condições dos ouvintes e não com eloquência, ideias novas ou argumentos apresentados. É assim que os ouvintes estavam naquela manhã, quando Henry Maxwell pregou contra a bebida, de acordo com o propósito que havia feito na semana anterior. Não havia nada de novo que ele pudesse dizer sobre a influência maléfica dos bares em Raymond. Quais novos fatos havia? Ele não tinha nenhuma ilustração impressionante sobre o poder da bebida nos negócios ou na política. O que poderia ser dito que ainda não tivesse sido falado muitas vezes? O poder da mensagem daquela manhã devia-se ao fato incomum de Maxwell estar pregando sobre a bebida e também aos acontecimentos que haviam agitado as pessoas. Ao longo de seus dez anos de pastorado, ele nunca mencionara os bares como algo que devia ser encarado como um inimigo, não apenas para os pobres e tentados pela bebida, mas também para os negócios na cidade e para a própria igreja. Naquele momento, ele falava com uma liberdade que parecia refletir sua total convicção de que Jesus faria o mesmo. Ao encerrar, insistiu com as pessoas que se lembrassem de que estava começando uma nova vida no Retângulo.

A eleição que iria apontar os representantes do povo da cidade estava se aproximando. A questão da liberdade para comércio de bebidas era um ponto importante para aquele pleito. Como ficariam aquelas pobres criaturas cercadas pelo inferno da bebida, agora que estavam começando a sentir a alegria de serem libertas do pecado? Quem poderia dizer até que ponto o ambiente em que viviam as influenciava? O que os cidadãos e empresários cristãos tinham a dizer sobre a liberdade para instituições ligadas ao crime e a atos vergonhosos? Será que, como cidadãos seguidores de Cristo, não deveriam se esforçar ao máximo, combatendo a realidade dos bares, elegendo homens de bem para representantes do povo e saneando a municipalidade? Até que ponto as orações poderiam ajudar a melhorar as condições de Raymond, se os votos e as ações sempre tinham apoiado o lado dos inimigos de Jesus? Será que Cristo não faria o mesmo? Que discípulo poderia imaginar Jesus se recusando a sofrer ou a levar sua cruz nessa questão? Até que ponto os membros da Primeira Igreja já tinham sofrido na tentativa de imitar Jesus? Ser discípulo de Cristo era uma realidade ligada meramente à consciência, aos costumes e à tradição? Onde ficava o sofrimento? Era ele necessário para que se pudesse seguir os passos de Jesus tanto para o Calvário quanto para o monte da transfiguração?

Neste ponto, o apelo de Maxwell tinha uma força que nem ele sabia calcular. A tensão espiritual das pessoas havia chegado ao ponto mais alto. Imitar Cristo era uma decisão que havia sido tomada por voluntários na igreja e estava surtindo efeito como se fosse fermento na comunidade. Henry Maxwell ficaria perplexo se pudesse avaliar o tamanho da vontade que seu rebanho tinha de carregar a cruz. Naquela manhã, enquanto falava, antes de encerrar com um apelo carinhoso a uma vida de discipulado baseada num conhecimento do Senhor Jesus acumulado durante dois mil anos, muitos homens e mulheres na igreja diziam o mesmo que Rachel dissera com tanta emoção a sua mãe: "Quero fazer algo que me custe sacrifício". "Quero sofrer por alguma coisa". Na realidade, Mazzini estava certo quando disse que não há apelo mais forte do que "vinde e sofrei".

O culto havia terminado, e o grande público já saíra. Maxwell encontrou-se de novo com o grupo no salão social, a exemplo do que fizera nos dois domingos anteriores. Ele pediu que ficassem todos os que haviam assumido o compromisso de discipulado e quaisquer outras pessoas que quisessem entrar para o grupo. O encontro após o culto parecia ter se transformado numa necessidade. Ao entrar no recinto e ver as pessoas que estavam ali, o coração de Maxwell bateu mais rápido. Havia no mínimo cem pessoas. Nunca o Espírito Santo tinha se manifestado tanto. Ele sentiu a falta de Jasper Chase, mas todos os outros estavam ali. Então pediu a Milton Wright que orasse. A própria atmosfera estava carregada com as possibilidades que Deus apresentava. O que poderia impedir tamanho batismo de poder? Como haviam conseguido viver tantos anos sem isso?

Então aconselharam uns aos outros e oraram muito. Henry Maxwell marcou aquela data, já que a partir de então ocorreriam fatos muito importantes que se tornariam parte da história da Primeira Igreja de Raymond. Quando finalmente todos foram embora, estavam marcados pela glória do poder do Espírito.

Capítulo 11

Donald Marsh, diretor da Faculdade Lincoln, foi para casa junto com o sr. Maxwell.

— Cheguei a uma conclusão, Maxwell — disse Marsh devagar. — Descobri qual é a minha cruz, e ela é pesada, mas não me darei por satisfeito enquanto eu não a tomar e carregar — Maxwell ficou em silêncio, e o diretor prosseguiu.

— Seu sermão de hoje deixou claro para mim algo que faz tempo que venho sentindo que devo fazer. "O que faria Jesus em meu lugar?" Tenho feito essa pergunta muitas vezes desde que assumi o compromisso. Tenho tentado me convencer de que ele faria simplesmente o que eu já tenho feito, cumprindo minhas obrigações na faculdade, lecionando Ética e Filosofia. Mas não consigo deixar de sentir que ele faria algo mais. Esse "algo mais" é o que não quero fazer, porque vai me trazer sofrimento de verdade. Tenho muito medo disso. Talvez você saiba do que estou falando.

— É, eu acho que sei. Essa é a minha cruz também. Eu gostaria de fazer qualquer outra coisa, menos isso.

Donald Marsh pareceu surpreso, mas depois sentiu-se aliviado. Então falou com tristeza, mas com grande convicção:

— Maxwell, eu e você pertencemos a uma classe de profissionais que sempre se furtam a seus deveres como cidadãos. Vivemos num pequeno mundo da literatura e da reclusão acadêmica, fazendo o que gostamos e nos esquivando das obrigações incômodas que integram a vida do cidadão.

Confesso, envergonhado, que tenho evitado conscientemente a responsabilidade pessoal que tenho para com esta cidade. Sei que os políticos daqui são homens corruptos e sem princípios, controlados em grande parte pelo *whisky* e completamente egoístas no que tange aos assuntos da administração da cidade. Mesmo assim, durante todos esses anos, eu e quase todos os professores na faculdade temos nos contentado em permitir que outras pessoas governem a cidade, vivendo em nosso canto, intocáveis e impassíveis diante do mundo real das pessoas. "O que faria Jesus?" Já tentei até mesmo me esquivar de uma resposta sincera. Não posso continuar fazendo isso.

— Está claro que o meu dever é participar pessoalmente das próximas eleições — continuou — ir para as primárias, usar o peso da minha influência, qualquer que seja ele, e garantir a indicação e a eleição de homens de bem, mergulhando nas profundezas das terríveis águas do engano, do suborno, das trapaças políticas e do apoio à bebida que hoje existem em Raymond. Eu até preferiria me colocar na frente de um canhão carregado a fazer essas coisas. Tenho medo porque odeio a questão como um todo. E daria quase qualquer coisa para poder dizer "não creio que Jesus faria algo dessa natureza". Mas estou cada vez mais convencido de que ele faria. É aqui que o sofrimento entra.

Perder meu emprego e minha casa não me fariam tão mal quanto isso — disse. — Abomino a ideia de estar em contato com esse problema do município. Gostaria muito mais de ficar quieto na minha vida acadêmica com minhas aulas de Ética e Filosofia. Mas fui chamado de uma forma tão inequívoca, que não tenho como fugir: "Donald Marsh, siga-me. Cumpra seu dever como cidadão de Raymond naquilo que sua cidadania possa lhe custar alguma coisa. Ajude a limpar esse estábulo municipal, mesmo que tenha de sujar um pouco seus sentimentos aristocráticos". Maxwell, essa é minha cruz. Se eu não a carregar, estarei negando o meu Senhor.

— Faço minhas as suas palavras — respondeu Maxwell com um sorriso triste. — Apenas porque sou pastor, por que deveria me esconder atrás dos meus sentimentos refinados e requintados e, como um covarde, recusar-me a tocar, com a possível exceção de meus sermões, na questão da cidadania? Não estou acostumado com os caminhos da vida política da cidade. Nunca participei ativamente da indicação de nomes de pessoas de bem. Há centenas de ministros como eu. Como categoria profissional, não pomos em prática no município os deveres e privilégios que pregamos do púlpito. "O que faria Jesus?"

— Cheguei a um ponto em que, assim como você, sou obrigado a responder a essa pergunta. Meu dever está claro. Tenho de sofrer. Todo o trabalho com a igreja, minhas pequenas dificuldades ou sacrifícios pessoais não são nada quando comparados com a invasão que essa luta aberta, brutal e pública pela moralização da cidade significa para os meus hábitos intelectuais, acadêmicos e autossuficientes. Eu poderia morar no Retângulo pelo resto da vida e trabalhar nas favelas com o mínimo necessário para viver. Assim mesmo gostaria mais disso, em vez da ideia de mergulhar de cabeça nessa luta pela reforma moral de uma cidade movida a *whisky*. Exigiria menos de mim. Mas, assim como você, não consegui me livrar da minha responsabilidade. Para que me sinta em paz, a única resposta que posso dar à pergunta "o que faria Jesus?", neste caso, é que Jesus me quer exercendo o papel de cidadão cristão. Marsh, como você disse, nós, profissionais, pastores, professores, artistas, escritores, acadêmicos, temos sido covardes políticos, e isso não pode ser negado. Temos nos esquivado dos deveres sagrados da cidadania, seja por ignorância, seja por egoísmo. Em nossos dias, é certo que

Jesus não agiria assim. O mínimo que podemos fazer é tomar essa cruz e segui-lo.

Os dois caminharam um pouco em silêncio, até que Marsh disse:

— Não precisamos fazer tudo sozinhos. Com certeza, poderemos contar com a presença e a força de todos os homens que também fizeram a promessa. Vamos organizar as forças cristãs de Raymond para a batalha contra o álcool e a corrupção. Com certeza, a nossa obrigação é participar das eleições primárias com uma força capaz de fazer algo mais que apenas protestar. O fato é que a questão do livre comércio de bebidas alcoólicas é deixada de lado com grande facilidade e muita covardia, apesar da ilegalidade e da corrupção. Vamos organizar uma campanha que faça sentido por ser a representação do que é justo. Jesus agiria com muita sabedoria nessa questão. Ele empregaria recursos financeiros e faria grandes planos. Vamos fazer o mesmo. Se vamos carregar essa cruz, que seja com coragem, como homens.

Tendo conversado longamente sobre o assunto, encontraram-se no dia seguinte no gabinete de Maxwell para iniciarem o planejamento. As eleições primárias estavam marcadas para a sexta-feira. Durante aquela semana, nos círculos políticos de toda a cidade corriam boatos sobre acontecimentos estranhos, mas isso não chegava aos ouvidos do cidadão comum. O sistema de indicação por meio de cédulas não era empregado naquele estado, e as eleições primárias foram convocadas para se realizar no fórum da cidade em reunião pública. Os cidadãos de Raymond jamais se esqueceriam daquele encontro. Foi tão diferente de qualquer reunião política já realizada, que não há termos de comparação. Os nomes seriam indicados para prefeito, vereadores, chefe de polícia, escrivão e tesoureiro municipal.

O *Diário de Notícias* da noite de sábado publicou uma reportagem completa sobre as eleições primárias. Em seu editorial, Edward Norman falou com objetividade e convicção, e o povo cristão de Raymond estava aprendendo a respeitá-lo profundamente, em vista de sua clara sinceridade e altruísmo. Um trecho daquele editorial faz parte desta história. E o citamos aqui:

"Pode-se afirmar com segurança que nunca na história de Raymond aconteceram eleições primárias como as de ontem à noite no fórum. Em primeiro lugar, tratou-se de uma grande surpresa para os políticos locais, habituados a cuidar dos assuntos da cidade como se fossem seus donos, e os outros, meras ferramentas ou cifras. A surpresa esmagadora que os poderosos tiveram na noite passada consistiu no fato de que um grande número de cidadãos de Raymond, que nunca haviam se manifestado sobre os interesses da cidade, foram para as primárias e as dominaram, indicando alguns dos melhores nomes para todos os cargos a serem preenchidos na próxima eleição.

"Foi uma grande lição de cidadania. O diretor Marsh, da Faculdade Lincoln, que nunca havia concorrido nas primárias, cujo rosto nem mesmo era conhecido pelos políticos, fez um dos melhores discursos já ouvidos em Raymond. Quando ele se levantou para falar, foi quase engraçado olhar para a fisionomia dos homens que durante anos têm feito o que lhes agrada. Vários deles perguntaram: 'Quem é esse aí?'. O medo se aprofundava à medida que prosseguiam as primárias e ficava claro que os antigos governantes da cidade tinham sido superados em número.

"Estavam presentes o rev. Henry Maxwell, da Primeira Igreja, Milton Wright, Alexander Powers e os professores Brown, Willard e Park, da Faculdade Lincoln, dr. West, rev. George Main, da Igreja do Peregrino, o deão Ward, da Igreja da Santíssima Trindade, e vários empresários e profissionais bem conhecidos, membros de igrejas em sua maioria. E não foi necessário muito tempo para que se percebesse que todos eles haviam chegado com um objetivo claro e definido: indicar nomes de pessoas de bem, as melhores que pudessem. A maior parte deles nunca havia estado numa eleição primária. Eram desconhecidos para os políticos. Mas haviam claramente lançado mão das regras que os próprios políticos estabeleceram e, num esforço organizado e conjunto, colocaram-se em condições de fazer passar todos os nomes da chapa.

"Assim que ficou evidente que as eleições primárias estavam fora de controle, os políticos antigos recolheram-se contrariados e formaram outra chapa. O *Diário de Notícias* chama a atenção de todos os cidadãos de bem para o fato de que essa última chapa abriga o nome de homens ligados ao comércio de bebidas. Há uma diferença inconfundível entre a administração corrupta a serviço da bebida, há anos conhecida por todos nós, e a gestão transparente, honesta, competente e profissional, tal como desejam todos os bons cidadãos. Não é preciso lembrar ao povo de Raymond que a questão da opção local sobre a limitação do comércio de bebidas é o que marcará a eleição. Será a questão mais importante a ser considerada nas chapas. A defesa dos interesses da nossa cidade chegou a um ponto crítico. O problema está bem na nossa frente.

"Continuaremos debaixo de um governo de incompetência vergonhosa, ligado aos interesses do comércio de bebidas e movido a subornos, ou, como disse o diretor Marsh em seu nobre discurso, levantaremos a cabeça como bons cidadãos para dar início a uma nova ordem de coisas, purgando nossa cidade do pior inimigo da honestidade no trato da coisa pública e fazendo tudo o que pudermos com nossa cédula de votação para sanear a vida pública?

"O *Diário de Notícias*, categoricamente e sem restrições, apoia o novo movimento. Daqui por diante, faremos tudo o que estiver a nosso alcance para acabar com a venda ilegal de bebidas e para destruir as forças políticas que a sustentam. Defenderemos a eleição de homens indicados pela maioria dos cidadãos nas primárias. Convocamos os cristãos, membros de igrejas, defensores do direito, da pureza, da sobriedade e da família que se coloquem ao lado do diretor Marsh e dos outros cidadãos que assim estão dando início a uma reforma em nossa cidade, há muito tempo necessária".

Marsh leu o editorial e agradeceu a Deus a vida de Edward Norman. Ao mesmo tempo, percebeu muito bem que todos os outros jornais de Raymond estavam apoiando o outro lado. Ele não subestimou a importância e a seriedade do embate que havia apenas começado. Não era segredo que o *Diário* havia sofrido enormes perdas desde que passara a ser dirigido segundo o modelo encerrado na pergunta "o que faria Jesus?". E a questão era se os cristãos de Raymond iriam apoiá-lo. Dariam eles as condições que Norman precisava para continuar tocando um jornal de base cristã? Ou será que o interesse por algo chamado "notícia" no segmento dos crimes, dos escândalos, das alianças políticas e coisas do gênero, combinado com um desinteresse em defender uma reforma tão notável no jornalismo, iria influenciá-los a abandonar o jornal e deixar de oferecer-lhe suporte financeiro?

Essa era a pergunta que Edward Norman fazia até mesmo no momento em que escrevia o editorial do sábado. Ele sabia perfeitamente que suas opiniões manifestadas no editorial iriam custar-lhe muito da parte de vários empresários de Raymond. Assim mesmo, ao colocar a pena sobre o papel, fez outra pergunta: "O que faria Jesus?" Essa pergunta agora fazia parte de toda sua vida. Era a mais importante de todas.

Entretanto, pela primeira vez na história de Raymond, professores, médicos, pastores e outros profissionais assumiam uma posição política e se colocavam em franca oposição às forças do mal que há tanto tempo controlavam a máquina do governo municipal. Esse fato em si era muito impressionante. Com grande humildade, o diretor Marsh reconheceu consigo mesmo que nunca soubera o que a justiça de cidadãos responsáveis podia realizar. A partir daquela noite de sexta-feira, ele redefiniu o significado da palavra educação, para si e para outros que estavam sob sua influência. Ela havia incorporado o elemento chamado sofrimento. De agora em diante, o sacrifício estava incluído no fator do desenvolvimento.

Naquela semana no Retângulo, a temperatura espiritual aumentou bastante e não dava sinais de estar baixando. Rachel e Virginia estavam presentes todas as noites. Virginia estava chegando a conclusão sobre o que fazer com grande parte de sua fortuna. Ela e Rachel conversaram muito sobre o assunto e concordaram que, se Jesus tivesse a sua disposição uma alta quantia em dinheiro, ele faria o mesmo que Virginia estava planejando. De qualquer modo, elas achavam que, não importa o que ele fizesse nessa situação, a variedade de usos seria tão grande quanto as diferenças entre pessoas e circunstâncias. Não poderia existir um único jeito rígido de gastar dinheiro pautado por uma consciência cristã. A regra que regulamentava o uso era a utilidade dos recursos em favor dos outros.

Enquanto isso, o glorioso poder do Espírito ocupava-lhes todo o pensamento. Naquela semana, noite após noite, as pessoas presenciaram milagres tão impressionantes quanto andar sobre o mar ou multiplicar pães e peixes. Afinal, que outro milagre é maior que a regeneração de seres humanos? Pessoas rudes, abrutalhadas e entregues ao alcoolismo eram transformadas em alegres seguidoras de Cristo, praticantes da oração. Esse fenômeno sempre provocava em Rachel e Virginia a mesma sensação que as pessoas devem ter experimentado quando viram Lázaro sair andando do túmulo. Era uma experiência cheia de emoções profundas para as duas moças.

Rollin Page estava presente em todas as reuniões. Não havia nenhuma dúvida sobre sua transformação. Rachel ainda não havia falado muito com ele. Rollin estava admiravelmente quieto. Era como se ele estivesse o tempo todo pensando. Com certeza, o rapaz não era mais o mesmo. Conversava com Gray mais do que com qualquer outra pessoa. Não evitava Rachel, mas parecia ter medo de passar alguma impressão de que estivesse tentando se reaproximar. Rachel encontrou dificuldade até mesmo para expressar-lhe sua alegria por causa da nova vida que ele tinha começado a conhecer. Parecia que ele estava esperando para ajustar-se aos seus antigos relacionamentos, antes que essa vida nova começasse. Não se esquecera de suas amizades. Mas ainda não estava preparado para reconfigurar a percepção que tinha delas.

A semana havia chegado ao fim, e o Retângulo enfrentava uma árdua batalha contra as forças do mal. O Espírito Santo lutava com todo seu poder sobrenatural contra o Diabo, que por muito tempo exercera domínio sobre seus escravos nos bares. Se os cristãos de Raymond conseguissem imaginar o que aquele embate significava para as pessoas que tinham acabado de despertar para uma vida de mais pureza, seria impossível que a eleição resultasse na manutenção do antigo sistema de comércio de bebidas alcoólicas. Mas isso ainda estava por acontecer. O horror do ambiente em que muitos convertidos viviam ia aos poucos calando fundo no pensamento de Virginia e Rachel. Todas as noites, ao voltarem para suas casas luxuosas, sentiam o coração pesaroso.

"Boa parte dessas pobres criaturas voltará à velha vida", dizia Gray, tomado de tristeza. "O ambiente tem um peso considerável sobre o caráter. Não é razoável pensar que essas pessoas sempre haverão de resistir à presença e ao cheiro das bebidas demoníacas que as cercam. Ah! Senhor, até quando os cristãos vão continuar apoiando com seu silêncio e seus votos a maior modalidade de escravidão que se conhece em todo o país?"

Ao fazer essa pergunta, ele não tinha muitas esperanças de receber uma resposta imediata. Havia um fio de esperança pelas ações realizadas nas eleições primárias da noite de sexta-feira, mas ele não se atrevia a prever o resultado. As forças da bebida livre estavam alinhadas, alertas, agressivas e sentindo um ódio incomum por causa dos acontecimentos da última semana na tenda e na cidade. Será que as forças cristãs agiriam em bloco contra os bares? Estariam divididas pelos interesses comerciais ou pela falta de hábito de atuarem juntas, a exemplo do que sempre faziam os defensores do livre comércio de bebidas alcoólicas? A resposta a essas perguntas ainda teria de aguardar. Enquanto isso, as forças favoráveis à bebida aquartelaram-se no Retângulo como se fossem uma serpente enrolada, pronta para dar o bote e morder com seu veneno qualquer parte que não estivesse protegida.

No sábado à tarde, bem na hora em que Virginia saía de casa para encontrar-se com Rachel a fim de conversar sobre suas novas ideias, aproximou-se uma carruagem que levava três de suas amigas ricas. Virginia foi para o meio-fio e ficou ali conversando com elas. Não tinham vindo fazer um convite formal, mas queriam que Virginia fosse com elas fazer um passeio. Haveria um *show* musical no parque. O dia estava agradável demais para ficar dentro de casa.

— Por onde você tem andado esse tempo todo, Virginia? — perguntou uma das moças, cutucando-lhe o ombro com uma sombrinha de seda vermelha. — Disseram-nos que você havia entrado para o mundo artístico. Conte-nos como foi.

Virginia ficou vermelha de vergonha, mas, após um instante de hesitação, falou-lhes um pouco de sua experiência no Retângulo. As moças na carruagem começaram a ficar realmente interessadas.

— Meninas, vamos andar na favela com Virginia em vez de ir ao *show*. Eu nunca fui ao Retângulo. Ouço dizer que é um lugar terrível e perverso, e há muita coisa para ser vista ali. Virginia será nossa guia, e vai ser muito — "divertido" era o que ela ia dizer, mas o olhar de Virginia fez com que escolhesse a palavra "interessante".

Virginia estava irritada. Sua primeira reação foi de não querer acompanhá-las em tais circunstâncias. As outras duas moças pareciam pensar o mesmo que a primeira. As três concordaram com seriedade e pediram a Virginia que as levasse até lá. De repente, ela viu na curiosidade das moças uma oportunidade. Elas nunca haviam testemunhado o pecado e a miséria de Raymond. Por que não deveriam conhecer aquilo tudo, mesmo que a motivação fosse simplesmente passar uma tarde?

— Está bem. Vou com vocês. Terão de me obedecer, e eu as levarei ao lugar onde poderão ver o que há de pior — disse Virginia ao subir na carruagem e sentar-se ao lado da moça que havia sugerido a visita ao Retângulo.

Capítulo 12

Estarão divididos: pai contra filho, filho contra pai; mãe contra filha; filha contra mãe; sogra contra nora, e nora contra sogra.

Sede, pois, imitadores de Deus, como filhos amados; e andai em amor, como também Cristo nos amou.

— Não seria melhor levar conosco um policial? — disse uma das moças, rindo de nervosa. — Aquele lugar não é seguro, você sabe disso.

— Não há nenhum perigo — disse Virginia rapidamente.

— É verdade que seu irmão Rollin se converteu? — perguntou a outra, enquanto olhava para ela com curiosidade. Virginia havia notado durante o trajeto até o Retângulo que as três amigas a estavam olhando com muita atenção, como se ela fosse diferente.

— Sim, converteu-se mesmo.

— Sei que ele tem ido aos clubes para falar com os amigos de antigamente e tentar pregar para eles. Não parece engraçado? — disse a moça com a sombrinha de seda vermelha.

Virginia não respondeu. As outras moças foram ficando sérias, assim que a carruagem virou a esquina e entrou numa rua que chegava ao Retângulo. À medida que se aproximavam, iam ficando cada vez mais nervosas. As vistas, os cheiros e os sons que tinham se tornado tão comuns para Virginia agrediam horrivelmente os sentidos daquelas moças requintadas e delicadas da sociedade. À medida que avançavam pelo distrito, o Retângulo parecia encarar com uma expressão forte, confusa e embriagada de cerveja a bela carruagem com moças bem-vestidas. "Andar na favela" nunca tinha sido um costume da sociedade de Raymond, e talvez esta tenha sido a primeira vez que as duas realidades ficavam juntas desse jeito. As moças perceberam que, em vez de conhecer o Retângulo, haviam se transformado em objetos de curiosidade. Por isso, estavam assustadas e contrariadas.

— Vamos embora. Já vi o que queria — disse a moça sentada ao lado de Virginia. Naquele instante, estavam bem de frente para um bar e local de jogatinas. A rua era estreita, e a calçada estava cheia de gente. De repente, uma moça saiu cambaleando pela porta do bar. Embriagada, e num choro convulsivo, ela cantava: "Tal qual estou, me achego a ti", o que parecia indicar que em parte ela percebia sua terrível condição. Ao passar a carruagem, a moça levantou o rosto para olhar, e Virginia conseguiu enxergá-la bem de perto. Era a moça que tinha se ajoelhado a seu lado na outra noite na tenda, a mesma por quem Virginia havia orado.

— Pare! — gritou Virginia, gesticulando para o condutor, que olhava para outra direção. A carruagem parou, e num instante ela já havia descido e voltado até a moça, tomando-a pelo braço.

— Loreen! — foi tudo o que ela disse. A moça olhou para o seu rosto e ficou aterrorizada. As moças na carruagem ficaram chocadas e atônitas. O gerente do bar tinha vindo para fora e estava lá, olhando com as mãos na cintura. Desde as janelas, escadas dos bares, calçadas sujas, vielas e ruas, o Retângulo parou para olhar com curiosidade para as duas moças. O sol de primavera irradiava sua luz sobre aquela cena. O som da música no parque podia ser ouvido ao longe. O *show* havia começado, e a sociedade de Raymond estava lá, desfilando suas roupas e riquezas.

No momento em que desceu da carruagem e foi ao encontro de Loreen, Virginia não tinha certeza do que deveria fazer nem sabia quais consequências sua atitude iria trazer. Ela apenas tinha visto uma pessoa que provara o sabor de uma vida melhor e agora estava caindo de novo no antigo inferno de vergonha e morte. E, antes de segurar o braço da moça embriagada, ela se perguntou: "O que faria Jesus?". Para ela e muitos outros, essa pergunta estava se tornando um hábito salutar para a vida.

Agora, parada junto a Loreen, ela olhou ao redor e tudo lhe pareceu muito cruel. E logo pensou nas moças na carruagem.

— Podem seguir em frente, não me esperem. Vou levar minha amiga para casa — disse ela, demonstrando calma.

A moça da sombrinha vermelha pareceu respirar fundo ao ouvir a palavra "amiga" pronunciada por Virginia, mas não disse nada. As outras pareciam ter ficado mudas.

— Podem continuar. Não vou poder voltar com vocês — disse Virginia. O condutor começou a fazer os cavalos andarem devagar, enquanto uma das moças inclinava-se para fora da carruagem.

— Será que podemos... quer dizer... você precisa de ajuda? Você não poderia...

— Não, não! — exclamou Virginia. — Vocês não vão poder me ajudar.

A carruagem seguiu, e Virginia ficou ali com sua responsabilidade. Então olhou para cima e para os lados. Muitos na multidão pareciam ter se importado com o que viram. Não eram todos cruéis ou brutos. O Espírito Santo havia humanizado uma boa parte do Retângulo.

— Onde ela mora? — perguntou Virginia.

Não houve resposta. Mais tarde, ao pensar sobre o que havia acontecido, ocorreu-lhe que aquele silêncio triste havia sido uma delicadeza digna da aristocracia. Pela primeira vez, deu-se conta de que aquele ser imortal, jogado como um náufrago sobre a praia do inferno chamado bar, não tinha casa. De repente, a moça puxou o braço para soltar-se de Virginia, que quase caiu com o movimento brusco.

— Não encoste a mão em mim! Saia! Deixe-me ir para o inferno, que é o meu lugar! O Diabo está me esperando. Olha ele ali! — exclamou a moça com voz rouca, apontando para o gerente do bar. A multidão caiu no riso. Virginia se aproximou e colocou o braço em volta dela.

— Loreen — disse com firmeza — venha comigo. Seu lugar não é o inferno. Você pertence a Jesus, e ele vai salvá--la. Venha.

A moça irrompeu num choro, apenas parcialmente sóbria depois do choque de encontrar Virginia.

Ela olhou de novo em volta e perguntou:

— Onde mora o sr. Gray? — pois sabia que o evangelista morava em algum lugar perto da tenda. Várias pessoas indicaram-lhe o caminho.

— Vamos, Loreen, quero que você venha comigo até a casa do sr. Gray — disse ela, ainda segurando a moça que cambaleava e tremia, chorava e soluçava, mas agora agarrada em Virginia.

Assim as duas se dirigiram pelo Retângulo à casa do evangelista. A cena parecia impressionar todo o bairro. Ninguém ali levava a embriaguez a sério, mas agora a situação era outra. Tratava-se de uma das moças mais ricas e mais bem-vestidas de toda a cidade, que estava cuidando de uma das figuras mais conhecidas do Retângulo, alguém que vivia cambaleando sob o efeito do álcool. Esse fato era surpreendente e conferia certa importância e dignidade à própria Loreen. A moça vivia tropeçando de bêbada e era motivo de risadas e zombarias em todo o Retângulo. Mas, agora que ela estava passando amparada por uma moça da alta sociedade de Raymond, a situação era outra. O Retângulo olhava para aquilo com sobriedade e certa admiração.

Ao chegarem à casa do evangelista, a moça que atendeu à porta informou Virginia de que ele e a esposa tinham saído e não voltariam antes das seis da tarde.

Virginia não havia pensado num plano alternativo, pois achava que o casal Gray iria tomar conta de Loreen por umas horas ou providenciar um lugar seguro, até que a bebedeira passasse. Parada em frente à porta da casa, Virginia viu-se perdida e sem saber o que fazer, enquanto Loreen caía sobre os degraus e escondia o rosto entre os braços. Então olhou para aquela figura miserável com medo de passar a sentir aversão por ela.

Por fim, ocorreu-lhe uma ideia da qual ela não poderia escapar. O que a impedia de levar Loreen para sua casa? Por que a moça que não tinha onde morar, uma criatura miserável, cheirando a álcool, não poderia receber cuidados na casa de Virginia, em vez de ser entregue na mão de estranhos em algum hospital ou casa de caridade? Virginia não conhecia praticamente nada sobre esses lugares. A verdade é que havia duas ou três dessas instituições em Raymond, mas dificilmente uma delas aceitaria receber Loreen no estado em que se encontrava. Mas não era essa a questão que preocupava Virginia naquele momento. "O que faria Jesus com Loreen?" Era essa a pergunta que devia ser respondida, e ela finalmente a respondeu segurando de novo o braço da moça.

— Loreen, vamos. Você vai para a minha casa. Vamos pegar uma condução aqui na esquina.

Loreen equilibrou-se para ficar de pé e, para surpresa de Virginia, não lhe deu trabalho. Ela achava que a moça ia oferecer resistência ou não iria querer sair dali. Ao chegarem à esquina, tomaram a condução. Havia muita gente indo para o mesmo lugar. Virginia percebeu com tristeza como as pessoas ficaram olhando quando as duas entraram. Mas o que a preocupava mesmo era sua avó, quando a visse chegar com Loreen. O que a senhora Page iria dizer?

Loreen já estava quase sóbria. Mas parecia que ia perder a consciência. Virginia teve de segurar-lhe o braço com força, e por várias vezes a moça soltou o peso do corpo contra ela. Enquanto as duas subiam a avenida, uma multidão curiosa formada por pessoas chamadas civilizadas virava-se para olhá-las. Ao subir os degraus na entrada de sua bela casa, Virginia respirou aliviada, mesmo na iminência de um embate com sua avó. Quando a porta se fechou atrás das duas, e Virginia se viu do lado de dentro com sua amiga sem-teto, sentiu-se preparada para enfrentar o que viesse.

A senhora Page encontrava-se na biblioteca. Ao ouvir a neta chegar, foi até ela. Virginia estava ali, escorando Loreen, que, meio abobada, olhava para a riqueza dos móveis a sua volta.

— Vovó — disse Virginia com clareza e sem vacilar — trouxe uma das minhas amigas do Retângulo. Ela está em dificuldades e não tem para onde ir. Vou cuidar um pouco dela aqui em casa.

Pasma, a senhora Page olhava para a neta e para Loreen.

— Você disse que ela é uma de suas amigas? — perguntou a avó num tom de voz que transmitia toda sua frieza e desprezo. Isso magoou Virginia mais do que qualquer outra coisa.

— Sim, foi o que eu disse — Virginia ficou vermelha, mas parecia lembrar-se de uma expressão extraída de um versículo que o sr. Gray usara num de seus últimos sermões: "amigo de publicanos e pecadores". Com certeza, Jesus faria a mesma coisa que ela estava fazendo.

— Você sabe o que essa moça é? — perguntou a senhora Page, sussurrando com raiva, enquanto se aproximava de Virginia.

— Sei muito bem. É uma perdida. A senhora não precisa me dizer isso. Sei até mais que a senhora. Neste momento, ela está embriagada. Mas também é filha de Deus. Eu a vi de joelhos, arrependida. E vi também que o inferno estava tentando dominá-la de novo com suas garras. E, pela graça de Cristo, acho que o mínimo que posso fazer é resgatá--la desse perigo. Vovó, dizemos que somos cristãos. Aqui está uma criatura pobre e perdida que não tem onde morar, voltando a uma vida de miséria e perdição possivelmente eterna. Nós temos mais do que precisamos. Trouxe-a para cá e vou cuidar dela.

A senhora Page olhou com raiva para Virginia e cerrou os punhos. Tudo aquilo contrariava seu código de conduta social. Como a sociedade poderia relevar tamanha intimidade com a escória das ruas? O que esse ato de Virginia custaria à família em termos de crítica e perda de prestígio diante das pessoas ricas com quem eles se relacionavam? Para a senhora Page, a sociedade era mais importante que a igreja ou qualquer outra instituição. Portanto, era uma força que devia ser temida e obedecida. Perder a boa vontade da sociedade era algo a ser temido mais que qualquer outra coisa, com exceção da perda da fortuna propriamente dita.

Carrancuda, a avó ficou ali em pé e enfrentou Virginia completamente exaltada e determinada.

Virginia colocou o braço em volta de Loreen e, com calma, olhou a avó nos olhos.

— Virginia, você não vai fazer isto! Você pode mandá-la para um abrigo de mulheres. Podemos pagar as despesas. Pelo bem de nossa reputação, não podemos receber aqui uma pessoa nesse estado.

— Vovó, não quero fazer nada que a desagrade, mas tenho de manter a Loreen aqui esta noite, e outras se for preciso.

— Então você vai ter de arcar com as consequências! Eu não fico na mesma casa com uma perdida — a senhora Page havia se descontrolado. Virginia parou na frente dela antes de continuar falando.

— Vovó, esta casa é minha. Também será sua casa enquanto a senhora quiser. Mas, neste caso, terei de agir segundo acredito que Jesus faria se estivesse em meu lugar. Estou disposta a suportar tudo o que a sociedade possa dizer ou fazer. A sociedade não é o meu Deus. Ao lado desta pobre criatura, não ligo para o veredicto da sociedade.

— Então eu não fico aqui — disse a senhora Page, virando-se de repente e caminhando até o fim da sala. Mas então voltou, foi na direção de Virginia e disse com uma ênfase que revelava sua grande emoção:

— Lembre-se de que, por causa de uma bêbada, você expulsou sua avó de casa — e, sem dar oportunidade para que Virginia respondesse, virou-se de novo e subiu as escadas. Virginia chamou uma empregada, e dentro de pouco tempo Loreen estava recebendo os cuidados necessários. Seu estado estava piorando rapidamente. Durante o episódio na sala da frente, havia se agarrado com tanta força no braço de Virginia, que deixara marcas de seus dedos.

Virginia não sabia se a avó ia sair de casa. Ela possuía muitos recursos próprios, estava com saúde perfeita, era forte e capaz de cuidar de si mesma. Tinha irmãos e irmãs no sul do país e costumava passar com eles várias semanas durante o ano. Virginia não estava preocupada com o bem-estar da avó por causa do que acontecera. Mas a conversa havia sido bem difícil. Já em seu quarto, pensando em tudo aquilo antes de descer para tomar chá, Virginia não achou motivos para se lamentar. "O que faria Jesus?" Ela não tinha a menor dúvida de que havia feito o que era certo. Se cometera algum erro, havia sido de julgamento, mas não de afeto.

Capítulo 13

Quando o sino tocou avisando da hora do chá, Virginia desceu, mas sua avó não estava presente. Então mandou uma empregada ao quarto da avó, mas ela voltou dizendo que a senhora Page não estava lá. Alguns minutos mais tarde, Rollin chegou da rua e trouxe a notícia de que sua avó pegara o trem da noite para o sul. Ele estava na estação para despedir-se de alguns amigos e, por acaso, encontrou-se com ela, que estava de partida. E ela lhe contara a razão de estar indo embora.

Virginia e Rollin confortaram um ao outro enquanto tomavam chá e se olhavam com expressão de tristeza e seriedade.

— Rollin — disse Virginia, dando-se conta de que era praticamente a primeira vez que percebia como a conversão do irmão lhe era importante — você me culpa por alguma coisa? Estou errada?

— Não, querida. Não creio que você esteja. Isso tudo é difícil para nós. Mas se você acha que essa pobre criatura deve sua segurança e salvação ao seu cuidado pessoal, a única coisa que você poderia fazer era o que fez. Virginia, pense que todos esses anos desfrutamos com egoísmo de nossa linda casa e de todo luxo, esquecendo-nos das multidões de pessoas como essa moça! É claro que, em nosso lugar, Jesus teria feito o mesmo que você.

Foi assim que Rollin animou Virginia e aconselhou-se com ela naquela noite. De todas as mudanças maravilhosas que ela haveria de testemunhar depois que assumiu seu compromisso de seguir Jesus na conduta, nenhuma a afetaria de forma tão poderosa quanto a mudança de vida ocorrida em Rollin. Ele era verdadeiramente uma nova criatura em Cristo. As coisas antigas haviam passado. Tudo havia se tornado novo nele.

O dr. West apareceu naquela noite a chamado de Virginia e fez tudo o que era necessário em favor da moça. Ela havia bebido quase a ponto de entrar em coma. O melhor que se poderia fazer por ela naquele momento era oferecer-lhe cuidados terapêuticos, dar-lhe atenção e amor. Assim, num lindo quarto, com um quadro de Cristo andando na areia da praia pendurado na parede, do qual seu olhar captava diariamente um pouco do sentido oculto, encontrava-se Loreen, levada sem saber como para este porto seguro. Virginia, de sua parte, aumentava cada vez mais seu conhecimento do Senhor, à medida que seu coração se abria para aquela moça que tivera a vida destroçada antes de cair derrotada a seus pés.

Enquanto isso, o Retângulo aguardava a eleição com interesse acima do comum. O casal Gray chorava pelas pobres criaturas miseráveis que, depois de lutarem contra as circunstâncias que as cercavam com tentações, muitas vezes se cansavam e, a exemplo de Loreen, desistiam e voltavam à condição anterior de vida.

A reunião após o culto na Primeira Igreja já se estabelecera como algo ansiosamente aguardado. Henry Maxwell dirigiu-se ao salão social no domingo após a semana das eleições primárias e foi recebido com um entusiasmo que o fez estremecer. Observou de novo que apenas Jasper Chase não estava presente, mas todos os outros estavam unidos por um laço de comunhão que possibilitava e exigia confiança mútua. O sentimento geral era de que o espírito de Jesus era o espírito da confissão da experiência aberta e franca. Assim, parecia a coisa mais natural do mundo ver Edward Norman narrar aos demais do grupo detalhes do que se passava em seu jornal.

— O fato é que perdi muito dinheiro nas últimas três semanas. Não sei dizer quanto foi. Todos os dias perco muitos assinantes.

— O que os assinantes alegam para cancelar a assinatura do jornal? — perguntou o sr. Maxwell. Todos os outros escutavam com atenção.

— Há várias razões. Alguns dizem que querem um jornal que publique todas as notícias, referindo-se a detalhes sobre crimes, sensacionalismo em torno das lutas de boxe, escândalos e horrores de todo tipo. Outros não aceitam a extinção da edição de domingo. Perdi centenas de assinantes por causa disso, embora eu mesmo tenha feito acordos satisfatórios com muitos dos antigos assinantes, entregando-lhes na edição extra de sábado mais conteúdo do que recebiam com o jornal do domingo. Minha principal perda está na diminuição do número de anunciantes e na posição que fui obrigado a tomar em questões de política. A última decisão custou-me mais que qualquer outra. Grande parte dos meus assinantes está ligada a algum partido. Sou franco em lhes dizer que, se eu continuar com meu plano, sinceramente creio que seria o que Jesus também iria fazer numa abordagem suprapartidária e moral das questões políticas, o *Diário de Notícias* não poderá pagar suas despesas operacionais, a menos que possa contar com um fator em Raymond.

Então fez uma pausa, e todo o recinto ficou em silêncio. Virginia parecia demonstrar um interesse especial pelo assunto. Seu rosto brilhava de curiosidade. Era como o interesse de alguém que havia pensado muito sobre a mesma coisa que Norman estava para mencionar.

— O fator a que me refiro é o elemento cristão em Raymond. O *Diário* sofreu pesadas perdas com as pessoas que não têm interesse em apoiar um jornal cristão e com os que esperam que uma publicação dessas sirva apenas para oferecer material que lhes interesse ou distraia. Haverá verdadeiros cristãos em Raymond que se unirão para sustentar um jornal parecido com o que Jesus provavelmente publicaria? Ou será que os membros das igrejas encontram-se tão acostumados com o jornalismo de sempre, que não aceitariam um jornal despojado de propósito moral e cristão?

— Devo dizer nesta reunião — continuou — que, devido as minhas recentes complicações como empresário, fui obrigado a me desfazer de grande parte de meu patrimônio. Apliquei a mesma regra da provável conduta de Jesus a certas transações com outras pessoas que não vivem pela mesma regra, e a consequência foi uma grande perda de dinheiro. De acordo com a promessa que fizemos, acho que a pergunta que deve ser feita não é "isto é viável?", mas todas as nossas ações devem ter como base uma só pergunta: "o que faria Jesus?". Ao agir pautado nessa regra de conduta, perdi quase todo o dinheiro que ganhei com o jornal. Não preciso descer aos detalhes do assunto.

— Hoje — disse — não me resta dúvida, depois da experiência que tive nas últimas três semanas, que, pelo atual sistema de negócios, muitos iriam perder enormes somas de dinheiro se a regra de conduta baseada em Jesus fosse seguida com honestidade. Menciono aqui minhas perdas porque acredito muito no sucesso de um jornal conduzido segundo as normas que recentemente implantei. E também as estou aplicando a toda a minha fortuna para que eu obtenha o sucesso no final. No presente momento, como já lhes disse, a menos que os cristãos de Raymond, membros de igrejas e outros discípulos, sustentem o jornal com assinaturas e propaganda, não poderei seguir com a sua publicação.

Virginia havia acompanhado o relato do sr. Norman com grande interesse e fez uma pergunta:

— O senhor quer dizer que, à semelhança de uma escola cristã, um jornal de orientação cristã teria de ser patrocinado com uma grande soma de dinheiro para que fosse viável?

— Sim, é exatamente isso. Fiz planos de inserir no *Diário* uma grande variedade de informações de uma forma tão interessante, que isso venha a compensar o que eu deixar de fora das colunas por ser matéria não cristã. Mas meus planos exigem uma grande injeção de dinheiro. Tenho certeza de que um jornal cristão, tal como Jesus aprovaria, contendo apenas material que ele publicasse, poderia ter sucesso financeiro se planejado nas diretrizes certas. Mas colocar os planos em ação exigiria muito dinheiro.

— Quanto o senhor acha que seria necessário? — perguntou Virginia com toda calma.

Edward Norman olhou para ela compenetrado e por um momento corou de vergonha ao pensar sobre o propósito da moça. Ele a conhecia desde menina na escola dominical e tinha sido um grande parceiro comercial de seu pai.

— Eu diria que, numa cidade como Raymond, meio milhão de dólares poderia ser bem empregado num jornal como esse que temos em mente — respondeu Norman. Sua voz estava um pouco trêmula. Seu olhar penetrante no rosto marcado pelo tempo brilhou com a possibilidade, vislumbrada nos últimos segundos, de grandes realizações no segmento de jornais.

— Então — disse Virginia com a certeza de quem já pensara bastante sobre o assunto — estou disposta a aplicar essa quantia no jornal, sob uma condição, é claro: que ele continue a ser publicado dentro das novas diretrizes recentemente adotadas.

— Graças a Deus! — exclamou Maxwell discretamente. Norman estava branco. O restante olhava para Virginia. Ela ainda tinha mais para dizer.

— Meus amigos — continuou ela com um tom de tristeza na voz que impressionou a todos — não quero receber crédito como se esse fosse um ato de grande generosidade. Faz pouco tempo que me dei conta de que o dinheiro que eu chamava de meu não é meu, mas de Deus. Se eu, na condição de administradora do que é dele, observo que há uma forma sábia de investir o dinheiro dele, isso não deve dar ocasião a vanglória nem a agradecimentos de nenhuma pessoa. Estou apenas administrando os fundos que ele me confiou, usando-os para sua glória. Eu já vinha pensando nesse plano.

— A grande verdade — disse Virginia — é que em nossa luta contra os poderosos do comércio de bebidas alcoólicas em Raymond, luta que nem começou direito ainda, precisaremos do *Diário de Notícias* para a defesa do lado cristão. É conhecido que todos os outros jornais apoiam os bares. Enquanto eles existirem, a tarefa de resgatar almas que estão morrendo no Retângulo está sendo desempenhada em condição de incrível desvantagem. O que poderia fazer o sr. Gray com suas reuniões evangelísticas, se metade de seus convertidos é formada por gente que bebe muito e sofre a tentação diária que vem dos bares em cada esquina?

— Permitir que o *Diário* fechasse as portas — continuou — seria o mesmo que dar vantagem ao inimigo. Confio demais na competência do sr. Norman. Ainda não conheço suas ideias, mas tenho a mesma confiança que ele tem quanto ao sucesso de um jornal publicado numa escala suficientemente larga. Não acredito que a inteligência dos cristãos no jornalismo seja inferior à inteligência dos não cristãos, mesmo quando se trata de fazer o jornal financeiramente viável. É por essa razão que decidi aplicar o dinheiro que é de

Deus, não meu, nesse poderoso veículo e fazer o que Jesus faria. Se conseguirmos manter o jornal por um ano, estarei disposta a usar essa quantia. Não me agradeçam. Não considerem minha ação uma coisa maravilhosa. O que tenho feito com o dinheiro de Deus durante todos esses anos, a não ser gratificar meus próprios desejos pessoais cheios de egoísmo? O que posso fazer com o restante dele, a não ser compensar o que já roubei de Deus? É assim que penso neste momento. Acredito que Jesus faria o mesmo.

Por todo o salão social se podia sentir a presença divina, que não era vista mas percebida com clareza. Ninguém disse nada por um momento. O sr. Maxwell ali de pé, para onde as pessoas levantaram o olhar de encontro ao dele, sentiu uma estranha volta ao primeiro século da igreja, quando os discípulos tinham tudo em comum, fluindo entre eles um espírito de comunhão como aquele que a Primeira Igreja de Raymond nunca havia experimentado. Em que nível os membros da sua igreja conheciam essa comunhão em assuntos do dia a dia, antes que esse pequeno grupo de pessoas começasse a agir conforme criam que Jesus também agiria?

Foi com algum constrangimento que ele pensou sobre os cristãos da atualidade. O mesmo pensamento estava na mente de todos os outros. Estivera ali enquanto Virginia falava e durante o silêncio que veio em seguida. Se fosse definido por qualquer um dos presentes, é provável que ficasse assim: "Se no decurso do tempo de minha obediência à promessa que fiz eu sofrer perdas ou tiver problemas no mundo, poderei depender do apoio prático e da comunhão de qualquer outro cristão neste recinto que também tenha assumido o compromisso de fazer todas as coisas de acordo com "o que faria Jesus?".

A inconfundível presença do poder do Espírito enfatizava tudo isso. Tinha o efeito que um milagre físico deve ter tido sobre os primeiros discípulos, dando-lhes tanta confiança no Senhor, que foram capazes de enfrentar perdas e o martírio com coragem e até alegria.

Desta vez, antes de saírem, foram ouvidas várias outras confidências como a de Edward Norman. Alguns jovens contaram como haviam perdido o emprego por causa da obediência à promessa. Alexander Powers falou brevemente, informando que as autoridades tinham prometido tomar rápidas providências baseadas nas provas por ele apresentadas. Ele havia voltado ao velho emprego no telégrafo. Sua esposa e filha nunca mais haviam aparecido em público depois de seu pedido de demissão. Ninguém mais que ele conhecia o amargor da falta de compreensão que a família revelava diante de seus motivos mais nobres. Muitos dos discípulos presentes na reunião tinham problemas semelhantes entre si, mas eram coisas que não podiam ser comentadas naquele recinto.

Henry Maxwell conhecia seu rebanho e tinha quase certeza de que a obediência ao compromisso havia gerado no meio das famílias divisões, inimizades e ódio. Na verdade, os inimigos de uma pessoa são os de sua própria casa, quando a regra de Jesus é obedecida por alguns e desobedecida por outros. Jesus é o grande divisor na vida. Ou andamos ao lado dele ou vamos para o lado oposto.

Capítulo 14

Naquela reunião, mais que qualquer outro sentimento, o que prevaleceu foi a comunhão mútua. Maxwell observava aquilo, ansioso pelo ápice, que ele sabia ainda não fora alcançado. Quando fosse, aonde isso os levaria? Ele não sabia, mas não estava preocupado. E ficava cada vez mais maravilhado ao ver as consequências advindas da promessa que cada um fizera. Eram efeitos que já se faziam sentir em toda a cidade. Quem poderia prever o nível dessa influência ao fim de um ano inteiro?

Uma demonstração dessa comunhão pôde ser vista no apoio que Edward Norman recebeu em relação ao jornal. Quando a reunião se encerrou, muitas pessoas foram até ele. Seu pedido de ajuda feito aos discípulos cristãos de Raymond tinha sido perfeitamente compreendido, como se podia ver na reação daquele pequeno grupo. O valor que um jornal como o *Diário* tinha para os lares e o incentivo que ele representava para a cidadania, principalmente num momento crítico para a cidade, não podia ser medido. Agora restava saber o que poderia ser feito, uma vez que o jornal havia recebido uma contribuição tão generosa. Mas também era verdade, e Norman insistiu nisso, que o dinheiro, por si, não poderia transformar o jornal numa potência. A publicação precisava receber o apoio e o carinho dos cristãos de Raymond, para que pudesse ser considerada uma das grandes forças da cidade.

A semana que viria depois dessa reunião no domingo seria de muita agitação na cidade. Era a semana das eleições.

O diretor Marsh, fiel a sua promessa, tomou a sua cruz e a carregou com toda hombridade, mas não sem sofrimento e até lágrimas, pois uma de suas mais profundas convicções havia sido abalada, e ele se afastou do mundo acadêmico, onde estivera durante tantos anos, com sofrimento e angústia que lhe custaram mais do que qualquer outra coisa que já tivesse feito como seguidor de Jesus Cristo. Acompanhavam-no alguns poucos professores da faculdade que também haviam assumido o compromisso na Primeira Igreja. A experiência e o sofrimento deles eram os mesmos que os de Marsh, pois o isolamento deles em relação a todos os deveres da cidadania não tinha sido diferente.

O mesmo se aplicava a Henry Maxwell, que mergulhara de cabeça no horror da luta contra o álcool e seus aliados, temendo a cada dia um novo contato com ele. Ele nunca havia carregado uma cruz como essa; e cambaleava debaixo dela. Nos breves intervalos quando voltava do trabalho e buscava o silêncio do seu gabinete para descansar, o suor brotava-lhe da testa, fazendo com que sentisse o terror de alguém que marcha na direção de horrores desconhecidos e nunca vistos. Tempos depois, refletindo sobre tudo isso, ele ficou admirado com o que tinha vivido. Maxwell não era covarde, mas sentia o pavor que qualquer homem como ele sente quando repentinamente se vê diante de um dever que inclui fazer algumas coisas tão estranhas, que os próprios detalhes ligados a elas denunciam sua ignorância e o enchem da vergonha da humilhação.

O sábado, dia das eleições, havia chegado, e a agitação atingia seu ponto mais alto. Houve uma tentativa para fechar todos os bares. Mas o êxito tinha sido apenas parcial. Durante todo aquele dia correu muita bebida. O Retângulo estava fervendo, agitado, praguejava e colocava à vista seu pior lado para toda a cidade ver. Gray continuava com suas reuniões na tenda durante a semana, e os resultados estavam sendo melhores do que ele se atreveria a esperar. O sábado chegou, e parecia-lhe ter sido atingido um momento crítico em seu trabalho. O Espírito Santo e Satanás pareciam estar dando início a um conflito de grandes proporções em torno da bebida. Quanto mais interesse as reuniões despertavam, mais o lado de fora se mostrava vil e feroz. Os que viviam da venda de bebida não mais escondiam seus sentimentos. Faziam francas ameaças de violência.

Numa noite da semana, Gray e o pequeno grupo dos que o ajudavam foram atingidos por vários objetos jogados contra eles ao saírem da tenda tarde da noite. A polícia enviou um destacamento especial. Virginia e Rachel estavam sempre sob a proteção de Rollin ou do dr. West. Mas a força da música de Rachel não havia diminuído. Ao contrário, parecia que a cada noite a música aumentava a intensidade e a realidade da presença do Espírito.

A princípio, Gray ficou em dúvida sobre fazer a reunião aquela noite. Mas ele tinha uma regra de conduta simples e sempre se orientava por ela. O Espírito parecia orientá-lo a continuar fazendo as reuniões, e assim foi também na noite de sábado.

A agitação geral na cidade atingiu seu clímax quando as pesquisas foram encerradas às seis da tarde. Nunca a disputa havia sido tão acirrada em Raymond. A questão da permissão ou proibição da venda de bebidas nunca tinha tido muito peso em tais situações. Nunca esses elementos haviam sido colocados um contra o outro na cidade. Era fato inédito que o diretor da Faculdade Lincoln, o pastor da Primeira Igreja, o deão da catedral e os profissionais que viviam em belas casas na avenida participassem pessoalmente da disputa, representando com sua presença e exemplo a consciência cristã da cidade. Os políticos estavam visivelmente perplexos. Mas a perplexidade não os impedia de agir. A disputa foi endurecendo hora após hora, e quando o relógio marcou seis da tarde, ninguém podia ter certeza do resultado. Todos concordavam que nunca houvera uma eleição assim em Raymond, e ambos os lados aguardavam com grande interesse o anúncio do resultado.

Já passava das dez da noite quando a reunião na tenda terminou. Havia sido uma reunião estranha, mas, sob alguns aspectos, notável. Maxwell estivera presente a pedido de Gray. Estava exausto pelo dia de trabalho, mas o pedido do evangelista fora feito de um jeito que o deixou sem condições de dizer não. O diretor Marsh também estava lá. Era a primeira vez que ele ia ao Retângulo, e sua curiosidade havia aumentado pelo que vira da influência do evangelista na pior zona da cidade. O dr. West e Rollin tinham vindo com Rachel e Virginia; Loreen, que ainda estava abrigada na casa de Virginia, ficou ao lado do órgão, sóbria, lúcida e com uma humildade e temor de si mesma, que a fizeram permanecer ao lado dela como um cachorro fiel.

Durante todo o culto, ela ficou sentada com a cabeça baixa, chorando uma parte do tempo e aos prantos quando Rachel cantou "Eu era uma ovelha perdida". Estava agarrada à única esperança que havia encontrado e ouvindo as orações, o apelo e a confissão que a retratavam, mas agora como parte de uma nova criação, com medo de não ter o direito de desfrutar da plenitude de tudo isso.

A tenda estava abarrotada de gente. À semelhança das outras vezes, havia barulho do lado de fora. Ele havia aumentado à medida que a noite caía, e Gray achou melhor não prolongar o culto.

De vez em quando se ouvia a multidão gritar ao anúncio dos primeiros resultados da eleição. O Retângulo inteiro estava nas ruas, e as pensões, locais de jogatina e cortiços estavam praticamente vazios.

Apesar de todas essas coisas que desviavam a atenção, a música de Rachel manteve a multidão dentro da tenda. Aconteceu mais de uma dezena de conversões. No final, o povo estava impaciente, e Gray encerrou o culto, permanecendo um pouco mais com os novos convertidos. Rachel, Virginia, Loreen, Rollin e o médico, o diretor Marsh e Maxwell saíram juntos em direção ao ponto onde esperariam o transporte para voltar para casa. Ao saírem da tenda, perceberam logo que o Retângulo estava à beira de um tumulto causado pela embriaguez e, ao forçarem passagem no meio da turba que se encontrava nas ruas estreitas, foram percebendo que eles mesmos eram objetos de muita atenção.

— Ali está ele! O sujeito de chapéu! É ele o líder! — gritou alguém com voz rouca.

O diretor Marsh, com sua aparência firme e imponente, destacava-se no meio do pequeno grupo.

— Como foram as eleições? Ainda é cedo para sabermos o resultado, não é? — perguntou ele em voz alta. E um homem respondeu:

— Dizem que o segundo e o terceiro distritos foram quase unânimes em favor da proibição da venda. Se for verdade, o pessoal que vive disso deve ter perdido as eleições.

— Graças a Deus! Espero que seja verdade! — exclamou Maxwell. — Marsh, estamos em perigo neste lugar. Está percebendo a nossa situação? Precisamos levar as moças para um lugar seguro.

— É verdade — disse Marsh com toda seriedade. Naquela hora uma chuva de pedras e outros objetos caiu sobre eles. A rua estreita e a calçada na frente deles estavam congestionadas com os piores elementos do Retângulo.

— A coisa é séria — disse Maxwell. Junto com Marsh, Rollin e o dr. West, ele começou a avançar por um espaço estreito. Virginia, Rachel e Loreen vinham atrás, protegidas pelos homens que agora viam que elas estavam em perigo. O Retângulo estava entregue à embriaguez e à fúria. Marsh e Maxwell eram vistos como os líderes da disputa eleitoral que poderia privá-lo dos bares tão apreciados.

— Fora os aristocratas! — gritou alguém com voz estridente, mais parecida com voz de mulher. Na sequência, uma chuva de lama e pedras os atingiu. Rachel lembrou-se depois que Rollin havia pulado na sua frente e recebido na cabeça e peito várias pedradas que provavelmente a teriam atingido, se ele não lhe tivesse servido de escudo.

Então, antes que os policiais chegassem, Loreen, olhando para cima e gritando, arremessou-se contra Virginia e a empurrou para o lado. Foi tudo tão rápido, que ninguém conseguiu ver o rosto daquele que, do alto de uma janela do bar de onde Loreen havia saído uma semana antes, atirou uma garrafa pesada que acertou a cabeça da moça, que caiu ao chão. Virginia virou-se e de imediato ajoelhou-se ao lado dela. Nessa hora os policiais haviam acabado de chegar junto ao pequeno grupo.

O diretor Marsh levantou o braço e gritou para a multidão em fúria:

— Parem! Vocês mataram a moça! — suas palavras acalmaram um pouco a multidão.

— Isso é verdade? — perguntou Maxwell, enquanto o dr. West se ajoelhava do outro lado de Loreen, segurando-a.

— Ela está morrendo! — disse o dr. West rapidamente.

Loreen abriu os olhos e sorriu para Virginia, que limpou o sangue do seu rosto, curvou-se e beijou-a. Loreen sorriu outra vez, e no instante seguinte sua alma estava no paraíso.

Era apenas mais uma mulher entre as milhares que já haviam morrido por causa das consequências do álcool. Multidões, afastai-vos, homens e mulheres dessa rua nojenta. Passe o cadáver dela pelo vosso meio e diante dos vossos olhos estupefatos! Ela era uma de vossas filhas, e o Retângulo imprimiu sobre ela o sinal da besta. Agradecei ao que morreu pelos pecadores, pois agora brilha a outra imagem de um novo espírito, bem além de seu corpo pálido. Afastai--vos, multidões! Dai-lhe espaço! Que ela passe em reverência, seguida e cercada pelos cristãos que choram perplexos. Vós a matastes, bêbados assassinos! Até quando, até quando, nação cristã! Quem matou esta mulher? Parai. Silêncio! Quem era ela? Loreen, filha das ruas. Pobre, bêbada e vil pecadora. Oh, Senhor Deus, até quando, até quando? Sim. Os bares a mataram! Ou melhor, foram os cristãos deste país, que autorizam a venda de bebidas. Só o dia do juízo final dirá quem foi o assassino de Loreen.

Capítulo 15

Quem me segue não andará em trevas.

O corpo de Loreen foi velado na mansão da família Page. Era uma manhã de domingo, e a brisa do início da primavera exalava sobre a cidade o perfume das primeiras flores, que podia ser sentido perto do caixão, entrando através de uma das janelas da sala principal. Os sinos da igreja tocavam, e as pessoas que transitavam pela avenida, a caminho do culto, ficavam curiosas e olhavam para a mansão ao passar por ela. E comentavam sobre os últimos acontecimentos que se precipitaram de forma tão surpreendente e entraram para a história da cidade.

Na Primeira Igreja, Henry Maxwell trazia no rosto as marcas do incidente pelo qual passara. Diante de um enorme grupo de pessoas, falou com uma emoção e um poder que vinham naturalmente das profundas experiências do dia anterior, tanto que os ouvintes sentiram por ele o antigo orgulho por sua retórica emocionante. Mas esse sentimento agora era diferente. No apelo emocionado daquela manhã havia um tom de tristeza, reprovação e condenação que fez muitos ouvintes se encolherem com autoacusação ou com raiva interior.

É que Raymond iniciara o domingo sabendo que os moradores da cidade haviam optado por manter o livre comércio de bebidas alcoólicas. O boato ouvido no Retângulo, que dizia que o segundo e o terceiro distritos haviam optado pela proibição da venda, não se confirmou. É fato que a vitória fora obtida por uma minúscula diferença de votos. Mas se tivesse sido esmagadora, as consequências seriam as mesmas. Raymond havia escolhido manter o livre comércio de bebidas alcoólicas durante mais um ano. Os cristãos da cidade achavam-se condenados pelo resultado. Mais de uma centena de cristãos professos havia deixado de votar, e um número maior ainda tinha votado em favor da liberação. Se todos os membros de igreja em Raymond tivessem votado contra os bares, eles teriam sido condenados à ilegalidade, em vez de serem coroados reis do município. É isso que há anos acontecia em Raymond. Os bares reinavam absolutos. Ninguém negava o fato. O que faria Jesus?

E aquela mulher, que havia sido brutalmente abatida pela mão da própria pessoa que ajudara a arruinar sua vida neste mundo? Por acaso a sequência lógica do pernicioso sistema que liberava a venda de bebidas não faria com que, no dia seguinte e por mais um ano, se abrissem as portas do próprio local que a recebera tantas vezes e colaborara para sua degradação, o mesmo local de onde fora atirada a garrafa que lhe acertou a cabeça? E tudo estaria dentro da lei que os cristãos de Raymond tinham ajudado a manter com o voto. O que impediria que a vida de mais uma centena de Loreens fosse arruinada, antes que o ano chegasse ao seu fim sangrento?

Foram essas as palavras que, com uma voz trêmula e marcada pela angústia, Henry Maxwell extravasou diante do povo de sua igreja naquela manhã de domingo. Enquanto ele falava, homens e mulheres choravam. O diretor Marsh estava ali sentado, mas já não se podia ver sua figura imponente, firme, vistosa e autoconfiante; com a cabeça baixa sobre o peito, as lágrimas corriam-lhe pelas faces, sem se importar com o fato de que nunca havia exteriorizado alguma emoção num culto público.

Edward Norman, sentado ali perto, mantinha a cabeça erguida, mas seus lábios tremiam de emoção, enquanto ele apoiava a mão no encosto do banco da frente com um sentimento que agravava seu conhecimento da verdade, conforme havia falado Maxwell. Naquela semana, ninguém mais que Norman havia se esforçado para influenciar a opinião pública. O pensamento de que a consciência cristã havia sido despertada tarde demais ou de forma muito tímida aumentava o peso da culpa no coração daquele editor. E se há muito mais tempo ele tivesse começado a agir conforme Jesus agiria? Quem saberia dizer o que já teria sido alcançado àquela altura?

E lá na galeria onde ficava o conjunto coral, Rachel Winslow, com a cabeça curvada, olhando para o gradil de carvalho lá embaixo, deu vazão a um sentimento que ela ainda não havia permitido dominá-la, mas que a fazia sentir-se tão incapaz, que, quando Maxwell terminou e ela tentou cantar o solo de encerramento após a oração, sua voz falhou, e pela primeira vez na vida foi obrigada a sentar-se, aos prantos, impossibilitada de continuar.

Por toda a igreja, junto com o silêncio que se seguiu a essa cena, ouviam-se pessoas chorando e soluçando. Quando havia a Primeira Igreja se submetido a um batismo de lágrimas como esse? O que havia acontecido com sua ordem de culto rotineira, perfeita e convencional, isenta de toda emoção comum e impassível diante de qualquer empolgação insensata? Nos últimos dias, as mais profundas convicções das pessoas haviam sido abaladas. Por viverem tanto tempo com sentimentos superficiais, quase se esqueceram das águas da vida mais profundas. Agora que haviam saído da superficialidade, as pessoas tinham certeza do que significava ser discípulo.

Naquela manhã, Maxwell não pediu que novos voluntários se unissem ao grupo dos que já haviam se comprometido a fazer o que Jesus faria. Quando, porém, toda a congregação havia finalmente saído e ele seguiu para o salão social, não foi necessário mais que uma rápida olhada para que notasse que o grupo havia crescido muito. A reunião foi marcada por afeto e pela presença do Espírito; todos haviam resolvido com muita firmeza que iriam dar início a uma guerra contra o poder da bebida em Raymond, a fim de acabar para sempre com seu reinado.

Desde o primeiro domingo, quando os voluntários se comprometeram a fazer o que Jesus faria, as reuniões haviam sido marcadas por impulsos e impressões distintas. Naquela manhã, toda a energia dos presentes parecia estar dirigida a esse grande propósito. Foi uma reunião cheia de orações de contrição, de confissão e de intenso anseio por uma cidade melhor e renovada. E o clamor por livramento contra a bebida e contra sua terrível maldição predominou durante todo o tempo em que estiveram reunidos.

Se a Primeira Igreja fora profundamente sacudida pelos eventos da semana, o Retângulo também se sentia inexplicavelmente tocado a sua maneira. Em si, a morte de Loreen não era um fato tão importante. Mas sua amizade recente com pessoas de fora do Retângulo a havia colocado numa posição de destaque, cercando sua morte de uma importância mais do que normal. Todos no Retângulo sabiam que o corpo de Loreen estava sendo velado na mansão da família Page. Relatos exagerados sobre o luxo do caixão já haviam fornecido combustível para fofocas.

O Retângulo estava num clima de curiosidade extrema acerca dos detalhes do velório e do funeral. Seria uma cerimônia aberta ao público? O que a srta. Page pretendia fazer? Nem com todo esse distanciamento pessoal os moradores do Retângulo já se haviam associado com a aristocracia da cidade. Quase não havia oportunidades para que isso acontecesse. Gray e a esposa eram abordados por pessoas que queriam saber o que os amigos e conhecidos de Loreen iriam fazer para prestar-lhe suas últimas homenagens. Ela conhecia muita gente, e muitos dos recém-convertidos estavam entre seus amigos.

E foi na tarde de segunda-feira que, na tenda, realizou-se o culto fúnebre de Loreen diante de um público enorme que lotou o lugar. Gray havia ido à casa de Virginia e, depois de falar com ela e com Maxwell, fez os preparativos para a cerimônia.

— Nunca gostei de cerimônias fúnebres muito grandiosas — disse Gray, cuja simplicidade de caráter era um de seus pontos fortes —, mas as pobres criaturas que conheciam Loreen pediram com tanta sinceridade, que não me é possível negar-lhes a oportunidade de prestar a ela essa singela homenagem. Qual sua opinião, sr. Maxwell? Farei o que o senhor disser. Sei que o que for decidido pelo senhor e pela srta. Page será o melhor.

— Penso o mesmo que o senhor — respondeu Maxwell. — Em muitas ocasiões tenho me oposto ao que algumas vezes parece se transformar em exibição. Mas a situação agora é outra. O povo do Retângulo não viria até aqui para participar do culto. Acho que o mais justo é permitir que participem da cerimônia na tenda. Que acha, srta. Virginia?

— Sim! Pobre alma! Ela deu a vida por mim, e só depois é que fiquei sabendo disso. É claro que não iremos fazer do culto uma ocasião para exibição. Vamos fazer a vontade dos amigos dela. Não vejo nenhum mal nisso.

Então tudo foi preparado, ainda que com alguma dificuldade, para que o culto fúnebre se realizasse na tenda. Virginia com seu tio e Rollin, acompanhada por Maxwell, Rachel e Marsh, além do quarteto da Primeira Igreja, dirigiram-se à tenda e testemunharam uma das coisas insólitas da vida.

Naquela tarde, estava de passagem por Raymond o correspondente de um jornal. Dirigia-se a um congresso de jornalismo numa cidade vizinha, mas ficou sabendo do culto na tenda e foi até lá. A descrição que ele fez de tudo o que viu foi tão viva, que conquistou a atenção de muitos leitores no dia seguinte. Um trecho de seu texto pertence a esta parte da história de Raymond:

"Na tarde de hoje foi realizado um culto fúnebre incomum e muito peculiar na tenda de um evangelista, o rev. John Gray, num bairro muito pobre conhecido como Retângulo. O motivo foi o assassinato de uma moça durante um motim na noite do último sábado, dia de eleição. Aparentemente, ela havia se convertido durante as reuniões do evangelista e foi morta ao voltar de uma dessas reuniões junto com outros convertidos e com alguns amigos. A moça era uma bêbada que vivia pelas ruas. Mesmo assim, o culto na tenda foi muito impressionante e assemelhou-se a qualquer evento realizado numa igreja de cidade grande pela morte de algum cidadão extremamente distinto.

"Em primeiro lugar, um conjunto coral bem-ensaiado cantou um hino de grande beleza. Na condição de alguém que não mora na cidade, chocou-me ouvir ali vozes que estamos acostumados a encontrar somente em igrejas grandes ou em salas de concerto. Mas o que mais impressionou na parte musical foi um solo feito por uma moça de grande beleza conhecida como srta. Winslow, que, se bem me lembro, é a jovem cantora que havia sido convidada por Crandall, gerente da Ópera Nacional, mas que, por alguma razão, recusara o convite que a levaria para o mundo artístico.

"Ela demonstrava uma aptidão maravilhosa para a música, e todos já estavam chorando desde as primeiras palavras de seu solo. É claro que um efeito desses é comum em cultos fúnebres, mas a voz da moça era incomparável. Sei que a srta. Winslow canta na Primeira Igreja de Raymond e provavelmente poderia ganhar o que quisesse como cantora profissional. Quase com certeza logo ouviremos falar dela. Uma voz assim lhe abriria as portas em qualquer lugar que fosse.

"Não só a parte musical foi singular. O evangelista, homem de feição muito simples, de estilo modesto, falou algumas palavras e foi seguido por um homem de aparência fina, o rev. Henry Maxwell, pastor da Primeira Igreja de Raymond. O sr. Maxwell mencionou o fato de que a jovem que morrera estava plenamente preparada para partir, mas referiu-se com grande consciência aos efeitos que o comércio de bebidas exerce sobre a vida de homens e mulheres como a jovem que estava sendo velada. Na condição de cidade ferroviária e como centro comercial e de distribuição para a região, o lugar está cheio de bares. Percebi nas palavras do pastor que fazia pouco tempo que ele havia mudado de opinião sobre o livre comércio de bebidas alcoólicas. Suas palavras foram de enorme impacto, mas não deixaram de ser adequadas para um funeral.

"Em seguida, aconteceu o que talvez tenha sido a parte mais curiosa daquele culto tão diferente. As mulheres presentes na tenda, pelo menos uma grande parte delas junto ao caixão, começaram a cantar baixinho e em meio às lágrimas: 'Eu era uma ovelha perdida'. Enquanto cantavam, outro grupo de mulheres levantou-se e, em fila, começou a passar junto ao caixão, cada uma colocando uma flor sobre ele, à medida que passavam. Quando voltaram aos bancos, outro grupo de mulheres se levantou e fez o mesmo, também deixando flores sobre o caixão. Durante todo o tempo a música era ouvida com a suavidade de uma chuva que cai em dia de pouco vento. Foi uma das coisas mais singelas e, ao mesmo tempo, mais impressionantes que eu já havia presenciado.

"As laterais da tenda estavam levantadas. Centenas de pessoas não conseguiram entrar, mas ficaram de pé do lado de fora, silenciosas como a própria morte. Eram pessoas de aparência rude, mas carregavam uma tristeza solenemente maravilhosa. Deviam estar presentes cerca de cem daquelas mulheres, e fui informado de que muitas se converteram em reuniões recentes. O efeito da música foi indescritível. Não se ouvia nenhuma voz de homem. Eram vozes femininas tão suaves e mesmo assim tão distintas, que o efeito foi extraordinário.

"O culto foi encerrado com outro solo da srta. Winslow, que cantou 'Noventa e nove ovelhas'. Então o evangelista pediu a todos que curvassem a cabeça em oração. Para não perder o meu trem, fui obrigado a sair durante a oração. A última cena que vi foi de dentro do trem: uma grande multidão que saía da tenda e acompanhava o caixão, que era carregado por seis mulheres. Fazia muito tempo que eu não via um quadro desses em nossa prosaica República."

Se o funeral de Loreen impressionou tanto alguém que simplesmente estava de passagem, não é difícil imaginar os profundos sentimentos dos que estiveram ligados a ela de modo tão pessoal tanto na vida quanto na morte. Nunca o Retângulo havia sido tão profundamente tocado como naquele dia, diante do corpo de Loreen no caixão. E o Espírito Santo havia derramado poder especial sobre todo aquele ato; naquela oportunidade tocou um grande número de almas perdidas, mulheres em sua maioria, conduzindo-as ao aprisco do Bom Pastor.

Registre-se aqui que as palavras de Henry Maxwell com relação à abertura do bar de onde fora atirada a garrafa que matou Loreen confirmaram-se quase em sua totalidade. O lugar ficou fechado por ordem das autoridades na segunda e na terça-feira, enquanto se dava a prisão do proprietário acusado de homicídio. Mas nada ficou provado contra ninguém, e no sábado da mesma semana o lugar já estava funcionando como se nada tivesse acontecido. Ninguém jamais foi condenado por tribunais humanos pelo homicídio de Loreen.

Capítulo 16

Em toda a cidade, incluindo o Retângulo, ninguém sentira tanto a morte de Loreen quanto Virginia. Para ela se tratava de uma perda pessoal. A semana que Loreen passara em sua casa levara Virginia a abrir o coração para uma vida nova. Era sobre isso que ela falava com Rachel no dia seguinte ao funeral. Estavam as duas sentadas na sala principal da mansão da família Page.

— Vou fazer alguma coisa com o meu dinheiro para dar àquelas mulheres uma vida melhor — disse Virginia, enquanto olhava para o lugar da sala onde havia ficado o corpo de Loreen. — Tive uma ideia que me parece boa. Falei sobre ela com Rollin, e ele também vai empregar parte de seu dinheiro para implementá-la.

— Quanto dinheiro você tem para aplicar nisso? — perguntou Rachel. Tempos atrás, ela jamais teria feito uma pergunta tão pessoal. Mas agora tinha liberdade para falar abertamente sobre dinheiro e sobre qualquer outra coisa que pertencesse a Deus.

— Tenho a minha disposição pelo menos 450 mil dólares. Rollin tem bem mais que isso. Uma de suas grandes tristezas é que, com seu estilo de vida extravagante do passado, ele jogou fora praticamente metade do dinheiro que papai nos deixou. Nós dois queremos reparar esse erro com tudo o que estiver a nosso alcance. O que Jesus faria com esse dinheiro? Queremos responder a essa pergunta de forma honesta e sensata. Estou certa de que o dinheiro que vou investir no *Diário de Notícias* está dentro do espírito do que Jesus provavelmente faria. É preciso ter um jornal cristão em Raymond, ainda mais agora que temos de combater a influência do álcool. Isso é tão necessário quanto ter uma igreja ou uma faculdade. Por isso, estou contente em saber que os quinhentos mil dólares que o sr. Norman saberá aplicar com sabedoria será um elemento de grande força na tentativa de fazer o que Jesus faria aqui em Raymond.

— Sobre a minha outra ideia, Rachel, gostaria de tê-la trabalhando comigo. Rollin e eu vamos comprar uma grande área de terreno no Retângulo. O local onde hoje se encontra a tenda está sob litígio na justiça já faz anos. Queremos assegurar a posse de toda a área tão logo os tribunais deem a sentença final. Já faz algum tempo que venho estudando a questão da abertura de escolas e instituições que possam ser usadas pela obra cristã no coração dos bairros pobres das grandes cidades. Ainda não tenho certeza sobre qual tipo de trabalho seria mais adequado e sensato para Raymond. Isso é o que sei por enquanto. Meu dinheiro, quero dizer, o dinheiro de Deus que ele quer que eu aplique, pode construir abrigos, albergues para mulheres pobres ou prostitutas, oferecendo segurança a muitas moças perdidas como Loreen. E não quero ser apenas administradora desse dinheiro. Deus me livre disso! Quero me envolver na solução do problema.

— Mas você sabe, Rachel, que acho que dinheiro e sacrifício pessoal ilimitado não melhorarão muito as terríveis condições do Retângulo enquanto os bares estiverem legalmente estabelecidos ali. E acho que isso se aplica a toda obra cristã hoje realizada em qualquer cidade grande. O número de pessoas que precisam ser salvas por causa da influência do álcool cresce mais rapidamente que a capacidade que temos de salvá-las por meio de abrigos, albergues ou missões.

De repente, Virginia levantou e começou a andar pela sala. Rachel respondeu com um ar de tristeza acompanhado de esperança:

— É verdade. Mas, Virginia, quanta coisa maravilhosa pode ser feita com esse dinheiro! E os bares não poderão permanecer aqui para sempre. Chegará a hora em que as forças cristãs da cidade haverão de triunfar.

Virginia parou perto de Rachel, e seu rosto branco e sério iluminou-se.

— Eu também penso assim. O número de pessoas que assumiram o compromisso de fazer o que Jesus faria está crescendo. Se tivéssemos, digamos, quinhentas pessoas assim em Raymond, o álcool seria vencido. Mas agora, minha amiga, quero que você veja como poderá participar desse plano para resgatar e salvar o Retângulo. Sua voz é poderosa. Nos últimos dias tive muitas ideias. Uma delas é que você poderia organizar entre as moças um instituto musical; ofereça-lhes o benefício do seu conhecimento. Há vozes maravilhosas que podem ser lapidadas. Onde já se ouviu uma música sequer parecida com a que elas cantaram ontem? Rachel, que bela oportunidade! Você terá os melhores instrumentos musicais e todo apoio que o dinheiro puder lhe dar. O que não pode ser feito com a música para conquistar as almas, dando-lhes uma vida melhor, mais elevada e mais pura?

Antes mesmo que Virginia terminasse de falar, o rosto de Rachel estava totalmente transformado pelo pensamento de realizar a obra de sua vida. Esse pensamento fluiu por sua mente e coração como se fosse uma enxurrada, transbordando em lágrimas que não puderam ser evitadas. Aquela ideia era a mesma que ela também tinha tido e pensava em executar. Era algo que ela sentia estar em harmonia com o uso correto de seu dom.

— Sim — disse ela, levantando-se para dar um abraço em Virginia. De tão empolgadas, as duas saíram andando pela sala.

— Sim, terei muita alegria em dedicar minha vida a essa obra. Creio que Jesus iria querer que eu usasse minha vida dessa maneira. Virginia, quantos milagres poderemos trazer à realidade se tivermos uma alavanca tão importante quanto o dinheiro consagrado!

— Acrescente a isso um entusiasmo como o seu, e com certeza grandes coisas serão realizadas — completou Virginia com um sorriso. Antes que Rachel dissesse alguma outra coisa, Rollin entrou e, meio em dúvida, estava se dirigindo da sala para a biblioteca. Virginia chamou-o de volta e fez algumas perguntas sobre seu trabalho.

Rollin voltou e sentou-se; então, juntos, os três falaram sobre seus planos para o futuro. Ele parecia não ter ficado sem graça com a presença de Rachel enquanto Virginia estava junto. Mas o tratamento que dirigia a Rachel era mais formal, para não dizer frio. O passado parecia ter sido todo superado por sua conversão maravilhosa. Ele não o havia esquecido, mas parecia estar totalmente envolvido pelos pensamentos sobre o propósito de sua nova vida. Depois de algum tempo, Rollin teve de sair, e as duas ficaram conversando sobre outras coisas.

— A propósito, o que houve com Jasper Chase? — perguntou Virginia com toda inocência. Rachel ficou vermelha, e Virginia acrescentou com um sorriso:

— Suponho que esteja escrevendo outro livro. Será que você vai estar nesse também, Rachel? Você sabe que eu sempre desconfiei de que ele a incluiu na história do primeiro livro.

— Virginia — falou Rachel com a franqueza que sempre existira entre as duas amigas — Jasper Chase me disse outra noite que... na verdade, ele me pediu em... ou iria, se...

Rachel parou e sentou-se com as mãos sobre o colo. Havia lágrimas em seus olhos.

— Virginia, um tempo atrás eu achava que o amava como ele a mim. Mas quando ele se declarou, meu coração o rejeitou, e eu disse o que tinha para dizer. Disse-lhe "não". Depois disso, não o encontrei mais. Isso aconteceu na noite das primeiras conversões no Retângulo.

— Fico feliz por você — disse Virginia com calma.

— Por quê? — perguntou Rachel um pouco surpresa.

— Porque nunca gostei muito de Jasper Chase. Ele é uma pessoa muito fria; não gosto de julgá-lo, mas sempre desconfiei de que ele não foi sincero ao assumir o compromisso na igreja com os demais.

Compenetrada, Rachel olhou para Virginia.

— Tenho certeza de que nunca lhe entreguei meu coração. Ele mexia com minhas emoções, e eu o admirava como escritor. Algumas vezes achei que eu pensava muito nele. Acho que se ele tivesse falado comigo em outra hora, eu teria me convencido facilmente de que o amava. Mas agora, não.

Então, de repente, parou de falar e, ao olhar de novo para Virginia, havia lágrimas em seu rosto. Virginia aproximou-se e a abraçou com afeto.

Depois que Rachel havia ido embora, Virginia sentou-se na sala e ficou pensando na confiança que a amiga lhe demonstrara. Ela sabia que havia mais para ser dito, pôde ver isso no jeito de Rachel, mas não ficou chateada por ter ela omitido alguma coisa. Virginia apenas enxergara em Rachel mais do que ela lhe havia mostrado.

Rollin logo entrou de volta e, de braços dados, os dois começaram a caminhar pela sala, como andavam fazendo ultimamente. A conversa dos irmãos logo voltaria a se concentrar em Rachel, em virtude do papel que ela ocupava nos planos que estavam sendo feitos para a compra da área no Retângulo.

— Você já ouviu falar de uma moça de enorme talento para a música, que tenha desejado dedicar a vida para o povo do jeito que Rachel está querendo fazer? Ela vai dar aulas de música na cidade e terá alunos particulares para seu sustento pessoal. Assim poderá doar ao povo do Retângulo o benefício de sua cultura e de sua voz.

— É mesmo um bom exemplo de sacrifício pessoal — respondeu Rollin com alguma rigidez.

Virginia olhou para ele de um modo meio inquiridor. — Mas você não acha que é um exemplo bem raro? Dá para imaginar — e citou o nome de meia dúzia de cantores líricos famosos — fazendo algo sequer parecido?

— Não, de fato não dá — respondeu Rollin com rapidez. — Também não consigo imaginar a srta. — e citou o nome da moça da sombrinha vermelha que tinha pedido a Virginia que a levasse com as amigas ao Retângulo — fazendo o que você está fazendo, Virginia.

— Da mesma forma, também não consigo imaginar o sr. — Virginia mencionou o nome de um jovem líder da sociedade — indo aos clubes e fazendo o trabalho que você está fazendo, Rollin.

Os dois caminharam pela sala em silêncio.

— Voltando a falar de Rachel — retomou Virginia — por que você a trata com tanta formalidade? Eu acho, Rollin, e perdoe-me se o ofendo falando isso, que ela fica incomodada com esse seu jeito. Você precisa ser mais informal. Não acho que Rachel aprecie essa mudança em você.

Rollin parou de repente. Parecia estar muito agitado. Retirou seu braço do braço da irmã e caminhou sozinho até o outro lado da sala. Depois voltou, com as mãos atrás de si, parou perto de Virginia e perguntou-lhe:

— Virginia, você está sabendo do meu segredo?

Virginia o olhou confusa, e seu rosto começou a mudar de cor, indicando que ela havia entendido o que ele queria dizer.

— Nunca amei outra pessoa que não fosse Rachel Winslow. — Rollin falava agora com bastante calma. — Naquele dia em que ela esteve aqui e vocês conversaram sobre o convite que ela recusara para acompanhar a companhia de concertos, eu a pedi em casamento, lá fora na avenida. E ela me rejeitou, do jeito que eu achava que iria. E apresentou como desculpa o fato de eu não ter propósito na vida, o que era verdade. Agora que tenho um propósito, agora que sou um novo homem, você percebe, Virginia, como fica praticamente impossível para mim ao menos dizer alguma coisa? Devo minha conversão à música de Rachel.

— Naquela noite, enquanto ela cantava, digo com toda honestidade, eu pensava em sua voz apenas como veículo da mensagem de Deus. Creio que todo meu amor por ela até aquele dia incorporou-se ao meu amor por Deus e pelo meu Salvador — Rollin ficou em silêncio e então prosseguiu. — Eu ainda a amo, mas não acho que ela possa me amar algum dia.

Então parou e olhou para a irmã com um sorriso triste.

— Eu não saberia o que dizer — disse Virginia consigo mesma. Ela olhava para o belo rosto de Rollin, as marcas da vida devassa haviam praticamente desaparecido, sua boca firme mostrava sua masculinidade e sua coragem, os olhos a fitavam com franqueza, e suas formas revelavam força e beleza. Rollin havia se tornado um homem. Por que Rachel não haveria de se apaixonar por ele com o tempo? Era óbvio que os dois haviam sido feitos um para o outro, principalmente agora que o propósito da vida de cada um era movido pela mesma força cristã.

Ela mencionou algumas dessas coisas a Rollin, mas ele não pareceu se convencer. No fim da conversa, Virginia ficou com a impressão de que Rollin queria continuar com o trabalho que havia escolhido, ou seja, alcançar os homens da alta sociedade que frequentavam os clubes. Apesar de não evitar Rachel, ele não procurava formas de encontrá-la, pois não confiava em sua capacidade para controlar seus sentimentos. E Virginia pôde perceber que ele temia até mesmo o pensamento de uma segunda rejeição se dissesse a Rachel que seu amor por ela ainda era o mesmo.

Capítulo 17

No dia seguinte, Virginia foi à redação do *Diário de Notícias* reunir-se com Edward Norman para tomar as providências na parte que lhe cabia dentro da nova configuração do jornal. Henry Maxwell estava presente, e os três concordaram que Jesus, na condição de editor de um jornal, faria todas as coisas baseado nos mesmos princípios gerais que regeram sua conduta como Salvador do mundo.

— Procurei escrever aqui, de forma bem concreta, algumas coisas que aparentemente Jesus faria — disse Edward Norman. E pegou para ler um papel que estava sobre a mesa, gesto que fez Maxwell se lembrar de novo de seus esforços por escrever suas ideias sobre a mesma pergunta e também do que Milton Wright fizera em sua empresa.

— O título que dei a este documento é "O que faria Jesus, se ele fosse Edward Norman, editor de um jornal de circulação diária em Raymond?".

1. Jamais permitiria em seu jornal uma frase ou fotografia que pudesse ser classificada como moralmente condenável, grosseira ou impura.

2. Provavelmente conduziria a seção política do jornal de um ponto de vista marcado por um patriotismo suprapartidário, sempre olhando para todas as questões políticas sob a perspectiva da relação que elas guardam com o reino de Deus, defendendo ideias que se traduzam no bem-estar do povo, sempre com base em perguntas como "Isto está

correto?" e nunca "O que é melhor para este ou aquele partido?". Em outras palavras, ele trataria todas as questões políticas da mesma forma que trataria os outros assuntos, ou seja, da perspectiva da promoção do reino de Deus sobre a terra.

Edward Norman tirou os olhos do texto por um momento.

— Vocês sabem que esta é a minha opinião sobre o que Jesus provavelmente faria com as matérias políticas de um jornal. Não estou julgando outros editores que podem ter uma opinião diferente sobre as prováveis ações de Jesus. Estou apenas tentando responder de forma honesta à pergunta: "O que faria Jesus no lugar de Edward Norman?". E a resposta que encontrei foi a que acabei de ler.

3. O alvo e a finalidade de um jornal dirigido por Jesus seria fazer a vontade de Deus. Ou seja, seu principal objetivo em tocar um jornal não seria obter lucro nem prestígio político; seu alvo seria dirigir o jornal de modo que ficasse claro para todos os assinantes que ele estava tentando buscar primeiro o reino de Deus por meio daquele veículo de comunicação. Esse propósito seria tão inquestionável e distinto quanto o propósito de um pastor, de um missionário ou de qualquer mártir movido pelo altruísmo na obra cristã em qualquer lugar.

4. Os anúncios publicitários questionáveis seriam proibidos.

5. O relacionamento de Jesus com os funcionários do jornal teria um caráter de grande afeto.

— Pelo tanto que avancei — disse Norman tirando novamente os olhos do texto — sou da opinião de que Jesus empregaria alguma forma de cooperação que pudesse representar a ideia de interesses mútuos numa empresa, em que todos avançassem juntos na direção do mesmo alvo. Estou desenvolvendo um plano para que isso se torne realidade e tenho grandes esperanças de obter pleno êxito. De qualquer forma, uma vez que se introduza o elemento do amor pessoal num negócio como esse, subtraindo-se o princípio egoísta de fazer as coisas visando o lucro pessoal ou da empresa, não posso deixar de esperar outra coisa que não seja o interesse pessoal afetuoso entre editores, repórteres, impressores e todos os que contribuem para a vida do jornal. Tal interesse seria expresso não apenas em simpatia e amor pessoal, mas também na distribuição dos lucros realizados pela empresa.

6. Na qualidade de editor de um jornal nos dias de hoje, Jesus abriria muito espaço para notícias sobre a obra cristã no mundo. Dedicaria uma página aos fatos ligados aos movimentos sociais, aos problemas sociológicos, às obras sociais da igreja e a atividades semelhantes.

7. Faria tudo o que estivesse ao alcance de seu jornal para combater as bebidas alcoólicas como inimigas da raça humana e elemento desnecessário de nossa civilização. Isso seria feito sem que se preocupasse com a opinião pública sobre o assunto e, claro, sem se preocupar com o efeito que tal postura viesse a produzir sobre sua lista de assinantes.

8. Jesus não publicaria edições dominicais do jornal.

9. Publicaria notícias que as pessoas efetivamente precisassem conhecer. Entre as coisas que elas não precisam saber, e que não seriam publicadas, estariam as matérias sobre as violentas lutas de boxe, longos relatos de crimes, escândalos familiares ou quaisquer outros eventos que de alguma forma estivessem em conflito com o primeiro ponto mencionado neste esboço.

10. Se Jesus tivesse o montante de dinheiro que temos para aplicar no jornal, provavelmente tomaria providências para que cristãos consagrados contribuíssem com textos. Esse será o meu objetivo, como poderei confirmar dentro de poucos dias.

11. Quaisquer que sejam os detalhes que surjam para a execução deste plano, o princípio norteador das ações

será sempre a promoção do reino de Deus no mundo. Este princípio geral amplo necessariamente daria forma a todo o detalhe.

Edward Norman terminou a leitura do plano. Estava extremamente absorto em seus pensamentos.

— O que lhes mostrei aqui foi um simples esboço. Tenho dezenas de ideias para fortalecer o jornal, mas ainda não refleti bem sobre elas. Por enquanto, são sugestões. Conversei sobre elas com outros colegas editores. Alguns disseram que o máximo que conseguirei será algo fraco e despretensioso como uma revista de Escola Dominical. Se eu conseguir algo com a qualidade de uma Escola Dominical, estará bom demais. Por que será que as pessoas, quando querem falar de algo particularmente fraco, sempre usam como exemplo a Escola Dominical?

— Elas deveriam saber que se trata de uma das influências mais fortes e poderosas na sociedade deste país — disse.

— Mas o jornal não será necessariamente fraco por ser bom. As coisas boas são mais poderosas que as ruins. O que mais me importa é basicamente a questão do apoio dos cristãos de Raymond. Há mais de vinte mil membros de igrejas nesta cidade. Se metade deles der seu apoio ao *Diário*, sua vida estará garantida. Maxwell, o que o senhor acha sobre a viabilidade de um apoio desses?

— Não tenho dados suficientes para responder-lhe de modo adequado. Acredito no jornal de todo o coração. Se ele sobreviver por um ano, como a srta. Virginia observou, não se pode prever o que poderá fazer. O desafio será publicar um jornal que se aproxime ao máximo daquilo que pensamos que Jesus faria, incluindo elementos que representem a força, a inteligência e os sentimentos cristãos, sem deixar de defender a liberdade que temos contra a intolerância, o fanatismo, contra pensamentos obtusos e tudo o que for contrário ao espírito de Jesus. Um jornal como esse precisará do melhor que as ações e pensamentos humanos forem capazes de produzir. As mentes mais brilhantes do mundo deveriam dedicar ao máximo sua competência para a publicação de um jornal de bases cristãs.

— Sim — respondeu Norman com humildade. — Cometerei muitos erros, não tenho dúvidas disso. Preciso de uma boa dose de sabedoria. Mas quero fazer o que Jesus faria. O que ele faria? É o que tenho me perguntado e continuarei a perguntar, pautando-me pelas respostas.

— Acho que estamos começando a compreender — disse Virginia — o significado deste mandamento: "Crescei na graça e no conhecimento de nosso Senhor e Salvador Jesus Cristo". Estou certa de que não saberei a fundo o que ele faria se não conhecê-lo melhor.

— Essa é uma grande verdade — disse Maxwell. — Estou começando a entender que não posso interpretar qual seja a provável ação de Jesus se antes não conhecer melhor o seu espírito. A grande questão de toda a vida humana se resume na pergunta "o que faria Jesus?", se, ao lançarmos essa pergunta, tentarmos responder a partir de um maior conhecimento do próprio Jesus. Antes de imitá-lo, precisamos conhecê-lo.

Depois de tudo acertado entre Virginia e Edward Norman, ele recebeu a posse de quinhentos mil dólares a serem usados para a publicação de um jornal cristão de circulação diária. Assim que Virginia e Maxwell saíram, Norman fechou a porta e, sozinho na presença de Deus, como se fosse uma criança, pediu a ajuda de seu Pai todo-poderoso. De joelhos ao lado de sua mesa, ele orou na certeza da promessa: "Se, porém, algum de vós necessita de sabedoria, peça-a a Deus, que a todos dá liberalmente e nada lhes impropera, e ser-lhe-á concedida". Com certeza, sua oração seria atendida, e o reino seria promovido por meio desse instrumento do poder de Deus, a poderosa imprensa, que tanto havia se degradado pela avareza e ambição humanas.

Dois meses se passaram. Foram cheios de atividades e resultados na cidade de Raymond, principalmente na Primeira Igreja. Apesar do calor do verão que se aproximava, a reunião que os discípulos faziam após o culto continuou com entusiasmo e poder. Gray concluíra seu trabalho no Retângulo, e um observador de fora que passasse pelo lugar poderia não notar diferença nas condições vigentes, embora houvessem ocorrido mudanças reais na vida de centenas de pessoas. Mas os bares, antros de jogatina e locais de prostituição, continuavam exercendo sua péssima influência sobre a vida de novas vítimas, em lugar das que haviam sido resgatadas pelo trabalho do evangelista. E o Diabo arregimentava suas tropas com muita rapidez.

Henry Maxwell não saiu de férias em viagem ao exterior. Em vez disso, pegou o dinheiro que havia economizado para fazer a viagem e discretamente tomou providências para que uma família do Retângulo saísse de férias no verão. Tratava-se de uma família que nunca tinha saído do sórdido bairro de cortiços. O pastor da Primeira Igreja nunca esqueceria a semana que passou com a família fazendo os preparativos para a viagem. Dirigiu-se ao Retângulo num dia quente em que se começava a sentir o terrível calor nos cortiços; e ajudou a família, levando-a até a estação de trem e seguindo depois com ela a um bonito lugar no litoral, na casa alugada de uma mulher cristã. Pela primeira vez em muitos anos, os inquilinos da cidade, encantados, respiravam o ar marinho e sentiam soprar sobre eles a brisa perfumada de uma nova oportunidade para uma vida melhor.

Estavam ali a mãe com um bebê doente e mais três crianças, uma delas com deficiência para andar. Desempregado, o pai estivera várias vezes à beira do suicídio, como mais tarde confessou a Maxwell. Passara a viagem toda com o bebê no colo e, quando Maxwell os deixou para voltar a Raymond, apertou-lhe a mão e, apesar de tentar, não conseguiu conter as lágrimas, o que deixou o pastor muito comovido. A mãe, uma mulher abatida e esgotada, que havia perdido três filhos um ano antes por causa de um surto de febre no Retângulo, sentou-se junto à janela do vagão durante todo o trajeto e ficou ali bebendo das delícias do céu, do mar e dos campos. Tudo aquilo lhe parecia um milagre.

Maxwell, de volta a Raymond no fim daquela semana, sentindo mais ainda o calor escaldante depois de ter provado um pouco da brisa do oceano, agradeceu a Deus a alegria que havia testemunhado. Agora olhava com humildade para o discipulado, depois de conhecer, praticamente pela primeira vez na vida, esse tipo especial de sacrifício. Ele nunca havia se privado da habitual viagem de verão, quando fugia do calor de Raymond, mesmo que não estivesse precisando de muito descanso. "O fato é que", disse ele respondendo a várias perguntas na igreja, "este ano não estou sentindo necessidade de tirar férias. Sinto-me muito bem e prefiro ficar aqui".

Foi com um sentimento de alívio que ele conseguiu ocultar de todos, menos da esposa, o que tinha feito pela outra família. Maxwell sentia que era necessário fazer alguma coisa daquele tipo sem aparecer e sem receber aprovação de terceiros.

O verão chegou para valer, e Maxwell crescia no conhecimento de seu Senhor. A Primeira Igreja continuava sob o controle do poder do Espírito. Maxwell estava maravilhado com isso. Ele bem sabia que, desde o início, somente o Espírito Santo é que tinha evitado que a igreja se dividisse diante do grande teste a que fora submetida na questão do discipulado. Ainda havia muitos membros que não haviam assumido o compromisso e consideravam todo o movimento à semelhança da mãe de Rachel, ou seja, como uma interpretação fanática do dever cristão. Essas pessoas esperavam que as condições voltassem ao normal. Enquanto isso, todos os discípulos estavam debaixo da influência do Espírito, e naquele verão o pastor continuou exercendo seu ministério com grande alegria, mantendo as reuniões com os ferroviários, conforme prometera a Alexander Powers, e crescendo diariamente no conhecimento do Senhor.

No início de uma tarde de agosto, depois de um dia mais fresco que seguiu a um longo período de calor, Jasper Chase caminhou até sua janela do apartamento na avenida e olhou para fora.

Sobre a mesa estava uma pilha de manuscritos. Depois da noite em que se declarara a Rachel Winslow, nunca mais a tinha visto. Sua natureza de grande sensibilidade, que chegava a ponto de extrema irritação quando seus planos eram frustrados, serviu para colocá-lo num tipo de isolamento que se intensificou por causa de seus hábitos de escritor.

Ele estivera escrevendo durante todo o período de calor. O livro estava quase pronto. Concentrara-se em escrevê-lo com uma força de vontade tão grande, que agora ela ameaçava desaparecer e deixá-lo incapaz de continuar. Ele não se esquecera do compromisso que havia assumido ao lado de outros irmãos e irmãs da Primeira Igreja. Era algo que sempre estava em seu campo de visão enquanto escrevia, e, desde que Rachel o rejeitara, ele perguntara centenas de vezes: "Jesus faria isso?" "Escreveria esta história?" Era um romance popular escrito num estilo que prometia sucesso garantido. Seu único propósito era servir de lazer para os leitores. Seu conteúdo moral não era ruim, mas também não era uma afirmação do cristianismo.

Jasper Chase sabia que uma história assim teria venda certa. Tinha consciência de que a sociedade queria e admirava textos como aquele. "O que faria Jesus?" Ele achava que Jesus nunca iria escrever um livro daqueles. A pergunta o incomodava nas horas mais inoportunas, e isso o estava deixando irritado. Um escritor adotar o padrão de Jesus era idealismo demais. É claro que Cristo usaria sua competência para produzir alguma coisa útil ou com propósito. Por que ele, Jasper Chase, estava escrevendo aquele romance? Porque praticamente todo autor escreve para ganhar dinheiro e fama. Ele não escondia de si mesmo que estava escrevendo o novo livro com esse objetivo. Como não era pobre, não enfrentava a tentação de escrever por dinheiro. Mas era movido por seu desejo de fama. Precisava escrever aquele tipo de texto. Mas, o que faria Jesus? Era uma pergunta que o incomodava mais que a rejeição de Rachel. Iria ele descumprir sua promessa? — Afinal de contas, a promessa é tão importante assim? — perguntava.

Enquanto olhava pela janela, Rollin Page saiu do clube do outro lado da rua. Jasper observou que sua aparência era elegante e nobre. Então voltou para sua escrivaninha e mexeu em alguns papéis ali. Ato contínuo, voltou para a janela. Rollin estava agora um quarteirão à frente, mas Rachel Winslow o acompanhava. Rollin devia tê-la encontrado quando ela voltava da casa de Virginia naquela tarde.

Jasper ficou olhando para os dois, até que desapareceram no meio da multidão. Então voltou a sua mesa e começou a escrever. Ao terminar a última página do último capítulo do livro, já estava praticamente escuro. "O que faria Jesus?" Ele finalmente havia respondido à pergunta, negando seu Senhor. Seu quarto escurecera mais ainda. Ele havia deliberado sobre seu destino, impelido por sua decepção e pelo amor perdido.

"Ninguém que, tendo posto a mão no arado, olha para trás, é apto para o reino de Deus."

Capítulo 18

... que te importa? Quanto a ti, segue-me.

Quando Rollin desceu a rua naquela tarde em que Jasper ficara olhando da janela, não estava pensando em Rachel Winslow nem esperava encontrá-la. Ele a encontrara por acaso, ao virar para entrar na avenida, e seu coração disparou quando a viu. Agora estava andando ao lado dela, alegrando-se por um breve momento com esse amor que ele não conseguia esquecer.

— Acabei de falar com Virginia — disse Rachel. — Ela me contou que está tudo quase certo para a compra do terreno no Retângulo.

— É, foi uma longa batalha na justiça. Ela lhe mostrou todos os planos e especificações para a construção?

— Olhamos muitos deles. É impressionante como ela fez para conseguir todas as suas ideias sobre o trabalho.

— Virginia conhece Arnold Toynbee, o *East End* de Londres e o trabalho da igreja institucional nos Estados Unidos mais do que muitos profissionais que trabalham entre os pobres. Ela passou quase o verão todo colhendo informações. — Rollin estava ficando mais à vontade à medida que conversavam sobre o trabalho filantrópico que estava para ser iniciado. Era um assunto comum aos dois.

— O que você andou fazendo durante todo o verão? Eu não o tenho visto muito — perguntou Rachel de repente, ficando vermelha como se tivesse insinuado interesse demais por Rollin ou estivesse se lamentando por não tê-lo visto com mais frequência.

— Tenho andado muito ocupado — respondeu Rollin rapidamente.

— Fale-me um pouco sobre isso — insistiu Rachel. — Você fala tão pouco. Você me dá liberdade para perguntar-lhe essas coisas? — indagou com toda franqueza, voltando-se para Rollin com sinceridade.

— Claro, com certeza — respondeu ele com um sorriso simpático. — Acho que não tenho tanta coisa assim para contar. Estou tentando encontrar formas de conversar com os meus amigos para que possam levar uma vida mais útil para a sociedade.

Então parou como se temesse seguir adiante. Rachel não ousava perguntar-lhe mais nada.

— Faço parte do mesmo grupo a que pertencem você e Virginia — continuou Rollin. — Assumi o compromisso de agir do modo como penso que Jesus agiria e tenho realizado meu trabalho na tentativa de levar isso a efeito.

— Eu não sabia disso. Que coisa maravilhosa saber que você está tentando manter o mesmo compromisso que nós também assumimos! Mas o que você pode fazer pelos frequentadores dos clubes?

— Sua pergunta foi bem direta; então vou ter de responder-lhe — disse ele sorrindo mais uma vez. — Depois daquela noite na tenda, você se lembra — disse ele apressado e com a voz meio trêmula — perguntei a mim mesmo que propósito eu poderia ter na vida para redimi-la, para satisfazer meu conceito de discipulado cristão. Quanto mais eu pensava nisso, mais me dava conta de que precisava tomar a minha cruz. Você já percebeu que as pessoas mais negligenciadas em nosso sistema social, as que mais são isoladas pelos outros, são os jovens que enchem os clubes e desperdiçam tempo e dinheiro como eu costumava fazer? As igrejas pensam nas criaturas miseráveis como as do Retângulo; esforçam-se por atingir a classe operária, os assalariados, enviam dinheiro e missionários para outros países, mas os jovens da alta sociedade, os de vida dissoluta, os frequentadores de clubes, ficam de fora de todos os planos evangelísticos. Mas não há outra classe de pessoas mais necessitada do evangelho. Então disse a mim mesmo: "Conheço esses jovens, seus defeitos e qualidades. Já fui um deles. Não tenho jeito para trabalhar com o povo do Retângulo. Não saberia como fazê-lo. Mas acho que teria possibilidade de alcançar jovens adultos e rapazes que têm dinheiro e tempo para gastar". E é isso que venho tentando fazer. Quando fiz a pergunta que você conhece, "o que faria Jesus?", essa foi a minha resposta. Também é a minha cruz.

O volume da voz de Rollin estava tão baixo nas últimas palavras, que Rachel teve dificuldade para ouvi-lo por causa do barulho à volta dos dois, mas ela entendeu o que ele tinha falado. E queria perguntar-lhe sobre os métodos que ele empregava para o trabalho. Mas não sabia como fazê-lo. Seu interesse pelos planos dele não eram mera curiosidade. Rollin Page estava tão diferente daquele jovem de alta sociedade que a havia pedido em casamento, que ela não podia deixar de pensar nele e enxergá-lo como um novo amigo. Os dois haviam deixado a avenida e entrado na rua que levava à casa de Rachel. Era a mesma rua em que Rollin lhe havia perguntado por que ela não o amava. Ambos estavam meio sem graça ao passar por ali. Rachel não havia esquecido daquele dia, e Rollin também não. Finalmente, ela interrompeu um longo silêncio e perguntou-lhe algo que não soubera como perguntar antes.

— Em seu trabalho com os frequentadores de clubes, seus antigos conhecidos, que tipo de reação eles demonstram? Como você os aborda? E o que eles dizem?

Rollin sentiu-se aliviado porque ela havia falado. E respondeu depressa:

— Ah, isso depende de cada um. Boa parte deles acha que sou um tipo de fanático. Mas continuo sócio dos clubes e isso me coloca numa situação favorável com eles. Procuro usar de sabedoria e não fico fazendo críticas desnecessárias. Mas você ficaria surpresa de saber quantos têm atendido ao meu apelo. É difícil fazê-la acreditar, mas apenas algumas noites atrás, mais de uma dezena deles aceitaram ter uma conversa honesta e séria sobre assuntos religiosos.

— Tenho experimentado a alegria de ver alguns largando maus hábitos e começando uma nova vida — disse. — "O que faria Jesus?" é o que continuo a perguntar. A resposta surge devagar, porque é devagar que estou caminhando. Mas descobri uma coisa. Eles não fogem de mim. Acho que isso é um bom sinal. Outra coisa: alguns se interessaram pelo trabalho no Retângulo e, quando for implementado, contribuirão com alguma coisa para fortalecê-lo. Além disso, achei um jeito de salvar alguns do vício do jogo.

Rollin falava com entusiasmo. Seu rosto estava transformado por seu interesse pela causa, que agora fazia parte de sua vida. De novo, Rachel observou seu jeito de falar, que era forte e viril. Além disso, ela sabia que em tudo aquilo havia uma profunda seriedade que o fazia sentir o peso da cruz, ao mesmo tempo em que se alegrava por carregá-la. Ao falar em seguida, ela o fez com um instantâneo senso de justiça por Rollin e por sua nova vida.

— Lembra-se de que o critiquei uma vez por não ter um propósito na vida? — perguntou ela com seu belo rosto, que pareceu mais belo ainda quando Rollin teve autocontrole suficiente para olhá-la. — Para ser justa, quero e preciso dizer que o admiro por sua coragem e obediência à promessa que fez. Agora você está levando uma vida digna.

Rollin estremeceu. Sua agitação estava quase fora de controle. Rachel não podia deixar de perceber o que se passava. Os dois caminharam juntos em silêncio. Por fim, Rollin disse:

— Obrigado. Não tenho palavras para expressar quanto me vale ouvir você dizer essas coisas. — E olhou para o rosto dela por um momento. Rachel detectou naquele olhar o amor que ele ainda sentia, apesar de não haver falado nada.

Depois de se despedirem, Rachel entrou, foi para seu quarto, sentou-se e, com as mãos no rosto, disse para si mesma: "Estou começando a entender o que significa ser amada por um homem de bem. Eu ainda vou acabar me apaixonando por Rollin Page. O que estou dizendo! Rachel Winslow, você já se esqueceu...".

Então se levantou e começou a andar de um lado para o outro. Estava profundamente tocada. Todavia, era óbvio para ela que sua emoção não era de lamento nem de tristeza. Ela estava sentindo uma nova alegria. Havia entrado em outra esfera de experiência, e naquele mesmo dia alegrou-se por poder acrescentar esse sentimento a sua vida de discípula de Cristo. Na realidade, o que ela sentia até fazia parte disso, porque, se estivesse começando a se apaixonar por Rollin Page, era pelo moço cristão que estava se apaixonando; o outro não lhe causaria essa mudança tão importante.

Quanto a Rollin, enquanto voltava, pôde guardar no coração uma esperança que não lhe foi possível sentir quando Rachel dissera "não" naquela outra oportunidade. Era com essa esperança que ele continuou seu trabalho à medida que os dias passavam rapidamente. E nunca ele havia obtido tanto êxito no contato evangelístico com seus antigos conhecidos quanto agora, depois da conversa com Rachel Winslow.

O verão havia chegado ao fim, e Raymond estava de novo enfrentando os rigores do inverno. Virginia havia conseguido concretizar uma parte do plano para "conquistar o

Retângulo", expressão que ela costumava usar para se referir a ele. Mas a construção de casas no terreno, fazendo com que seu aspecto de terreno baldio se transformasse num parque atraente, ações que faziam parte de seu plano, representava muito trabalho, e não seria possível terminar tudo até o fim do outono, agora que ela havia garantido a posse da área. Mas um milhão de dólares nas mãos de alguém disposto a fazer o que Jesus faria pode realizar maravilhas pelas pessoas num curto período de tempo. Henry Maxwell, certo dia, depois de estar com os ferroviários, foi até o local e ficou impressionado com tudo o que já havia sido feito externamente.

Mas voltou caminhando e, pensativo, não podia deixar de olhar para o problema permanente que os bares representavam. Afinal de contas, quanto havia realmente sido feito em favor do Retângulo? Mesmo levando em conta o trabalho de Virginia, de Rachel e do evangelista Gray, onde estavam os resultados visíveis? Será que eles existiam? É claro, dizia ele para si mesmo, a obra de redenção iniciada e desenvolvida pelo Espírito Santo, em suas maravilhosas demonstrações de poder na Primeira Igreja e nas reuniões da tenda, havia tido efeito sobre a vida da cidade de Raymond.

Mas, ao passar por um bar após o outro, observando tanta gente entrando e saindo deles, vendo os antros de miséria humana em quantidade que não parecia diminuir, junto com a brutalidade, a pobreza e a degradação de um número incalculável de homens e mulheres, Maxwell sentiu aversão por tudo aquilo. E achou-se perguntando até que ponto um milhão de dólares podia limpar aquela sujeira toda. A causa de quase toda a miséria humana que eles procuravam minimizar não continuaria intocável enquanto os bares seguissem com suas atividades mortais, porém apoiadas pela lei? O que uma vida de serviço altruísta como o realizado por Virginia e Rachel poderia fazer para reduzir os níveis de vícios e de crime enquanto a grande fonte desses problemas continuava a florescer com força cada vez maior? Não seria um desperdício consumir a vida dessas lindas moças que entraram nesse inferno na terra, se, para cada alma resgatada com o sacrifício delas, os bares geravam outras duas que precisavam de resgate?

Era impossível fugir dessas perguntas. Era a mesma que Virginia tinha feito a Rachel quando disse que, em sua opinião, não daria para fazer nada que durasse, enquanto os bares dominassem o Retângulo. Henry Maxwell retomou o trabalho pastoral daquela tarde com uma convicção ainda maior sobre o problema do livre comércio de bebidas alcoólicas.

Os bares eram um fator a ser considerado na discussão dos problemas da vida da cidade, mas a Primeira Igreja e seu pequeno grupo de discípulos eram outro fator igualmente importante. Henry Maxwell, por estar no centro do movimento, não tinha condições de julgar a força dessas ações tanto quanto alguém de fora. Mas a própria cidade de Raymond sentia o impacto de muitas maneiras, mesmo sem conhecer as causas da transformação.

O tempo de frio havia ido embora, e o ano de vigência da promessa estipulado por Maxwell tinha terminado. O domingo que marcaria o fim desse primeiro ano era de muitas formas o mais importante da história da Primeira Igreja. Era mais importante do que pensavam os discípulos que fizeram a promessa. Havia sido um ano que ficara marcado na história de um jeito tão sério, que as pessoas não tinham noção de sua importância. O dia exato em que se completava um ano foi marcado por tantas revelações e confissões, que os protagonistas dos próprios eventos não conseguiam entender o valor do que havia sido feito nem a relação que o período de prova a que foram submetidos tinha com as demais igrejas e cidades do país.

No domingo anterior ao aniversário da promessa, o rev. Calvin Bruce, da igreja da Nazareth Avenue, em Chicago, encontrava-se em Raymond para visitar alguns velhos amigos e seu antigo colega de seminário, Henry Maxwell. Ele estava presente na Primeira Igreja e mostrava-se muito atento e interessado. Seu relato dos acontecimentos em Raymond, principalmente daquele domingo, pode esclarecer a situação com mais qualidade do que registros de outras fontes.

Capítulo 19

Este capítulo e parte do próximo reproduzem uma carta do rev. Calvin Bruce, da Igreja da Nazareth Avenue, de Chicago, para o rev. Philip A. Caxton, da cidade de Nova York.

"Prezado Caxton:

"Já é tarde da noite neste domingo, mas estou tão impressionado com o que vi e ouvi, que me sinto levado a escrever-lhe um relato da situação que tenho observado em Raymond e que parece ter chegado hoje ao auge. É isso o que me leva a escrever neste momento uma carta tão longa.

"Creio que você se lembra de Henry Maxwell de nosso tempo no seminário. Da última vez que o visitei em Nova York, você mencionou que nunca mais o tinha visto desde nossa formatura. Era um colega distinto e muito estudioso, como você deve se lembrar. Quando ele foi chamado para trabalhar na Primeira Igreja de Raymond, um ano depois de sair do seminário, eu disse a minha esposa: 'Raymond fez uma ótima escolha. Maxwell os deixará satisfeitos com seus sermões'. Já faz onze anos que ele está aqui, e sei que até o ano passado seguia o curso regular do ministério, agradando muita gente e reunindo um bom número de pessoas nas reuniões da sua igreja, considerada a maior e mais rica da cidade. Pessoas muito importantes a frequentavam, e muitos faziam parte do rol de membros. O quarteto era famoso pela qualidade da música, principalmente a soprano, srta. Winslow, de quem falarei mais tarde. De modo geral, pelo que soube, Maxwell estava numa situação bem confortável, recebendo um salário bem atraente, cercado de coisas boas, pastoreando pessoas distintas, ricas e respeitáveis. Era a situação que, em nossa época de seminário, considerávamos invejável.

"Mas hoje faz um ano que Maxwell, num domingo de manhã, ao encerrar o culto, apresentou uma incrível proposta aos membros de sua igreja, a saber, que se dispusessem, durante um ano inteiro, a fazer todas as coisas apenas depois de perguntar: 'O que faria Jesus?'. Ao responder, deveriam fazer tudo o que julgassem que Jesus faria, sem se preocupar com as consequências que poderiam advir.

"O efeito dessa proposta, acatada e obedecida por vários membros da igreja, foi tão espantoso, que, como você mesmo sabe, o país inteiro dirigiu suas atenções a esse movimento. Chamo-o 'movimento', porque, pela atitude que hoje foi tomada, parece provável que aquilo que se procurou fazer aqui alcançará outras igrejas e trará uma revolução de métodos, mas principalmente do conceito de discipulado cristão.

"Em primeiro lugar, Maxwell me disse que ficou impressionado com a receptividade obtida por sua proposta. Alguns dos membros de maior destaque na igreja aceitaram o desafio de procurar fazer o que Jesus faria. Entre eles estavam Edward Norman, proprietário e editor do *Diário de Notícias*, que tem causado sensação no mundo do jornalismo; Milton Wright, um dos principais comerciantes da cidade; Alexander Powers, cuja atitude diante da corrupção nas empresas ferroviárias que desrespeitavam as leis de comércio inter--estadual deixou todos estarrecidos, cerca de um ano atrás; a srta. Page, herdeira de uma fortuna e muito influente na alta sociedade de Raymond, a qual, pelo que entendi, consagrou toda sua fortuna à manutenção de um jornal de bases cristãs e a melhorias nas condições de vida num bairro muito pobre conhecido como Retângulo; e a srta. Winslow, hoje nacionalmente famosa como cantora, mas que, em obediência ao que decidiu ser a provável forma de agir de Jesus, tem dedicado seu talento ao trabalho voluntário entre mulheres e moças que constituem uma grande parte da população abandonada e problemática da cidade.

"Além desses nomes bem conhecidos, um número cada vez maior de cristãos da Primeira Igreja e de outras igrejas de Raymond tem aderido ao movimento. Uma grande porcentagem de voluntários que se comprometeram a fazer o que Jesus faria vem das sociedades de jovens das igrejas. Os jovens dizem que já se pautavam nas sociedades pelo mesmo princípio refletido no lema 'Prometo a Deus que farei o máximo possível para realizar o que ele quer que eu faça'. Isso não reflete exatamente o que está contido na proposta de Maxwell, ou seja, o discípulo deve tentar fazer o que Jesus provavelmente faria em seu lugar. Mas as consequências práticas do cumprimento de ambos os compromissos, alega Maxwell, são praticamente as mesmas. Por isso, ele não se surpreende com a participação maciça dos membros das sociedades de jovens.

"Tenho certeza de que sua primeira pergunta será: 'Qual foi o resultado disso tudo? O que eles conseguiram? Como esse movimento tem mudado a vida da igreja ou da cidade?'.

"Você já deve saber o que tem acontecido a partir dos relatos sobre Raymond que correm o país. Mas, para entendermos o que significa seguir os passos de Jesus de modo tão literal, temos de estar aqui e ver as mudanças na vida de indivíduos e principalmente na vida da igreja. Se eu fosse falar de tudo o que sei, teria de escrever uma longa história ou uma série de histórias. Não estou em condições de fazer isso, mas posso lhe dar uma ideia do que tem acontecido, segundo me informaram alguns amigos e o próprio Maxwell.

"O resultado do compromisso na Primeira Igreja foi duplo. Ele fez surgir um espírito de comunhão cristã que, segundo Maxwell, nunca existira, mas que agora o impressiona pelo fato de se aproximar bastante da comunhão cristã que deve ter existido entre as igrejas do tempo dos apóstolos. Em segundo lugar, o compromisso dividiu a igreja em dois grupos. Os que não apoiaram a proposta consideram que os outros são loucos por serem tão literalistas ao tentar imitar o exemplo de Jesus. Alguns saíram da igreja e não apareceram mais ou pediram transferência para outras igrejas. Há também os que causam conflito interno, e ouvi boatos de que tentam forçar a renúncia de Maxwell. Não sei se isso tem muita força dentro da igreja. É uma atitude que tem sido desafiada por uma demonstração permanente de poder espiritual, que começou no primeiro domingo em que o compromisso foi assumido pelas pessoas, um ano atrás, e também porque membros de muita influência se identificaram com o movimento.

"O efeito disso tudo sobre Maxwell é nítido. Eu o ouvi pregar em nossa associação estadual quatro anos atrás. Na época ele me impressionou com a força de sua retórica e tinha alguma consciência dessa sua capacidade. Seu sermão foi muito bem redigido e transbordou de passagens bíblicas que os alunos do seminário costumavam chamar de 'passagens de primeira linha'. O efeito disso é o que uma igreja mediana chamaria de 'agradável'. Na manhã de hoje foi a primeira vez que ouvi Maxwell pregar depois daquela oportunidade. Falarei sobre isso daqui a pouco. Ele não é mais a mesma pessoa. Dá-me a impressão de alguém cuja vida passou por uma revolução. Ele me diz que essa revolução é simplesmente uma nova forma de definir o discipulado cristão. Com certeza, ele mudou muitos de seus velhos hábitos e muitas de suas antigas opiniões. Sua postura sobre a questão das bebidas alcoólicas é diametralmente oposta ao que ele pensava um ano atrás. E constatei que ele passou por uma completa redefinição de seu pensamento sobre ministério, sobre pregação e sobre cuidado pastoral. Pelo que entendi até agora, a ideia que hoje está movendo Maxwell é que o cristianismo de nossos dias precisa ser uma representação mais literal de Jesus, principalmente na questão do sofrimento. Durante nossa conversa ele me citou várias vezes estas palavras de Pedro: 'Porquanto para isto mesmo fostes chamados, pois que também Cristo sofreu em vosso lugar, deixando-vos exemplo para seguirdes os seus passos'. Ele parece estar convicto de que o que nossas igrejas precisam hoje em dia, acima de qualquer outra coisa, é sofrer por Jesus com alegria. Não sei se concordo com ele sem restrições; mas, meu caro Caxton, é surpreendente observar os resultados dessa ideia que se podem ver marcados na vida da cidade e desta igreja.

"Você me pergunta sobre as consequências para a vida dos indivíduos que assumiram esse compromisso e têm procurado cumpri-lo. Tais consequências, como já disse, fazem parte de histórias individuais e não podem ser descritas com detalhes. Posso contar-lhe algumas, para que você perceba que essa modalidade de discipulado não é mero sentimento nem algo para causar efeito superficial.

"Por exemplo, veja o caso do sr. Powers, ex-superintendente das oficinas da empresa ferroviária local. Quando agiu com base nas provas que incriminavam a empresa, ele perdeu o emprego, mas não só isso; segundo fiquei sabendo por alguns amigos daqui, as mudanças para a família e nas suas relações sociais foram tão grandes, que ele e a família não aparecem mais em público. Abandonaram os círculos sociais onde eram tão proeminentes. A propósito, Caxton, fiquei sabendo que as autoridades, por uma razão ou outra, adiaram a adoção de medidas corretivas neste caso. Agora se ouvem boatos de que a empresa vai passar para a mão de um credor dentro de pouco tempo. Seu presidente, que, segundo as provas apresentadas por Powers, era o principal agente de corrupção, renunciou ao cargo, e as coisas estão se complicando e apontando para a transferência da empresa para as mãos do credor. Enquanto isso, o superintendente voltou ao seu trabalho de antes como operador de telégrafo. Encontrei-o ontem na igreja. Ele me pareceu uma pessoa que, a exemplo de Maxwell, sofreu uma enorme transformação de caráter. Não posso deixar de pensar nele e em como se coadunaria perfeitamente com a igreja do primeiro século, quando os discípulos tinham todas as coisas em comum.

"Outro exemplo é o caso do sr. Norman, proprietário do *Diário de Notícias*. Ele arriscou toda sua fortuna para obedecer ao que acreditava ser a atitude mais provável de Jesus e revolucionou toda sua forma de administrar o jornal, mesmo sob risco de quebrar a empresa. Envio-lhe um exemplar da edição de ontem. Gostaria que a lesse com atenção. Na minha opinião, é um dos jornais mais impressionantes e notáveis já impressos neste país. Ele tem alguns pontos que podem ser criticados, mas quem poderia tentar alguma coisa neste segmento sem se tornar alvo de críticas? O jornal como um todo é tão superior ao conceito comum de uma publicação diária, que estou impressionado com os resultados. Norman me disse que o jornal está cada vez mais sendo lido pelos cristãos da cidade. Ele está muito confiante no êxito dessa empreitada. Leia o editorial sobre finanças e também a matéria sobre as próximas eleições em Raymond, quando a questão do livre comércio de bebidas ficará outra vez em evidência. Ambos os artigos exibem uma excelente argumentação. Norman me disse que jamais começa a escrever um editorial ou qualquer outra atividade ligada ao jornal sem primeiro perguntar 'O que faria Jesus?'. O resultado é mais do que visível.

"Também não posso deixar de mencionar Milton Wright, homem do comércio local. Disseram-me que ele revolucionou de tal forma seus negócios, que hoje não há pessoa mais querida do que ele em Raymond. Seus escriturários e empregados têm um carinho tão grande por ele, que chega a ser emocionante. Durante o inverno, enquanto ele esteve muito doente em casa, grupos de funcionários se ofereciam para fazer-lhe companhia e para ajudar de toda forma possível. Sua volta ao trabalho foi saudada com manifestações de grande alegria. Tudo isso passou a existir quando ele acrescentou aos negócios o elemento do amor pessoal. Não é um amor de meras palavras, mas a empresa é tocada sob um sistema de cooperação que não é um puro reconhecimento da relação entre patrões e seres inferiores, mas uma verdadeira participação geral em todas as atividades do negócio. Há homens na rua que olham para Milton Wright como se ele fosse esquisito. Mas o fato é que, apesar de ter perdido bastante em alguns aspectos, ele está fazendo a empresa crescer, sendo hoje reconhecido e respeitado como um dos melhores e mais prósperos comerciantes de Raymond.

"E, por fim, menciono a srta. Winslow. Ela optou por dedicar seu grande talento aos pobres da cidade. Entre seus planos estão um instituto musical que priorizará os conjuntos corais e as aulas de canto. Ela adora o que considera ser o trabalho da sua vida. Junto com sua amiga, a srta. Page, ela planeja um curso de música que, se concretizado, ajudará bastante a recuperar a vida das pessoas. Prezado Caxton, não estou tão velho que não possa mais valorizar o lado romântico da vida, e devo dizer-lhe que o que se comenta aqui é que a srta. Winslow espera casar-se nesta primavera com o irmão da srta. Page, um ex-líder da alta sociedade e frequentador de clubes, um jovem que se converteu na tenda de um evangelista durante um culto do qual sua futura esposa participava ativamente. Não conheço todos os detalhes desse romance, mas imagino que exista uma história que o envolve e que poderia se transformar numa leitura muito interessante.

"Esses são apenas alguns exemplos das consequências que se veem na vida dos que estão cumprindo o compromisso que assumiram. Preciso ainda mencionar o diretor Marsh, da Faculdade Lincoln. Ele se formou na mesma universidade em que me formei, e tive algum contato com ele quando estava no último ano do curso. Ele participou ativamente da recente campanha eleitoral do município, e sua influência sobre a cidade é considerada um fator muito importante para as próximas eleições. Ele me deixou impressionado, a exemplo do que fizeram outros discípulos do movimento, na qualidade de alguém que enfrentou questões muito difíceis e assumiu responsabilidades que o fizeram e ainda fazem passar por aquele sofrimento sobre o qual fala Maxwell, um sofrimento que não parece eliminar a alegria, mas sim intensificá-la".

Capítulo 20

"Mas estou me alongando demais com esta carta, e você já deve estar cansado. Não consigo deixar de sentir o fascínio que só aumentou com minha estada aqui. Vou lhe contar algumas coisas sobre a reunião de hoje na Primeira Igreja.

"Conforme lhe disse, hoje ouvi Maxwell pregar. A pedido dele, eu havia pregado no domingo anterior. Portanto, foi a primeira vez que o ouvi desde a reunião da associação quatro anos atrás. Seu sermão desta manhã foi completamente distinto daquele. Fiquei muito comovido e acho que cheguei a derramar lágrimas. Outros na igreja estavam emocionados como eu. O texto que ele usou foi: '... que te importa? Quanto a ti, segue-me'. Foi um apelo bastante incomum aos cristãos de Raymond para que obedecessem aos ensinamentos de Jesus e seguissem seus passos, sem se preocupar com o que os outros pudessem fazer. Não posso reproduzir aqui nem mesmo o esboço do sermão. Levaria muito tempo. Depois do culto realizou-se a reunião de sempre, que havia se tornado rotineira na Primeira Igreja. A essa reunião compareceram todos os que assumiram o compromisso de fazer o que Jesus faria. O tempo foi passado em comunhão mútua, confissão, perguntas sobre o que Jesus faria em casos especiais e oração para que o Espírito Santo fosse o grande orientador de toda a conduta dos discípulos.

"Maxwell convidou-me a participar da reunião. Caxton, nenhuma outra coisa em minha vida ministerial já mexeu tanto comigo. Nunca senti a presença do Espírito com tamanho poder. Foi uma reunião marcada por reminiscências e por uma comunhão muito amorosa. Voltei, sem poder resistir, aos primeiros anos do cristianismo. Havia algo de apostólico na simplicidade e na forma como imitavam Cristo.

"Fiz perguntas. A que me pareceu despertar mais interesse relacionava-se com a extensão do sacrifício em se tratando de propriedades particulares. Maxwell me disse que, até o presente momento, ninguém interpretou o propósito de Jesus em termos de perda de bens materiais, nem desistiu de uma vida próspera, nem passou a imitar os cristãos de ordens religiosas como, por exemplo, a franciscana. Mas a opinião geral é que se algum discípulo sentir que, em seu caso específico, Jesus agiria desse modo, então não poderá haver outra resposta àquela pergunta. Maxwell admitiu que até certo ponto ele ainda não tinha certeza quanto à provável atitude de Jesus em questões como vida em família, a posse de riquezas e de alguns luxos. Todavia, está muito claro que muitos discípulos têm levado ao extremo a obediência a Jesus, sem se importar com perdas financeiras. São corajosos e coerentes nesse aspecto.

"É fato também que alguns homens de negócio perderam altas quantias por imitar Jesus, e muitos, como Alexander Powers, perderam o emprego diante da impossibilidade de continuar fazendo o que estavam acostumados a fazer e, ao mesmo tempo, por terem decidido fazer o que sentiam que Jesus faria se estivesse na mesma situação. Em relação a esses casos, tenho prazer de registrar o fato de que muitos que sofreram perdas importantes foram ajudados financeiramente por aqueles que ainda têm recursos. Nesse sentido, é verdade que esses discípulos têm todas as coisas em comum. Nunca vi em minha igreja nem em outra qualquer o que vi na reunião após o culto desta manhã na Primeira Igreja. Nem mesmo em sonhos eu acharia que uma comunhão cristã como essa poderia existir na época em que vivemos. Eu quase não acreditei no que estava vendo. Ainda me pergunto se estamos mesmo nos Estados Unidos, no fim do século dezenove.

"Agora, prezado amigo, apresento a intenção desta carta, a essência de toda a questão na qual a Primeira Igreja de Raymond me fez pensar. Antes que a reunião de hoje se encerrasse, tomaram-se providências para garantir a cooperação de todos os outros discípulos cristãos deste país. Imagino que Maxwell tomou essa atitude depois de um longo período de reflexão. Foi isso que depreendi de uma conversa com ele, em que estávamos discutindo o efeito desse movimento sobre a igreja em geral.

"'Suponha', disse ele, 'que todos os membros de igrejas deste país assumam o mesmo compromisso e o cumpram! Que revolução isso representaria para a cristandade!' Mas, por que não? Por acaso isso é mais do que o discípulo deve fazer? Se ele não estiver disposto a agir assim, estaria seguindo Jesus? A prova do verdadeiro discípulo não é a mesma dos tempos de Jesus?

"Não sei se isso tudo lhe ocorreu antes ou depois do pensamento acerca do que deve ser feito fora dos limites de Raymond, mas hoje a ideia se transformou num plano para garantir a comunhão de todos os cristãos dos Estados Unidos. Por meio de seus pastores, as igrejas serão instadas a formar grupos de discípulos como o da Primeira Igreja. Os voluntários sairão do meio do rol de membros das igrejas deste país e assumirão o compromisso de fazer o que Jesus faria. Maxwell falou de modo especial acerca das consequências que uma ação dessas teria sobre a questão do livre comércio de bebidas. Ele está profundamente preocupado com isso. E me disse que não há dúvida alguma de que os defensores do livre comércio serão derrotados nas próximas eleições.

Assim, eles poderiam seguir com coragem e realizar a obra de evangelização iniciada pelo evangelista Gray, trabalho agora assumido pelos discípulos de sua igreja. Se os bares vencerem de novo, haverá um terrível e desnecessário sacrifício cristão. Mas, embora não concordemos nesse ponto, ele convenceu sua igreja de que é chegada a hora de buscar comunhão com outros cristãos. Com certeza, se a Primeira Igreja puder fazer essas mudanças na sociedade, a igreja de modo geral, ao viver essa comunhão, não de dogmas, mas de conduta, haverá de despertar toda a nação para uma vida mais digna e para um novo conceito do que é ser discípulo de Cristo.

"A ideia é muito atraente, Caxton, mas é justamente neste ponto que fico em dúvida. Não discordo de que o discípulo de Cristo deve seguir os passos de Jesus como se tem tentado aqui em Raymond. Mas não posso deixar de pensar em qual seria a consequência se eu pedisse a minha igreja em Chicago que fizesse a mesma coisa. Escrevo essas palavras após ter sentido o toque profundo e solene da presença do Espírito e confesso, meu velho amigo, que não tenho condições de convocar em minha igreja uma dezena de executivos ou profissionais que se disponham a assumir o mesmo compromisso, pondo em risco as coisas e pessoas que eles prezam. Você conseguiria um resultado melhor em sua igreja? Que podemos dizer? Que as igrejas não responderiam ao chamado 'Vinde e sofrei'? Nosso modelo de discipulado cristão estaria errado? Ou será possível que estejamos a nos enganar e nos decepcionaríamos se pedíssemos aos nossos membros que assumissem tal compromisso com toda fidelidade? Os resultados desse compromisso cumprido aqui em Raymond fariam qualquer pastor estremecer e, ao mesmo tempo, ansiar por vê-los acontecendo em sua igreja.

"Tenho certeza de que nunca vi uma igreja tão abençoada pelo Espírito como esta daqui. Mas, eu mesmo estou disposto a assumir tal compromisso? Faço essa pergunta a mim mesmo com toda sinceridade e temo enfrentar uma resposta honesta. Sei muito bem que, se eu decidisse seguir seus passos de perto, teria de mudar muita coisa em minha vida. Nos últimos dez anos, tenho levado uma vida de pouco sofrimento. Digo com transparência que tenho estado bem longe dos problemas do município e dos pobres, depravados e abandonados. O que a obediência a esse compromisso exigiria de mim? Fico relutante em responder. Minha igreja é rica, cheia de pessoas satisfeitas e bem de vida. O discipulado que vivem, estou ciente disso, não é do tipo que aceita sofrimento ou perdas pessoais. Posso estar enganado quando digo 'estou ciente disso'. Posso ter errado por não os impulsionar a uma vida de sentido mais profundo.

"Caxton, meu amigo, falei-lhe de coisas bem pessoais. Será que devo voltar ao meu rebanho e no próximo domingo dizer diante da minha igreja de cidade grande: 'Vamos seguir Jesus mais de perto; vamos andar em seus passos de uma forma que nos custe alguma coisa a mais do que tem nos custado. Vamos assumir o compromisso de não fazer nada sem antes perguntar 'O que faria Jesus?'. Se eu fosse e me dirigisse a eles com uma mensagem dessas, ela seria considerada estranha e assustadora. Mas, por quê? Não estamos dispostos a segui-lo por onde quer que seja? O que é ser um seguidor de Jesus? O que significa imitá-lo. O que significa andar em seus passos?".

O rev. Calvin Bruce, da Igreja da Nazareth Avenue, de Chicago, deixou sua pena cair sobre a mesa. Havia chegado a uma encruzilhada, e sua pergunta, ele sabia, era a pergunta de muitos homens que estavam no ministério e na igreja. Dirigiu-se à janela e a abriu. Sentia-se esmagado pelo peso de suas convicções e quase sufocado dentro do quarto. Queria ver as estrelas e sentir a brisa.

A noite estava bem calma. O relógio da Primeira Igreja acabava de bater meia-noite. Então uma voz clara e forte na direção do Retângulo chegou a seus ouvidos.

Era a voz de um dos antigos convertidos de Gray, um vigia que trabalhava nos centros de distribuição de alimentos e que, de vez em quando, em suas horas de solidão, cantava um verso ou dois de um hino bem conhecido:

Morri na cruz por ti,
　　Morri p'ra te salvar;
　　Meu sangue, sim, verti,
　　E posso te salvar.
　　Morri, morri, na cruz por ti,
　　Que fazes tu por mim?

O rev. Calvin Bruce afastou-se da janela e, depois de um momento de hesitação, ajoelhou-se. "O que faria Jesus?" Era esse o pensamento dominante em sua oração. Ele nunca havia se curvado tão completamente diante da revelação perscrutadora de Jesus que o Espírito tornava possível. E ficou um bom tempo de joelhos. Então retirou-se e foi dormir, mas acordou várias vezes durante a noite. Levantou-se antes de clarear o dia e abriu a janela de novo. À medida que o sol nascente ganhava força, ele repetia para si mesmo: "O que faria Jesus? Devo seguir os passos dele?"

O sol já ia alto e inundava a cidade com sua força. Quando haverá de raiar o dia em que um novo conceito de discipulado permitirá que os cristãos andem mais próximos de Jesus? Quando a cristandade haverá de palmilhar pelo caminho que ele andou? Este é o caminho percorrido pelo Mestre; não haverá o discípulo de andar por ele?

Com essa pergunta perpassando todo o seu ser, o rev. Calvin Bruce voltou para Chicago, onde a grande crise de transição da vida no ministério irrompeu repentina e irresistivelmente sobre ele.

Capítulo 21

Mestre, seguir-te-ei para onde quer que fores.

A matinê de sábado no Auditorium de Chicago havia terminado, e a multidão de pessoas saía, cada uma tentando chegar a sua carruagem antes das demais. O porteiro do Auditorium gritava, chamando as carruagens por seus números, e as portas dos veículos eram abertas e fechadas com força e rapidez, assim que os cavalos eram conduzidos até o meio-fio da calçada, sendo controlados com firmeza pelos condutores, que tinham ficado um bom tempo esperando e tremendo de frio, mas agora saíam com pressa e subiam a avenida, transportando seus passageiros.

— Próximo, número 624! — gritou o porteiro. — Número 624! — repetiu. E então aproximou-se uma parelha de imponentes cavalos negros puxando uma carruagem em cuja porta se liam as iniciais C.R.S., escritas em dourado.

Duas moças saíram do meio da multidão e dirigiram-se à carruagem. A mais velha entrou e sentou-se; o porteiro ainda estava segurando a porta aberta para a mais jovem, mas ela hesitava, ainda de pé na calçada.

— Vamos, Felicia! O que você está esperando? Vou morrer de frio aqui! — gritou a moça de dentro da carruagem.

A moça do lado de fora despregou rapidamente de seu vestido um pequeno ramalhete de violetas e entregou-o a um menino sentado na beira da calçada, que tremia de frio quase junto às patas dos cavalos. Ele o pegou com uma expressão de perplexidade e disse: — Obrigado, senhorita! — E colocou as flores junto ao rosto para sentir o perfume. A moça subiu na carruagem, a porta se fechou com força, e em poucos instantes o condutor já estava avançando com pressa por uma das avenidas.

— Você vive fazendo coisas estranhas, Felicia — disse a moça mais velha, enquanto o veículo passava por lindas casas com as luzes já acesas.

— É mesmo? O que foi que fiz de estranho agora, Rose? — perguntou ela, levantando a cabeça e olhando de repente para a irmã.

— Ah! essa coisa de dar flores para o menino! Parecia que ele precisava mais de uma comida quentinha e não de um feixe de violetas. Até me admiro que você não o tenha convidado a vir conosco para casa. Se você fizesse isso, eu não me surpreenderia. Você está sempre fazendo esse tipo de coisa esquisita.

— Você acha que seria esquisito convidar um menino como aquele para vir até nossa casa e fazer uma refeição quente? — perguntou Felicia com serenidade, quase como se estivesse falando sozinha.

— Pode ser que "esquisito" não seja a melhor palavra — respondeu Rose com indiferença. — Quem sabe "exagero" defina melhor o que você faz de vez em quando. Mas espero, por favor, que você não convide o garoto ou outros como ele para jantar, simplesmente porque lhe fiz uma sugestão. Ah, querida, estou exausta.

Então bocejou, enquanto Felicia olhava para fora em silêncio.

— O concerto foi muito ruim, e o violinista era muito chato. Não entendo como você conseguiu assistir a tudo aquilo tão quieta — exclamou Rose meio impaciente.

— Eu gostei da música — respondeu Felicia com serenidade.

— Você gosta de qualquer coisa! Nunca vi uma moça com tão pouca capacidade de crítica.

Felicia ficou levemente corada, mas não respondeu nada. Rose bocejou de novo e cantarolou um trecho de uma música conhecida. Então exclamou abruptamente:

— Estou cansada de quase tudo. Espero que "Sombras de Londres" seja um belo espetáculo hoje de noite.

— "Sombras de Chicago" — murmurou Felicia.

— "Sombras de Chicago"? Estou falando de "Sombras de Londres", a peça, um ótimo drama com um cenário maravilhoso, sensação de Nova York nos últimos dois meses. Você sabe que temos um camarote com a família Delano para hoje de noite.

Felicia virou-se para a irmã. Seus grandes olhos castanhos eram muito expressivos e denunciavam um brilho que os iluminavam.

— Mesmo assim, nunca lamentamos o que acontece de verdade no palco da vida. O que são as "Sombras de Londres" no palco quando comparadas com as "Sombras de Chicago", as que existem na realidade? Por que não nos impressionamos com os fatos da vida real?

— Porque as pessoas de verdade são sujas e desagradáveis, e é tudo muito chato — respondeu Rose sem dar muita atenção. — Felicia, você nunca vai conseguir consertar o mundo. Para que isso? Não somos culpados pela pobreza nem pela miséria. Sempre existiram pobres e ricos; e eles sempre haverão de existir. Devemos ser gratas por sermos ricas.

— Imagine se Cristo tivesse agido com esse pensamento — replicou Felicia com uma insistência que não lhe era comum. — Lembra o sermão do dr. Bruce sobre aquele versículo, alguns domingos atrás? "Pois conheceis a graça de nosso Senhor Jesus Cristo, que, sendo rico, se fez pobre por amor de vós, para que, pela sua pobreza, vos tornásseis ricos."

— Lembro muito bem — respondeu Rose com certa petulância. — Mas o dr. Bruce também não disse que os ricos não podem ser condenados se forem bons e atenderem às necessidades dos pobres? Tenho certeza de que ele mesmo está muito bem de vida. Ele nunca abriria mão de seu luxo simplesmente porque há pessoas que passam fome. O que adiantaria fazer isso? Só lhe digo uma coisa, Felicia, sempre haverá pobres e ricos, por mais que a gente faça. Depois que Rachel Winslow escreveu sobre aquelas esquisitices em Raymond, você tem atormentado toda a família. Não é possível manter esse alto nível a vida toda. Você vai ver como logo Rachel vai desistir de tudo isso. É uma pena que ela não venha para Chicago cantar nos concertos do Auditorium. Ela até chegou a ser convidada. Vou escrever para ela e insistir para que venha. Estou louca para vê-la cantar.

Felicia olhou pela janela e manteve-se em silêncio. A carruagem passou por dois quarteirões cheios de casas magníficas e então entrou por uma ruazinha particular. As irmãs desceram e correram para dentro de casa. Era uma fina mansão construída de pedra, decorada como se fosse um palácio, cheia de quadros, esculturas, objetos de arte e outros requintes modernos.

O proprietário de tudo aquilo, sr. Charles R. Sterling, estava diante de uma lareira, fumando um charuto. Havia feito fortuna investindo na compra e venda de grãos e em companhias ferroviárias. Considerava-se que sua riqueza fosse da ordem de mais de dois milhões de dólares. Sua esposa era irmã da mãe de Rachel Winslow. Estava na cama havia anos. Rose e Felicia eram as únicas filhas. Rose tinha 21 anos, era bonita e cheia de vida, havia estudado nas melhores escolas e tinha acabado de entrar para a sociedade, mas já era meio cínica e indiferente. Uma moça difícil de agradar, seu pai dizia, às vezes brincando, às vezes seriamente. Felicia tinha dezenove anos e uma beleza tropical que lembrava um pouco a prima, Rachel Winslow. De atitudes generosas e humanas, estava despertando para a fé cristã, era capaz de todos os tipos de expressão, um enigma para o pai e fonte de irritação para a mãe. Demonstrava grande capacidade para pensar e agir, mas ela mesma não tinha plena consciência disso. Suportaria com facilidade quaisquer condições de vida, se lhe dessem a liberdade de agir baseada em suas convicções.

— Esta carta chegou para você, Felicia — disse o pai, entregando-a para a filha.

Felicia sentou-se e abriu a carta imediatamente; então disse:

— É da Rachel.

— Ora, ora, quais são as últimas novidades de Raymond? — perguntou o sr. Sterling, tirando da boca o charuto e olhando para Felicia com os olhos meio cerrados, como se a estivesse analisando.

— Rachel diz que o dr. Bruce ficou dois domingos em Raymond e pareceu ter se interessado bastante pelo compromisso do sr. Maxwell na Primeira Igreja.

— O que ela diz de si própria? — perguntou Rose, deitada num sofá e quase coberta por elegantes almofadas.

— Ela continua a cantar no Retângulo. Desde que as reuniões da tenda acabaram, ela vem cantando num velho teatro, até que fiquem prontos os novos edifícios que sua amiga Virginia Page está construindo.

— Preciso escrever para Rachel e dizer que venha para Chicago nos visitar. Ela não devia desperdiçar sua voz naquela cidade à beira da linha do trem, cantando para pessoas que não sabem apreciá-la — disse Rose.

O sr. Sterling acendeu outro charuto e exclamou:

— Rachel é tão esquisita. Se ela viesse cantar no Auditorium, enlouqueceria o público de Chicago. E ela fica lá, jogando fora o talento com pessoas que nem entendem o que estão ouvindo.

— Rachel não virá para Chicago, a não ser que possa manter-se fiel ao seu compromisso e vir para cá ao mesmo tempo — disse Felicia depois de uma pausa.

— Que compromisso? — perguntou o sr. Sterling, mas logo emendando: — Ah, sim, o compromisso! Aquilo é uma coisa bem *sui generis*! Alexander Powers era meu amigo. Aprendemos telegrafia juntos. Ele causou uma grande sensação quando renunciou ao cargo e entregou as provas de corrupção para as autoridades. Agora está de volta ao telégrafo. Aconteceram coisas estranhas em Raymond no último ano. Gostaria de saber o que o dr. Bruce pensa de tudo isso. Preciso conversar com ele sobre esses acontecimentos.

— Ele está em Chicago e vai pregar amanhã — disse Felicia. — Talvez nos fale um pouco sobre o assunto.

Houve silêncio por um minuto. Então Felicia disse de súbito, como se estivesse dando voz a um pensamento diante de um ouvinte invisível:

— E se ele fizesse a mesma proposta para os membros da Igreja da Nazareth Avenue?

— Quem? O que é que você está dizendo? — perguntou o pai de forma meio ríspida.

— Estou falando do dr. Bruce. E se ele fizesse para a nossa igreja a mesma proposta que o sr. Maxwell fez para a dele, e solicitasse voluntários que assumissem o compromisso de fazer todas as coisas somente depois de responder à pergunta "o que faria Jesus?".

— Não há perigo de que isso aconteça — disse Rose, levantando-se de repente do sofá, ao ouvir o sino que avisava da hora do chá.

— Na minha opinião, é um movimento totalmente inviável — disse o sr. Sterling.

— Li na carta de Rachel que a igreja de Raymond vai tentar fazer com que a ideia do compromisso chegue a outras igrejas. Se eles conseguirem isso, haverá grandes mudanças na vida das pessoas e das igrejas — completou Felicia.

— Está bem, mas vamos primeiro tomar o nosso chá! — disse Rose, já caminhando para a sala de jantar. O pai e Felicia a acompanharam, e os três tomaram o chá em silêncio. A sra. Sterling fazia as refeições no quarto. O pai estava preocupado. Comeu pouco e logo pediu licença para se retirar da mesa; apesar de ser uma noite de sábado, observou que iria sair para resolver algum assunto de negócios.

— Você não acha que o papai anda muito preocupado ultimamente? — perguntou Felicia um pouco depois da saída dele.

— Ah, sei lá! Não percebi nada de estranho nele — respondeu Rose. Depois de uma pausa, ela disse: — Você vai ao teatro agora de noite, Felicia? A sra. Delano passará por aqui às sete e meia. Acho que você deve ir. Ela vai ficar sentida se você não for junto.

— Eu vou. Não faço questão de ficar. Mas já enxergo muitas sombras, mesmo sem assistir à peça.

— Mas que coisa triste de ouvir dos lábios de uma moça de dezenove anos, Felicia! — replicou Rose. — De qualquer modo, suas ideias têm sido bem estranhas, Felicia. Se você subir para falar com a mamãe, diga-lhe que passarei por lá depois do teatro, se ela ainda estiver acordada.

Felicia subiu para ver a mãe e ficou com ela até chegar a carruagem que as viria buscar. A sra. Sterling estava preocupada com o marido. Falava sem parar, irritando-se com cada comentário de Felicia. Não quis que a filha lhe lesse a carta de Rachel; e, quando Felicia se ofereceu para fazer--lhe companhia naquela noite, recusou a oferta de um jeito bem ríspido.

Capítulo 22

Felicia seguiu para o teatro sem estar muito feliz, mas estava acostumada com esse tipo de sentimento que se manifestava só de vez em quando. Naquela noite, seu sentimento se expressava com uma atitude de introversão. Quando o grupo já estava acomodado no camarote e a cortina subiu, Felicia encontrava-se atrás dos outros e permaneceu sozinha naquela noite. A sra. Delano conhecia bem as moças e compreendia Felicia o suficiente para saber que ela era "esquisita", como Rose vivia dizendo; por isso, não tentou tirá-la do seu isolamento. Assim, a moça experimentou naquela noite um dos sentimentos que colaboraria para a chegada do grande momento crítico de sua vida.

A peça era um melodrama inglês, cheia de situações impressionantes, cenário realista e momentos de clímax inesperados. Uma cena do terceiro ato impressionou até Rose Sterling.

Era meia-noite sobre a ponte Blackfriars. Por baixo dela corria o Tamisa, escuro e ameaçador. A catedral de St. Paul erguia-se no meio da penumbra, e seu domo parecia flutuar acima dos edifícios que a cercavam. Uma criança aparece na ponte e fica ali por um momento como se estivesse procurando alguém. Muita gente está atravessando a ponte, mas lá no meio há uma mulher sobre o parapeito, inclinando-se para a frente e, com a fisionomia agoniada, mostra claramente sua intenção. No instante em que ela sobe no parapeito para jogar-se no rio, a criança a vê, corre em sua direção com um grito que parece mais animal que humano e, agarrando o vestido da mulher, puxa-a com toda sua força de criança.

De repente, entram em cena duas outras personagens que já tinham participado da peça: um cavalheiro alto, elegante, de corpo atlético e bem-vestido, junto com um garoto esguio e sofisticado nas roupas e na aparência, em contraste com a menininha agarrada à mãe, maltrapilha e de uma pobreza repulsiva. O cavalheiro e o garoto evitam o suicídio; depois de uma conversa sobre a ponte, em que o público fica sabendo que o homem e a mulher eram irmãos, a cena muda para o interior de um dos cortiços da zona leste de Londres.

O cenógrafo havia feito um excelente trabalho para reproduzir com fidelidade uma famosa rua e um beco bem conhecido pelas pobres criaturas que constituem uma parte da escória social de Londres. Os farrapos, a superpopulação, a degradação, os móveis quebrados e a horrível existência animal de criaturas feitas à imagem de Deus eram retratadas com tanta competência na cena, que algumas mulheres elegantes da plateia, sentadas como Rose Sterling num pomposo camarote cercado de cortinas de seda e veludo, flagraram-se com um sentimento de nojo, como se pudessem ser contaminadas pela realidade retratada no cenário. Era excessivamente realista, mas, mesmo assim, exercia um terrível fascínio sobre Felicia, sentada sozinha na parte de trás do camarote e absorta em pensamentos que iam bem além do diálogo no palco.

O cenário então muda do cortiço para o interior do palácio de um nobre, o que quase provocou um suspiro de alívio em toda a plateia, agora diante do luxo das classes altas com que as pessoas estavam acostumadas. O contraste era gritante. E a mudança foi possível por um recurso de cenário que permitia passar de um ambiente de cortiço para outro de palácio em apenas alguns segundos.

Os diálogos seguiam, os atores entravam e saíam desempenhando cada um o seu papel, mas Felicia fora tocada por apenas uma parte da peça. As cenas da ponte e dos cortiços eram apenas acessórias naquele caso, mas Felicia as revivia no pensamento. Ela nunca havia teorizado sobre as causas da miséria humana, por ser muito jovem e porque seu temperamento não era do tipo dado a isso. Mas ficou profundamente comovida, e essa não era a primeira vez que sentia o contraste entre as classes alta e baixa da sociedade humana. Tal sentimento vinha ganhando força dentro dela, até que chegou a ser rotulada de "esquisita" por Rose e por outras pessoas de seu círculo social que a chamavam de "bastante peculiar". Tratava-se simplesmente do problema humano retratado em seus extremos da pobreza e da riqueza, do requinte e da degradação. Essa percepção, apesar de suas tentativas inconscientes de lutar contra os fatos, ardia dentro dela, causando-lhe a impressão de que, no fim, ou se transformaria numa mulher de raro amor e autossacrifício pelo mundo, ou viria a ser um enigma deplorável para si mesma e para os que a conheciam.

— Vamos, Felicia, você não vai para casa? — disse Rose. A peça havia chegado ao final, a cortina do palco já havia descido, e as pessoas saíam do teatro num grande burburinho, rindo e fazendo comentários, como se "Sombras de Londres" fosse apenas uma boa diversão levada para o palco com muita competência. Felicia levantou-se e saiu quieta com os demais, dominada pelo sentimento que a distraíra a ponto de não perceber que a peça havia terminado. Ela nunca se mostrava desligada, mas de vez em quando se envolvia com pensamentos que a isolavam no meio de uma multidão.

— E então? O que achou da peça? — perguntou Rose, quando as irmãs chegaram em casa e estavam no vestíbulo.

Rose valorizava consideravelmente as opiniões de Felicia sobre as peças teatrais.

— Acho que foi uma excelente representação da realidade da vida.

— Estou me referindo ao desempenho dos atores — replicou Rose, já meio irritada.

— A cena da ponte foi bem representada, principalmente pela mulher. Achei o homem um pouco exagerado na sua atuação.

— Sério? Eu gostei. Você não achou engraçada a cena dos dois primos ao descobrirem que eram parentes? Mas a cena do cortiço foi horrível. Acho que não deviam mostrar essas coisas no teatro. São muito tristes.

— Devem ser tristes também na vida real — emendou Felicia.

— É, mas não precisamos ficar olhando para essa realidade. É muito ruim pagar para ver uma coisa dessas.

Rose dirigiu-se à sala de jantar e começou a comer algumas frutas e bolos que ali estavam.

— Você vai subir para ver a mamãe? — perguntou Felicia depois de algum tempo. Ela havia permanecido em frente da lareira do vestíbulo.

— Não — respondeu Rose da sala de jantar. — Não quero incomodá-la agora de noite. Se você for até lá, diga-lhe que estou cansada demais e não seria uma boa companhia.

Felicia subiu as escadarias e dirigiu-se ao quarto da mãe. A luz ainda estava acesa, e a empregada que atendia a sra. Sterling fez sinal para que Felicia entrasse.

— Mande Clara sair — exclamou a sra. Sterling, assim que Felicia se aproximou da cabeceira da cama.

Felicia ficou surpresa, mas fez o que a mãe lhe pedira. Em seguida, perguntou como ela estava se sentindo.

— Felicia — disse a mãe — você poderia orar?

A pergunta era tão inesperada, que Felicia ficou perplexa. Sua mãe nunca lhe havia pedido que orasse. Mas respondeu:

— Como assim? Claro, mamãe! Por que a senhora está me pedindo que ore?

— Felicia, estou apavorada. É o seu pai. Tive sentimentos estranhos sobre ele, sentimentos que me encheram de medo o dia todo. Há alguma coisa errada com ele. Quero que você ore.

— Aqui mesmo e agora, mamãe?

— Sim, ore, Felicia.

Felicia estendeu a mão e segurou a mão trêmula da mãe. A sra. Sterling nunca demonstrara carinho pela filha caçula. Aquele pedido inesperado era o primeiro sinal de que confiava no caráter de Felicia.

A moça ajoelhou-se e, ainda segurando a mão trêmula da mãe, orou. Ela tinha dúvidas se alguma vez já havia orado em voz alta. Deve ter pronunciado as palavras que sua mãe precisava ouvir, porque, ao final da oração, a mulher estava chorando com serenidade, mas a tensão havia desaparecido.

Felicia ficou mais algum tempo ali e, quando viu que sua presença não seria mais necessária, levantou-se para sair.

— Boa-noite, mamãe. Peça à Clara que me chame se a senhora se sentir mal durante a noite.

— Estou melhor agora. — Então, quando Felicia estava se dirigindo para a porta do quarto, a sra. Sterling disse:

— Felicia, você não vai me dar um beijo?

Felicia voltou e beijou a mãe. O beijo lhe era tão inusitado quanto havia sido a oração. Ao sair do quarto, lágrimas rolavam por suas faces. Depois da infância, haviam sido poucas as vezes que chorara.

As manhãs de domingo eram geralmente silenciosas na mansão da família Sterling. As moças costumavam ir ao culto das onze horas. O sr. Sterling não era membro da igreja, mas contribuía com muito dinheiro e em geral ia ao culto no período da manhã. Desta vez, ele não desceu para tomar café e depois mandou um recado pela empregada, dizendo que não estava se sentindo bem para sair. Então Rose e Felicia dirigiram-se à Igreja da Nazareth Avenue e sentaram-se sozinhas no banco da família Sterling.

Quando o dr. Bruce saiu da salinha atrás do púlpito e abriu a Bíblia, como fazia de costume, os que o conheciam bem não detectaram nada de estranho em seu comportamento nem em sua fisionomia. Ele prosseguiu com o culto como sempre. Estava calmo, e sua voz, firme. Sua oração foi o primeiro indício de alguma coisa nova ou estranha no culto. Não é exagero afirmar que os membros da igreja, nos doze anos de seu pastorado, nunca tinham ouvido uma oração como aquela. Como haveria de orar um pastor que havia passado por uma reviravolta em seus sentimentos como cristão, algo que havia mudado completamente seu conceito a respeito de seguir o Senhor Jesus?

Ninguém naquela igreja tinha a menor ideia de que o rev. Calvin Bruce, doutor em teologia, culto, digno e sofisticado, estivera há poucos dias chorando como uma criança, ajoelhado e pedindo força e coragem para dar sua mensagem do domingo. Assim, a oração foi uma exposição involuntária e inconsciente da experiência de sua alma, algo que a igreja ouvira pouquíssimas vezes, e nunca do púlpito.

No silêncio que seguiu a oração, uma clara onda de poder espiritual cobriu a congregação. Até os mais desligados a sentiram. Felicia, cuja sensibilidade espiritual respondia com rapidez a qualquer toque de emoção, estremeceu sob aquela onda de poder sobrenatural e, quando levantou a cabeça e olhou para o ministro, notou que algo muito importante e grave estava para acontecer. E não foi somente ela que notara isso. Alguma coisa na oração havia despertado muitos discípulos naquela igreja. Por todo o templo, homens e mulheres mostravam-se ansiosos e atentos. Quando o dr. Bruce começou a falar de sua visita a Raymond um pouco antes do sermão, houve grande receptividade nas pessoas. Ele a percebia enquanto falava e estava emocionado com a esperança de um batismo espiritual que ele nunca havia experimentado em todo seu tempo de ministério.

Capítulo 23

— Estou voltando de uma visita a Raymond — iniciou o dr. Bruce — e gostaria de lhes contar um pouco do que encontrei ali.

Então fez uma pausa e olhou para as pessoas com grandes esperanças e, ao mesmo tempo, com grandes incertezas no coração. Quantos daqueles membros ricos, sofisticados, requintados e dados ao luxo iriam entender a natureza do apelo que ele estava para lhes fazer? Ele não tinha a menor ideia do que podia acontecer. Contudo, havia experimentado o seu deserto, mas tinha saído dele disposto a sofrer. Então continuou depois da breve pausa e começou a lhes contar sobre o tempo que passara em Raymond. As pessoas sabiam um pouco da experiência na Primeira Igreja. O país inteiro havia acompanhado o avanço do compromisso que passara a integrar a história de muitas vidas.

O sr. Maxwell tentava estabelecer parcerias com outras igrejas em todo o país. O novo discipulado em Raymond tinha alcançado resultados tão incríveis, que ele queria que as igrejas em geral participassem da mesma experiência dos discípulos de sua cidade. Já se havia iniciado um movimento de voluntários em muitas igrejas espalhadas pelo país, numa iniciativa de pessoas que agiam baseadas no desejo de seguir mais de perto os passos de Jesus. As sociedades de jovens de muitas igrejas haviam assumido com entusiasmo o compromisso de fazer o que Jesus faria. Como resultado, percebia-se uma vida espiritual mais profunda e um poder de influência da igreja que se assemelhava a um novo nascimento para os membros.

O dr. Bruce disse todas essas coisas ao seu rebanho de um jeito simples e com um interesse pessoal que o levava a fazer o anúncio. Felicia havia escutado tudo com muita atenção. Sentada junto a Rose, as duas eram como fogo e gelo lado a lado, embora Rose estivesse atenta e impressionada dentro do que lhe era possível.

— Meus amigos — disse ele, e era a primeira vez depois da oração que sua voz e seus gestos denunciavam que ele estava emocionado — peço que a Igreja da Nazareth Avenue assuma o mesmo compromisso assumido pela igreja de Raymond. Tenho consciência do que isso irá significar para vocês e para mim. Significará a completa mudança de muitos hábitos. É possível que signifique perdas na área social. Também é possível que signifique, em muitos casos, prejuízo financeiro. Significará sofrimento. Significará o que seguir Jesus significava no primeiro século, ou seja, sofrimento, perdas, agruras, separação de tudo que não seja apropriado à vida de um cristão. Mas o que significa seguir Jesus? A prova do discipulado nos dias de hoje é a mesma daquela época. Nesta igreja, os que se dispuserem a fazer o que Jesus faria estarão simplesmente prometendo seguir os passos de Jesus conforme o mandamento que ele nos deu.

Então fez mais uma pausa. Agora o efeito de seu anúncio era mais que visível na comoção que tomou conta das pessoas. E acrescentou com voz tranquila que todos os que se dispusessem a assumir o compromisso de fazer o que Jesus faria estavam convidados a permanecer um pouco mais após o culto da manhã.

E de imediato prosseguiu com o sermão. O texto escolhido era: "Mestre, seguir-te-ei para onde quer que fores". Foi um sermão que abalou as estruturas que pautavam a conduta dos ouvintes, uma declaração do novo conceito que o pastor da igreja estivera aprendendo. O sermão os levou de volta ao primeiro século do cristianismo. Acima de tudo, instigou-os a redefinir o que pensavam há anos sobre o significado e o propósito de estarem filiados a uma igreja. Foi um daqueles sermões que se prega só uma vez na vida, mas com conteúdo suficiente para que as pessoas vivessem com ele pelo resto da vida.

O culto encerrou-se com um silêncio que foi logo interrompido. As pessoas iam se levantando aos poucos aqui e ali. Alguns se movimentavam com uma relutância surpreendente. Rose, entretanto, levantou-se sem hesitar e, ao chegar ao corredor da igreja, olhou para Felicia e lhe fez um sinal. Foi bem na hora em que todos se levantavam.

— Eu vou ficar — disse Felicia. Rose conhecia aquele jeito de se expressar e sabia que ela não iria mudar de ideia. Assim mesmo, voltou alguns passos até o banco e olhou-a com firmeza.

— Felicia — sussurrou enrubescendo de raiva — isso é uma bobagem. O que você poderá fazer? Você vai envergonhar nossa família. O que o papai vai dizer? Vamos embora!

Felicia a encarou, mas não respondeu de imediato. Seus lábios moviam-se numa oração que vinha do íntimo marcado por uma nova vida.

— Não; vou ficar. Assumirei o compromisso. Estou disposta a obedecer. Você não entende por que estou fazendo isso.

Rose olhou para ela, virou-se e saiu andando pelo corredor. E nem parou para conversar com os amigos. A sra. Delano estava saindo no momento em que Rose chegou ao vestíbulo.

— Então você não vai participar do grupo de voluntários do dr. Bruce? — perguntou a sra. Delano, num tom de voz estranho que fez Rose corar.

— Não. E a senhora, vai? Isso é simplesmente um absurdo. Sempre achei que o movimento de Raymond era uma expressão de fanatismo. A senhora sabe que minha prima Rachel nos mantém informados por cartas.

— É, sei que está causando uma série de dificuldades em muitos casos. Quanto a mim, penso que o dr. Bruce não está fazendo outra coisa a não ser trazer problemas para cá. Vai acabar dividindo a igreja. Você verá se isso não vai acontecer! Há muitas pessoas na igreja tão bem situadas na vida, que não poderão assumir o compromisso e cumpri-lo. Eu mesma sou uma delas — acrescentou a sra. Delano, enquanto saía com Rose.

Quando Rose chegou em casa, seu pai estava, como de hábito, fumando seu charuto de frente para a lareira.

— Onde está Felicia? — perguntou assim que Rose surgiu.

— Ela ficou para uma reunião após o culto — respondeu Rose rapidamente. Então tirou o casaco e começou a subir as escadas, mas o sr. Sterling a chamou.

— Reunião após o culto? Como assim?

— O dr. Bruce convidou a igreja a assumir o mesmo compromisso de Raymond.

O sr. Sterling tirou o charuto da boca e começou a girá-lo nervosamente entre os dedos.

— Eu não esperava isso do dr. Bruce. Foram muitos os membros que ficaram?

— Eu não sei. Eu não fiquei — respondeu Rose, subindo as escadas e deixando o pai em pé na sala de estar.

Depois de alguns instantes, ele se dirigiu à janela e ficou ali, olhando as pessoas que passavam pela avenida. O charuto se apagara, mas ele ainda o segurava nervosamente entre os dedos. Então, virando-se, começou a andar de um lado para o outro na sala. Uma das empregadas veio avisar que o almoço já estava pronto. Mas ele lhe disse que esperasse Felicia chegar. Rose desceu as escadas e foi para a biblioteca. E o sr. Sterling continuou ali, andando sem parar pela sala.

Finalmente acabou se cansando e jogou-se numa cadeira, onde ficou refletindo profundamente sobre alguma coisa. Foi então que Felicia chegou.

Ele se levantou e olhou para ela. Felicia, é claro, estava muito emocionada com a reunião de que acabara de participar. Ao mesmo tempo, não queria sair tagarelando sobre o assunto. Assim que ela entrou na sala de estar, Rose chegava da biblioteca.

— Quantas pessoas ficaram? — perguntou Rose muito curiosa. Ao mesmo tempo, ela não acreditava nem um pouco no movimento de Raymond.

— Umas cem pessoas — respondeu Felicia com seriedade. O sr. Sterling olhou surpreso. Felicia estava saindo da sala, mas ele a chamou:

— Você pensa mesmo em cumprir o compromisso? — perguntou ele.

Felicia corou. O sangue quente fluiu-lhe pela face e pelo pescoço, e ela respondeu:

— Papai, se o senhor tivesse participado da reunião, não faria uma pergunta dessas. — Então ficou mais um pouco na sala e pediu licença para não almoçar naquele momento. E subiu as escadas para ver a mãe.

Ninguém, a não ser as duas, soube do que se conversou naquele encontro. Com certeza, ela deve ter contado à mãe alguma coisa sobre o poder espiritual que havia impressionado as pessoas do grupo de discípulos que se reuniu com o dr. Bruce naquela manhã após o culto. Com certeza também, Felicia nunca tinha passado por uma experiência como aquela e nunca pensaria em relatá-la para a mãe, se não fosse pelo pedido de oração da noite anterior. Há outra coisa que se sabe sobre a experiência de Felicia. Quando chegou para almoçar na mesa onde o pai e Rose já estavam, não foi capaz de lhes dizer muita coisa sobre a reunião. Ela relutava em falar do assunto para os dois. No fim da tarde daquele domingo, na mansão da família Sterling, num canto de seu quarto onde a luz era menos intensa, Felicia ajoelhou-se e, quando ergueu o rosto na direção da luz, sua face revelava que ela era uma mulher que já havia definido para si mesma as grandes questões da vida neste mundo.

No mesmo dia, após o culto da noite, o dr. Bruce estava conversando com sua esposa sobre os acontecimentos daquele domingo. Os dois pensavam e sentiam o mesmo sobre o assunto, enfrentando o futuro com a fé e a coragem de novos discípulos. Nenhum deles tinha falsas expectativas sobre as prováveis consequências que o compromisso traria para eles mesmos ou para a igreja. Os dois conversavam há algum tempo, quando a campainha soou, e o dr. Bruce, abrindo a porta, exclamou:

— Edward, é você! Entre!

Então entrou uma pessoa de figura imponente. O bispo era bem alto, forte, e a primeira impressão que causava era de ser muito saudável e também muito afetuoso.

Ao chegar à sala de estar, cumprimentou a sra. Bruce, que logo os deixou sozinhos para atender alguém que a chamava. O bispo sentou-se numa cadeira confortável junto à lareira. A umidade do início da primavera tornava o fogo agradável.

— Calvin, você deu um passo muito sério hoje — disse finalmente, fitando com seus olhos grandes e negros o ex-colega de faculdade. — Fiquei sabendo essa tarde e não pude resistir ao desejo de conversar com você ainda hoje.

— Que bom que você veio! — Então, com uma das mãos sobre o ombro do bispo, perguntou-lhe:

— Edward, você entende o que tudo isso significa?

— Penso que sim. Tenho certeza que sim — o bispo falava devagar e refletindo bastante sobre o que dizia. Sentado com as mãos juntas, insinuou-se uma sombra sobre seu rosto marcado por linhas de consagração e serviço em favor dos outros, mas não era a sombra projetada pela luz do fogo. Então novamente levantou os olhos na direção do velho amigo.

— Calvin, sempre nos entendemos bem. Mesmo seguindo caminhos diferentes na vida da igreja, temos andado juntos em comunhão cristã.

— É verdade — concordou o dr. Bruce, tomado de uma emoção que não procurou esconder. — Graças a Deus por isso. Prezo sua amizade mais que a de outras pessoas. Sempre soube o que ela significava, mesmo não me achando merecedor.

O bispo olhou afetuosamente para o amigo, mas a sombra permanecia sobre seu rosto. Depois de uma pausa, disse:

— O novo conceito de discipulado significa que tanto você quanto seu trabalho estão num momento crítico. Se você mantiver o compromisso de fazer todas as coisas do jeito que Jesus faria, e eu sei que você haverá de mantê-lo, não é preciso ser profeta para prever algumas mudanças importantes em seu pastorado.

Contemplativo, o bispo olhou para o amigo e continuou:

— Na realidade, não vejo como uma perfeita revolução no cristianismo, como sabemos ser esse compromisso, possa ser evitada se igrejas e pastores de modo geral abraçarem o compromisso de Raymond e o colocarem em prática.

Então fez uma pausa, como se esperasse que o amigo fosse dizer ou perguntar alguma coisa. Mas Bruce não sabia que o coração do bispo estava ardendo em torno da mesma questão que ele e Maxwell estavam enfrentando.

— Por exemplo, em minha igreja — continuou o bispo — receio que seria meio difícil encontrar muitas pessoas que assumissem um compromisso desses e o colocassem em prática. O martírio é uma arte que se perdeu em nosso meio. O cristianismo que vivemos preza tanto o conforto e as facilidades, que não se disporia a carregar algo tão rude e pesado quanto uma cruz. E, afinal, o que significa seguir Jesus? O que é seguir os seus passos?

O bispo estava agora falando como se num monólogo, e podia ser que nem estivesse bem consciente da presença do amigo. Pela primeira vez ocorria ao dr. Bruce ter consciência da verdade. E se o bispo colocasse o peso de sua grande influência no lado do movimento de Raymond? Ele era respeitado por aristocratas ricos e sofisticados, não apenas em Chicago, mas em várias cidades grandes. E se o bispo desse seu apoio a essa nova forma de viver como discípulo de Cristo!

O pensamento estava para dar lugar à palavra, e o dr. Bruce havia estendido a mão, com a liberdade que os dois tinham, colocando-a sobre o ombro do amigo. Estava pronto para fazer-lhe uma pergunta muito importante, mas ambos foram interrompidos pelo som estridente da campainha. A sra. Bruce havia ido atender à porta e falava com alguém. Ao som de um grito de espanto, o bispo se levantou, enquanto Bruce caminhava em direção à cortina que ficava na entrada da sala de visitas. Antes que a abrisse, a sra. Bruce puxou-a para o lado, trêmula e pálida.

— Ah, Calvin! Que notícia horrível! O sr. Sterling! É difícil até mesmo falar! Que golpe para as duas moças!

— O que foi? — disse Bruce, dirigindo-se com o bispo até a porta, onde se encontrava um rapaz com o chapéu na mão, que viera trazer a notícia, pois o dr. Bruce era amigo íntimo da família.

— O sr. Sterling suicidou-se com um tiro há poucos minutos, senhor, dentro do quarto onde dormia.

— Vou já para lá, Edward. Você me acompanha? Os Sterlings são seus velhos amigos também.

O bispo estava branco, mas calmo como sempre. Olhou para o amigo e disse:

— Claro, Calvin, eu o acompanharei não só a esse lugar de morte, mas também pela vereda do pecado e da tristeza humana, se Deus me ajudar.

Então, mesmo num momento de horror diante da notícia inesperada, o dr. Bruce pôde entender o que o bispo havia prometido fazer.

Capítulo 24

São eles os seguidores do Cordeiro, por onde quer que vá.

Quando o dr. Bruce e o bispo entraram na mansão da família Sterling, tudo estava muito confuso, e o terror era quase palpável. As salas do andar térreo estavam vazias, mas no andar de cima ouviam-se passos apressados e muito barulho. No momento em que o bispo e o dr. Bruce começaram a subir as escadas, uma das empregadas desceu às pressas com uma expressão de horror no rosto.

— A srta. Felicia está com a sra. Sterling — respondeu ao ser questionada, caindo em seguida num choro histérico enquanto passava pela sala de estar, dirigindo-se para o lado de fora da casa.

No alto da escadaria, os dois foram recebidos por Felicia. Ela se dirigiu ao dr. Bruce e segurou-lhe as mãos. O bispo passou-lhe a mão pela cabeça, e os três ficaram por um instante em perfeito silêncio. O bispo conhecia Felicia desde seus tempos de menina. E foi o primeiro a romper o silêncio:

— O Deus de toda misericórdia esteja com você, Felicia, nesta hora tão difícil. Sua mãe...

E então hesitou. Durante o caminho apressado da casa do dr. Bruce à mansão da família Sterling, ele não conseguira resistir e desenterrara do passado um bonito romance vivido na juventude. Nem mesmo Bruce sabia disso. Mas houve um tempo em que o bispo sentia uma afeição singular pela bela Camilla Rolfe, mas ela foi obrigada a fazer sua escolha: ele ou o milionário. O bispo não alimentava nenhuma amargura na memória, mas a lembrança ainda estava lá.

Em resposta à pergunta inacabada do bispo, Felicia virou-se e voltou ao quarto da mãe. Ela ainda não havia falado nada, mas os dois estavam impressionados com sua calma. Voltando à porta do quarto, fez-lhes sinal para que entrassem, e foi o que fizeram os dois pastores, pressentindo que estavam para ver algo insólito.

Rose estava com os braços estendidos sobre a cama. Clara, a empregada, estava sentada com a cabeça entre as mãos, chorando aterrorizada. E a sra. Sterling, com o rosto irradiando uma rara luz, estava ali, tão inerte, que até o bispo ficou em dúvida a princípio. Então, quando perceberam o que havia acontecido, o bispo estremeceu e sentiu a dor lancinante da antiga ferida atravessar-lhe o corpo. Mas a dor passou, e ele ficou ali, naquela câmara da morte, com a eterna calma e força que os filhos de Deus têm o direito de possuir. E foram essa calma e essa força que o ajudaram nos dias que seguiram à tragédia.

Logo em seguida, ouviu-se muito barulho na parte de baixo da casa. Quase ao mesmo tempo, chegaram o médico, que havia sido chamado, mas morava longe, e os policiais que haviam sido avisados pelas empregadas apavoradas. Além deles, encontravam-se ali quatro ou cinco repórteres e vários vizinhos. O dr. Bruce e o bispo viram aquela gente toda do alto da escadaria, mas desceram e conseguiram fazer sair todos os que não eram necessários no momento. Ao lado das pessoas que ficaram os dois amigos tomaram conhecimento dos fatos que se tornaram conhecidos como "A tragédia da família Sterling", título usado por jornais sensacionalistas no dia seguinte.

Naquela noite, o sr. Sterling havia ido para seu quarto, por volta das nove horas. Foi a última vez que o viram, e, depois de meia hora, ouviu-se um tiro dentro do quarto. Uma empregada que se encontrava no corredor dos quartos correu até o local e o encontrou morto no chão. Naquele momento, Felicia estava com a mãe. Rose lia na biblioteca. Ela correu para cima, viu o pai sendo levantado e colocado no sofá pelos empregados e saiu correndo e gritando na direção do quarto da mãe, onde, perdendo os sentidos, caiu junto aos pés da cama. A sra. Sterling havia, a princípio, desmaiado com o choque, mas recuperou-se com uma incrível rapidez e mandou chamar o dr. Bruce. Ela insistia em ver o marido.

Embora Felicia tentasse impedi-la, ela havia pedido à empregada que a amparasse para cruzar o corredor e entrou no quarto onde o marido estava. Então, tendo olhado para ele sem chorar, voltou para seu quarto e foi colocada na cama. Quando o dr. Bruce e o bispo chegaram, ela dava os últimos suspiros, balbuciando uma oração em que pedia perdão por si mesma e pelo marido, enquanto Felicia curvava-se sobre ela e Rose continuava desmaiada a seus pés.

Como fora grandiosa e rápida a entrada da morte implacável naquele palácio de luxo na noite daquele domingo! Mas ninguém havia entendido o porquê disso tudo, até que se revelaram os fatos ligados aos negócios do sr. Sterling.

O que se ficou sabendo é que já fazia algum tempo que ele vinha enfrentando a ruína financeira por causa de certas especulações que, no período de apenas um mês, haviam acabado completamente com sua fortuna. Com a destreza e o desespero de um homem que luta pela própria vida, ele vira seu dinheiro, que era tudo que havia valorizado neste mundo, escorregar-lhe entre os dedos, adiando a desgraça até o último momento. Mas, na tarde daquele domingo, ele havia recebido notícias que lhe davam a certeza de que tudo estava irremediavelmente perdido; a ruína era total. Sua própria casa, as cadeiras em que se sentava, a carruagem, a louça, tudo havia sido comprado com dinheiro ganho sem trabalho honesto.

Mas toda sua riqueza não tinha base confiável, dependente que era de fraudes e especulações. Mais do que ninguém, ele tinha consciência desse fato, mas também tinha esperança, como homens assim costumam ter, de que os mesmos métodos que lhe haviam trazido dinheiro iriam evitar que ele o perdesse. Ele e muitos outros perceberam que estavam enganados. Assim que soube que havia se transformado praticamente num mendigo, ele não viu outra saída, a não ser o suicídio. Era a consequência inevitável da vida que havia levado. Fizera do dinheiro o seu deus. Logo que esse deus se retirara de seu pequeno mundo, nada lhe restava para adorar; e quando um homem perde o objeto de sua adoração, perde a razão para viver. Assim morreu o grande milionário Charles R. Sterling. E morreu como morrem os insensatos, pois que valor o dinheiro pode ter, se comparado com as riquezas inescrutáveis da vida eterna, riquezas que estão acima de qualquer especulação, perdas ou mudanças?

A morte da sra. Sterling deu-se em consequência do choque. Fazia anos que o marido não lhe segredava mais nada, mas ela sabia que as bases daquela riqueza eram precárias. Durante muitos anos experimentara a morte em plena vida. A família Rolfes sempre dera a impressão de que seus membros podiam resistir impassíveis a grandes perdas. A sra. Sterling deu exemplo da velha tradição da família quando foi levada ao quarto onde jazia o corpo do marido. Mas seu corpo frágil não foi capaz de conter-lhe o espírito, e ela morreu dilacerada e enfraquecida por longos anos de sofrimento e decepção.

O efeito desse golpe tríplice, a morte do pai e da mãe, e a perda da casa, logo pôde ser visto na vida das irmãs. O horror dos acontecimentos deixou Rose entorpecida durante semanas. Não havia nada que a animasse. Parecia que ainda não tinha percebido que o dinheiro, que fizera parte tão importante de sua existência, tinha acabado. Mesmo quando ela e Felicia ficaram sabendo que teriam de entregar a casa e viver à custa de parentes e amigos, ela pareceu não entender o que tudo aquilo significava.

Mas Felicia estava bem consciente dos fatos. Entendia o que havia acontecido e o porquê daquilo. Alguns dias depois dos funerais, estava conversando sobre seus planos para o futuro com a prima Rachel. A sra. Winslow e a filha tinham saído de Raymond e viajado para Chicago, assim que as terríveis notícias chegaram até elas. Junto com outros amigos da família planejavam o futuro de Rose e Felicia.

— Felicia, você e Rose devem ir para Raymond conosco. Está tudo acertado. Minha mãe não vai querer saber de outra coisa — disse Rachel com o rosto iluminado de carinho pela prima, carinho que aumentava dia após dia, intensificado pela certeza de que as duas haviam abraçado o compromisso do novo discipulado.

— A menos que eu consiga encontrar algo para fazer aqui — respondeu Felicia. E olhou pensativa para Rachel, que respondeu educadamente:

— Mas o que você poderia fazer aqui, querida?

— Nada. Eu nunca aprendi a fazer coisa alguma, com exceção da música, que domino um pouco, mas não o suficiente para lecionar ou ganhar a vida com ela. Também sei cozinhar um pouco — acrescentou com um sorriso magro.

— Então você pode cozinhar para nós! Minha mãe sempre tem problemas na cozinha — disse Rachel, apesar de entender bem que agora a prima dependia da bondade de parentes e amigos até para comer e para ter onde dormir. É fato que as moças tinham recebido alguma coisa da fortuna do pai, mas a loucura de um especulador fez com que a parte da mãe e das filhas não escapassem da ruína.

— Posso mesmo? — respondeu Felicia, como se estivesse levando a proposta muito a sério. — Estou disposta a realizar qualquer trabalho digno para sustentar a mim e minha irmã. Pobre Rose! Ela nunca vai se recuperar desse choque.

— Quando chegarmos a Raymond, combinaremos os detalhes — disse Rachel entre lágrimas, ao ver a disposição de Felicia para cuidar de si própria.

Assim, algumas semanas depois, Rose e Felicia estavam morando com a família Winslow em Raymond. Foi uma experiência amarga para Rose, mas não havia nada que ela pudesse fazer, a não ser aceitar o inevitável e ficar remoendo os pensamentos sobre a enorme mudança na sua vida, sobrecarregando mais ainda Felicia e a prima Rachel.

Felicia logo se viu numa atmosfera de discipulado que lhe parecia um paraíso de comunhão. É fato que a sra. Winslow não gostava muito da direção que a vida da filha estava tomando, mas os acontecimentos impressionantes em Raymond, desde que o compromisso fora assumido, traziam consequências muito grandes, tanto que mexiam até mesmo com uma senhora como a mãe de Rachel. Felicia estava em comunhão perfeita com a prima. E logo encontrou algo para fazer no trabalho desenvolvido no Retângulo. Dentro de suas novas condições de vida, ela insistia em ajudar nos serviços domésticos na casa da tia, e em pouco tempo provou ser tão competente na cozinha, que Virginia chegou a sugerir que ela se responsabilizasse pelas refeições oferecidas no Retângulo.

Felicia abraçou esse trabalho com uma alegria enorme. Pela primeira vez na vida sentia o prazer de fazer algo de útil pela felicidade dos outros. Sua decisão de fazer todas as coisas depois de perguntar "o que faria Jesus?" passara a integrar sua natureza. Ela amadurecia e se fortalecia de forma admirável. Até a sra. Winslow se viu obrigada a reconhecer a grande utilidade e a beleza de caráter da sobrinha. Ela olhava perplexa para Felicia, uma moça criada na cidade, que havia crescido no meio de muito luxo, filha de um milionário, mas que agora circulava por sua cozinha, com os braços cobertos de farinha, e às vezes até o nariz, pois Felicia tinha o hábito de coçar o nariz quando tentava se lembrar de alguma receita, combinando vários pratos com grande interesse pelos resultados, lavando panelas e frigideiras, enfim fazendo o trabalho de uma empregada doméstica na cozinha da sra. Winslow. Sua habilidade era tanta, que Virginia a convidou para lecionar culinária no Retângulo. No começo, a sra. Winslow fazia objeção:

— Felicia, seu lugar não é aqui fazendo esse tipo de trabalho. Não posso permitir isso.

— Por que, tia? A senhora não gostou dos bolinhos que fiz hoje cedo? — Felicia perguntava carinhosamente, mas com um sorriso escondido, pois sabia que a tia gostava muito de seus bolinhos.

— Estavam ótimos, Felicia. Mas não é certo você ficar aqui trabalhando desse jeito para nós.

— Por que não? O que mais eu poderia fazer?

Pensativa, a sra. Winslow ficava olhando para ela e não podia deixar de notar a beleza de seu rosto e de suas expressões.

— Felicia, você pretende fazer esse trabalho pelo resto da vida?

— Talvez, sim. Eu tinha o sonho de abrir uma loja de produtos para culinária em Chicago ou em alguma outra cidade e percorrer os bairros mais pobres como o Retângulo visitando as famílias. Eu poderia ensinar as mães a preparar alimentos da maneira certa. Lembro-me de ter ouvido o dr. Bruce falar certa vez que uma das grandes agruras da pobreza estava na precariedade dos alimentos. E chegou até a dizer que achava que alguns tipos de crime podiam remontar a biscoitos mal cozidos e a bifes duros. Tenho certeza de que consigo sustentar a mim e a minha irmã, ao mesmo tempo que ajudo os outros.

Felicia acalentou esse sonho até que ele se concretizou. Enquanto isso, o povo de Raymond e os amigos do Retângulo, entre os quais era conhecida como "anjo da cozinha", admiravam-na cada vez mais. Como base do belo caráter que ela estava desenvolvendo situava-se a promessa que tinha feito na Igreja da Nazareth Avenue: "O que faria Jesus?". Ela orava, esperava, trabalhava e pautava sua vida pela resposta que dava a essa pergunta. Era sua inspiração para a conduta e resposta para tudo o que ambicionava.

Capítulo 25

Fazia três meses que, num domingo cedo, o dr. Bruce havia falado do púlpito sobre o novo discipulado. Foram três meses agitados na Igreja da Nazareth Avenue. O rev. Calvin Bruce nunca tivera consciência da profundidade dos sentimentos dos membros de sua igreja. E confessou com toda humildade que o apelo que fizera havia encontrado uma receptividade bem acima da esperada entre homens e mulheres que, a exemplo de Felicia, ansiavam por alguma coisa na vida que o modelo tradicional de igreja e de comunhão não lhes podia oferecer.

Mas ele ainda não estava satisfeito consigo mesmo. Não podia falar sobre o sentimento que trazia no peito nem sobre o que o levou a finalmente tomar a atitude que tomou, para grande espanto de todos os que o conheciam, sem estabelecer a relação que isso guardava com uma conversa que tivera com o bispo naquele momento da história do compromisso na Igreja da Nazareth Avenue. Como da outra vez, os dois amigos estavam na casa do dr. Bruce, sentados em seu escritório.

— Você sabe por que vim aqui esta noite? — dizia o bispo depois de terem conversado sobre as consequências que se podiam esperar para as pessoas que haviam assumido o compromisso na Igreja da Nazareth Avenue.

O dr. Bruce olhou para o bispo e balançou a cabeça negativamente.

— Vim para confessar que ainda não cumpri minha promessa de seguir os passos de Jesus do jeito que acredito que será necessário. Só assim poderei corresponder aos meus pensamentos sobre o que significa seguir Jesus.

O dr. Bruce havia se levantado e andava de um lado para o outro no escritório. O bispo permanecia numa cadeira confortável, com as mãos unidas, mas seu olhar era de quem estava para tomar uma grande decisão.

— Edward — falou o dr. Bruce de repente — eu ainda não estou satisfeito comigo mesmo no que se refere ao cumprimento da promessa que fiz. Mas finalmente decidi que caminho vou seguir. E para isso terei de renunciar ao pastorado da Igreja da Nazareth Avenue.

— Eu sabia que você iria fazer algo assim — respondeu o bispo com tranquilidade. — E estou aqui esta noite para dizer que serei obrigado a fazer o mesmo em relação ao meu cargo.

O dr. Bruce virou-se e caminhou na direção do amigo. Ambos estavam lidando com um grande entusiasmo ainda contido.

— Isso é necessário no seu caso? — perguntou Bruce.

— Sim, e digo-lhe minhas razões. É provável que sejam as mesmas que as suas. Na realidade, tenho certeza de que são as mesmas.

O bispo fez uma pausa momentânea e continuou, agora mais convicto de seus sentimentos:

— Calvin, você sabe durante quantos anos venho exercendo esse meu cargo e conhece um pouco da responsabilidade que ele me traz. Não quero dizer que minha vida tem sido isenta de fardos ou tristezas. Mas é claro que tenho levado uma vida que os pobres e desesperados desta cidade pecaminosa chamariam de muito confortável, sim, uma vida de bastante luxo. Tenho uma bela casa onde moro, como do bom e do melhor, tenho boas roupas e experimento as coisas boas desta vida. Já viajei para o exterior mais de uma dezena de vezes e durante anos tenho desfrutado da agradável companhia das artes, das letras e da música, de tudo o que a vida tem de bom para oferecer. Nunca soube o que é não ter dinheiro ou recursos equivalentes. E não consigo silenciar a pergunta que tenho feito nos últimos tempos: "O que já sofri pela causa de Cristo?". Paulo sabia das coisas que haveria de sofrer por amor a Jesus. A opinião de Maxwell em Raymond é bem interessante quando ele insiste em dizer que seguir os passos de Jesus implica sofrimento. Onde está o meu sofrimento? As pequenas provações e perturbações em minha vida clerical não são dignas de ser mencionadas como tristezas ou sofrimento. Em comparação com Paulo, com qualquer mártir do cristianismo, ou com os primeiros discípulos, tenho levado uma vida cheia de luxo, pecaminosa, fácil e prazerosa. Não consigo mais suportar essa situação. Nos últimos anos, essas coisas que carrego comigo têm se levantado para condenar essa visão do que significa seguir os passos de Jesus. Eu simplesmente não tenho andado em seus passos. Em face do atual sistema eclesiástico e da vida social, não vejo como escapar dessa condenação sem dedicar o máximo da minha existência às reais necessidades do corpo e da alma das pessoas que levam uma vida miserável nos piores lugares desta cidade.

A essa altura, o bispo havia se levantado e caminhado até a janela. A rua em frente da casa estava bem iluminada, e ele olhava as pessoas que passavam. Então, virou-se e, muito emocionado, exclamou:

— Calvin, esta cidade em que vivemos é terrível! A miséria, o pecado e o egoísmo que nela predominam deixam-me o coração horrorizado. E tenho lutado há anos com o pavor que me domina quando penso que serei obrigado a abandonar as benesses de meu cargo e colocar-me em contato com o paganismo deste século. A terrível condição das moças que trabalham fora, o egoísmo brutal da moda e da riqueza de uma sociedade insolente, que despreza toda a tristeza da cidade, a temível maldição da bebida e dos jogos de azar, o gemido dos desempregados, o ódio dirigido à igreja por um número incalculável de pessoas que nela enxergam somente construções caríssimas e móveis de luxo a serviço de um pastor indolente e dado a luxos. Acrescente-se a isso o grande tumulto dessa torrente de pessoas com ideias falsas e verdadeiras, exagerando os males na igreja e sua amargura e vergonha que resultam de muitas causas complexas, tudo isso como uma realidade inquestionável, em contraste com a vida fácil e confortável que tenho; todas essas coisas me ferem cada vez mais com uma sensação de terror misturado com autocondenação. Nos últimos tempos, tenho ouvido várias vezes as palavras de Jesus: "Sempre que o deixastes de fazer a um destes mais pequeninos, a mim o deixastes de fazer". E quando foi que visitei os encarcerados, ou os que se encontram em desespero e pecado, de um modo que tenha me trazido sofrimento? Pelo contrário, tenho andado na rotina oferecida pelo meu cargo, vivendo na companhia dos membros ricos, requintados e nobres de minhas congregações. Onde está o sofrimento no meio de tudo isso? O que já sofri por amor de Jesus? Sabe, Calvin — disse virando-se de repente para o amigo — nos últimos tempos, tenho sido tentado a me flagelar. Se eu vivesse na época de Martinho Lutero, teria submetido minhas costas a uma tortura autoimposta.

O dr. Bruce estava pálido. Nunca tinha visto nem ouvido o bispo dominado por uma emoção tão intensa. De repente, o recinto ficou em silêncio. O bispo sentou-se de novo e curvou a cabeça.

Então o dr. Bruce falou:

— Edward, não preciso lhe dizer que faço meus os seus sentimentos. Tenho estado numa situação semelhante durante anos. Minha vida tem sido luxuosa. É óbvio que não estou querendo dizer que nunca tive provas, desalentos ou pesados fardos no ministério. Mas não posso dizer que de alguma forma sofri por Jesus. Aquele versículo de Pedro me ocorre constantemente: "Cristo sofreu em vosso lugar, deixando-vos exemplo para seguirdes os seus passos". Tenho vivido no meio do luxo. Não sei o que significa passar necessidade. Também tenho meu lazer proporcionado por viagens e boas companhias. Tenho vivido cercado pelo conforto fácil e agradável da civilização. O pecado e a miséria desta grande cidade têm batido como ondas contra as paredes de pedra da minha igreja e desta casa onde vivo. E raramente as vejo, de tão espessas que são as paredes. Cheguei a um ponto em que não posso mais suportar uma situação dessas. Não estou condenando a igreja. Eu a amo. Não estou abandonando a igreja. Acredito em sua missão e não desejo destruí-la. E desejo menos ainda, ao dar o passo que estou para dar, ser acusado de abandonar a comunhão cristã. Mas sinto que devo renunciar ao meu cargo de pastor da Igreja da Nazareth Avenue, para que possa me convencer de que estou seguindo os passos de Jesus do modo como devo. Ao agir assim, não julgo nenhum outro pastor nem estou criticando o conceito que outras pessoas têm do discipulado. Mas sinto o mesmo que você. Devo partir pessoalmente para um contato mais próximo do pecado, da vergonha e da degradação desta grande cidade. E sei que, para fazer isso, preciso romper meus laços imediatos com a Igreja da Nazareth Avenue. Não vejo como poderia sofrer por Jesus de outra maneira que não essa.

Então, novamente aquele silêncio pairou sobre os dois amigos. O que eles estavam decidindo não era nada simples. Ambos tinham chegado à mesma conclusão por meio do mesmo raciocínio e estavam meditando muito. Por estarem tão acostumados a analisar sua conduta, não poderiam subestimar a seriedade da posição que estavam tomando.

— O que você tem em mente? — perguntou o bispo de forma gentil e mostrando o sorriso que sempre deixava sua expressão mais bonita. A glória que podia ser vista no rosto do bispo crescia a cada dia.

— Meu plano — respondeu o dr. Bruce sem pressa — é colocar-me dentro de pouco tempo no centro da maior necessidade humana que eu puder encontrar nesta cidade e ali morar. Minha esposa concorda plenamente comigo. Já decidimos procurar uma casa num ponto da cidade onde nossa vida pessoal tenha a maior importância possível.

— Permita-me sugerir-lhe um lugar.

O bispo estava agora empolgado. Seu rosto realmente brilhava com entusiasmo pelo movimento que ele e o amigo haviam abraçado. Então prosseguiu e apresentou um plano de alcance tão amplo e poderoso, tão cheio de possibilidades, que o dr. Bruce ficou espantado diante da visão de uma alma tão superior a sua.

Ficaram conversando até tarde, ansiosos e animados como se estivessem fazendo planos para uma viagem a algum lugar inexplorado. De fato, depois daquele dia, o bispo disse muitas vezes que, no momento em que decidira levar uma vida de sacrifício pessoal, sentiu como se um grande fardo lhe tivesse sido retirado de sobre as costas. Estava exultando de alegria. E da mesma forma o dr. Bruce pela mesma razão.

O plano que idealizaram era alugar um grande imóvel, antigamente usado por uma fábrica de cerveja, reformá-lo e morar ali, no coração de um território onde a bebida imperava, os cortiços eram deploráveis, onde o vício, a ignorância, a desonra e a pobreza se acumulavam em suas expressões mais repulsivas. Não era uma ideia nova. Ela havia sido colocada em ação quando Jesus Cristo deixou a casa do Pai e abriu mão das riquezas que eram suas, a fim de estar mais próximo da humanidade e, vivendo dentro de sua realidade pecaminosa, resgatar os homens do poder do pecado. A Comunidade da Universidade não é uma ideia nova. É tão antiga quanto Belém e Nazaré. Nesse caso específico era o instrumento mais eficaz para satisfazer o desejo que aqueles homens tinham de sofrer por Cristo.

Ao mesmo tempo nascia nos dois um anseio, que se tornou uma obsessão, de estarem mais próximos da grande pobreza material e da privação espiritual da grande cidade que pulsavam no meio deles. Como poderiam conseguir fazer isso, se não resolvessem participar da desventura do próximo? Onde o elemento do sofrimento poderia entrar, se não houvesse algum tipo de renúncia? E o que faria essa renúncia ser percebida por eles mesmos ou por qualquer outra pessoa, se ela não se expressasse de forma concreta, real e pessoal na tentativa de participar dos mais profundos sofrimentos e da realidade pecaminosa que grassava na cidade?

É assim que os dois viam suas razões, mas não julgavam os outros. Estavam apenas mantendo o compromisso de fazer o que Jesus faria, do modo como sinceramente entendiam. Foi o que prometeram. Como haveriam de reclamar das consequências, se não podiam resistir ao desejo de fazer o que estavam planejando?

O bispo tinha seu próprio dinheiro. Todos em Chicago sabiam que ele tinha uma fortuna razoável. Com as obras literárias nas quais trabalhava em paralelo com seus deveres pastorais, o dr. Bruce havia conquistado uma independência financeira mais que confortável. Os dois amigos haviam concordado em aplicar grande parte desses recursos na nova obra, principalmente na infraestrutura da Comunidade.

Capítulo 26

Enquanto isso, a Igreja da Nazareth Avenue vivia algo inusitado em toda sua história. O simples apelo que o pastor havia dirigido aos seus membros, desafiando-os a fazer o que Jesus faria, havia causado sensação e continuava causando. O resultado do apelo foi muito parecido com o que aconteceu na igreja de Henry Maxwell em Raymond. A única diferença era que a igreja de Chicago era mais elitizada, rica e tradicional. Mas, numa manhã de domingo no início do verão, o dr. Bruce subiu ao púlpito e anunciou sua renúncia do cargo de pastor da igreja. A notícia se espalhou como fogo em palha por toda a cidade, apesar de ele haver consultado a liderança da igreja, de modo que o que pretendia fazer não foi motivo de surpresa para eles. Mas quando se tornou pública a notícia de que o bispo Edward também tinha renunciado e anunciado sua aposentadoria, depois de tanto tempo no cargo, para ir morar no meio da pior região de Chicago, a perplexidade do público atingiu seu nível mais alto.

— Mas, por quê? — respondeu o bispo a um grande amigo que, em meio a lágrimas, havia tentado fazê-lo desistir de seu propósito. — Por que aquilo que o dr. Bruce e eu nos propusemos a fazer é encarado como algo tão espantoso, como se fosse inédito o fato de um doutor em Teologia e um bispo quererem salvar almas perdidas dessa maneira em particular? Se renunciássemos ao cargo com o propósito de ir para a Índia, para a China, ou para algum lugar na África, as igrejas haveriam de enaltecer o heroísmo dos missionários. Que há de mais em querermos dedicar nossa vida para ajudar a resgatar os incrédulos e perdidos de nossa própria cidade? Será que é um acontecimento tão maravilhoso que dois pastores estejam não apenas desejosos, mas ansiosos, por viver próximos da miséria do mundo, de forma que possam conhecê-la e vivenciá-la? Seria uma coisa tão rara esperar que o amor pelos homens e mulheres perdidos venha a se expressar na salvação das almas?

O bispo estava convencido de que não havia nada de tão espetacular no que estava acontecendo, mas o público continuava a falar, e as igrejas mantinham-se perplexas pelo fato de dois homens como aqueles, tão proeminentes no ministério, quererem sair de uma casa confortável, renunciar de livre e espontânea vontade a uma posição de destaque na sociedade e ingressar numa vida de dificuldades, renúncia e sofrimento verdadeiro. Um país cristão! Que forma de discipulado é esta que gera perplexidade, como se sofrer por Jesus fosse algo totalmente incomum na vida de pessoas que seguem seus passos?

A Igreja da Nazareth Avenue despediu-se de seu pastor com tristeza, pelo menos para a maior parte dos membros, embora essa tristeza tenha se transformado em sentimento de alívio para os que haviam se negado a assumir o compromisso. O dr. Bruce levou consigo o respeito e a admiração de homens que, envolvidos no mundo dos negócios de tal forma que a obediência ao compromisso os teria arruinado, mesmo assim continuavam no íntimo de seu ser a valorizar a coragem e a coerência. Haviam conhecido o dr. Bruce durante muitos anos como uma pessoa bondosa, conservadora e tranquila, mas a ideia de agora vê-lo sob a perspectiva de um sacrifício dessa natureza não lhes era familiar. Assim que entenderam o que acontecia, deram ao pastor o crédito de ser totalmente fiel às suas recentes convicções sobre o que significava seguir Jesus. A Igreja da Nazareth Avenue nunca mais perdeu o impulso dado pelo dr. Bruce ao movimento. Os que o acompanharam no cumprimento da promessa haviam soprado sobre a igreja o verdadeiro fôlego da vida de Deus, e ainda hoje dão continuidade a essa obra com dedicação total da vida.

Novamente era outono, e a cidade preparava-se para outro inverno rigoroso. Numa das tardes, o bispo saiu da Comunidade para fazer uma visita a um de seus novos amigos do bairro. Havia andado cerca de quatro quarteirões quando chamou-lhe a atenção uma loja que parecia diferente das outras. O bairro ainda lhe era desconhecido, e todos os dias ele descobria um lugar novo ou inesperadamente ficava de frente para alguma necessidade humana.

O lugar que chamou sua atenção era uma casa pequena, ao lado de uma lavanderia administrada por chineses.

A loja tinha duas vitrines muito limpas, o que, para início de conversa, era bem raro naquele lugar. As vitrines exibiam algumas iguarias tentadoras, e havia etiquetas com preços em vários produtos, coisa que deixou o bispo curioso, pois àquela altura estava familiarizado com muitos elementos da vida do povo que antes lhe era desconhecido. Enquanto olhava a vitrine, a porta da loja se abriu, e Felicia Sterling surgiu diante de seus olhos.

— Felicia! — exclamou o bispo. — Quando foi que você mudou para a minha paróquia sem que eu ficasse sabendo?

— Como o senhor me encontrou tão depressa? — indagou Felicia.

— Você não sabe? Estas são as únicas vitrines limpas em todo o quarteirão!

— Acho que são mesmo! — respondeu Felicia, dando em seguida uma gargalhada que o bispo gostou de ouvir.

— Mas como você se atreveu a vir para Chicago sem me dizer nada, e como se mudou para minha diocese sem meu conhecimento? — perguntava o bispo em tom de brincadeira. E Felicia trazia em si as marcas daquele mundo bonito, limpo, instruído e requintado que ele conhecera, tanto que o bispo não poderia ser condenado por enxergar na moça um pouco daquele antigo paraíso. Mas, justiça seja feita, ele não tinha a menor vontade de voltar para lá.

— Muito bem, meu caro bispo — disse Felicia, como costumava tratá-lo — eu sabia que o senhor estava sobrecarregado de trabalho e não quis incomodá-lo com meus planos. Além disso, vou lhe oferecer meus serviços. A bem da verdade, eu estava saindo para ir encontrá-lo e pedir seus conselhos. No momento, moro aqui com a sra. Bascom, que nos aluga três cômodos, e com uma das alunas de Rachel, que está estudando violino sob o patrocínio de Virginia Page. Essa moça veio do povo — continuou Felicia, usando a expressão "do povo" de modo tão sério e natural, que fez o bispo sorrir. — Eu tomo conta da casa para a sra. Bascom e, ao mesmo tempo, estou iniciando um projeto de nutrição alimentar para o povo. Entendo disso, tenho minhas ideias e gostaria que o senhor as analisasse e me ajudasse a desenvolvê-las. O senhor faria isso, meu caro bispo?

— Com toda certeza, farei sim — respondeu ele. A vitalidade, o entusiasmo e os objetivos de Felicia quase o deixaram confuso.

— Martha pode ajudar na Comunidade com o violino, e eu, com meus pratos. É isso. Achei que primeiro devia me instalar, pensar em alguma coisa e só depois aparecer com algo concreto para oferecer-lhe. Já posso me sustentar sozinha agora.

— Pode? — respondeu o bispo com ar de incredulidade. — De que jeito? Fazendo essas coisas?

— "Essas coisas!" — respondeu Felicia com indignação. — Meu caro bispo, quero que o senhor saiba que "essas coisas" são os pratos mais bem preparados e naturais de toda a cidade.

— Não estou duvidando disso — apressou-se o bispo a responder —, mas você sabe, não dá para ter certeza sem provar...

— Entre e experimente! — ela exclamou. — Pobre bispo, parece que faz um mês que o senhor não come bem.

Felicia insistiu para que ele entrasse na pequena sala da frente, onde Martha, moça perspicaz, de cabelos curtos e encaracolados, com uma atmosfera de música a sua volta, encontrava-se ocupada, estudando.

— Vá em frente, Martha. Este é o bispo. Você já me ouviu falar dele. — E emendou, olhando para o bispo: — Sente-se, que o senhor vai comer das delícias de uma boa mesa. Acho mesmo que o senhor anda sem se alimentar direito.

Então improvisaram um almoço, e o bispo, que, a bem da verdade, não tinha tempo para fazer suas refeições com prazer, comeu sob a alegria de sua descoberta inesperada e pôde expressar sua admiração e gratidão diante da qualidade dos pratos que lhe foram oferecidos.

— Achei que o senhor iria pelo menos dizer que está tudo tão gostoso quanto nos grandes banquetes do Auditorium — disse Felicia com todo jeito.

— E está mesmo! Os banquetes no Auditorium não chegavam nem aos pés disto aqui, Felicia. Você tem de ir até a Comunidade. Quero que veja o que estamos fazendo. E estou simplesmente pasmo de encontrá-la aqui, ganhando o seu sustento desse jeito. Estou começando a entender seus planos. Você pode ser de enorme ajuda para nós. Você não está falando sério quando diz que vai morar aqui e ajudar essas pessoas a entender o valor da boa alimentação, está?

— P'ra dizer a verdade, estou — respondeu ela com muita seriedade. — Essa é a minha missão. Por acaso não devo cumpri-la?

— Sim, sim! Você tem razão. Graças a Deus por uma cabeça como a sua! Quando me retirei do mundo — e o bispo sorriu ao usar essa expressão — as pessoas não falavam em outra coisa a não ser na "nova mulher". Se você é uma delas, eu me converto aqui e agora.

— Bajulação! Será que nem na periferia pobre de Chicago consigo escapar disso? — disse Felicia, rindo de novo. O coração do bispo, pesado que estava, depois de tantos meses em contato com o pecado e a miséria daquele lugar, alegrou-se ao ouvir essas palavras. Eram consoladoras, vinham de Deus.

Felicia queria visitar a Comunidade e o acompanhou de volta. E ficou impressionada ao observar o que era possível fazer com uma quantia razoável de dinheiro e um pouco de inteligência a serviço do reino. Enquanto caminhavam pelo prédio, falavam sem parar. Ela era a encarnação do entusiasmo, e ele ficava encantado ao ver toda aquela vitalidade.

Então desceram ao porão, e o bispo abriu uma porta detrás da qual se ouvia o barulho de uma plaina de carpinteiro. Era uma pequena carpintaria, mas bem aparelhada. Um jovem vestindo um macacão e com um boné de papel na cabeça assobiava enquanto operava a plaina. Ele levantou a cabeça para olhar os dois que entravam e tirou o boné.

— Srta. Sterling, apresento-lhe o sr. Stephen Clyde — disse o bispo. — Clyde nos ajuda aqui duas vezes por semana.

Naquele momento o bispo foi chamado no andar de cima e pediu licença para ausentar-se por um instante, deixando Felicia junto com o jovem carpinteiro.

— Nós já nos conhecemos — disse Felicia, olhando com franqueza para Clyde.

— Sim, quando estávamos "no mundo", como o bispo costuma dizer — respondeu o rapaz, enquanto os dedos, apoiados sobre a tábua que estava aplainando, tremiam um pouco.

— Sim — disse Felicia, hesitando um pouco. — É um prazer revê-lo.

— Sério mesmo? — disse o jovem, com o rosto corado de satisfação. — Desde aquela época você tem enfrentado muitos dissabores — disse ele, mas logo pensou que podia tê-la magoado ou despertado lembranças dolorosas. Mas ela havia superado tudo aquilo.

— Sim, e você também. Como é que você veio parar aqui?

— É uma longa história, srta. Sterling. Meu pai perdeu tudo o que tinha, e eu fui obrigado a trabalhar. Foi uma coisa muito boa para mim. O bispo costuma dizer que devo ser grato por isso. E sou. Estou muito feliz agora. Aprendi este ofício, esperando que algum dia me seja útil. Durante as noites, trabalho na recepção de um hotel. Naquela manhã de domingo, quando você assumiu o compromisso na Igreja da Nazareth Avenue, eu também fiz o mesmo junto com outras pessoas.

— Você também? — perguntou Felicia. — Fico feliz por isso.

Na mesma hora o bispo chegou de volta, e logo os dois saíram, deixando o jovem carpinteiro trabalhar. Alguém observou que, depois daquilo, ele passou a assobiar mais do que nunca enquanto operava a plaina.

— Felicia — disse o bispo — você já conhecia Stephen Clyde?

— Sim, quando eu estava no mundo, meu caro bispo. Era uma das pessoas com quem eu tinha amizade na Igreja da Nazareth Avenue.

— Ah, sim! — disse o bispo.

— Éramos bons amigos — emendou Felicia.

— Só bons amigos? — o bispo arriscou-se a perguntar.

Felicia ficou um pouco sem jeito por um instante, mas olhou nos olhos do bispo e respondeu:

— Com toda sinceridade, só bons amigos, nada mais que isso.

Seria muito natural se esses dois viessem a gostar um do outro, pensou o bispo consigo mesmo, e esse pensamento lhe despertou alguma melancolia. Era quase como o velho romance com Camilla. Mas aquilo passou e, quando Felicia foi embora mais tarde, deixou-o com lágrimas nos olhos e com a esperança de que ela e Stephen viessem a se apaixonar um pelo outro.

— Afinal de contas — disse ele com a sensibilidade e a bondade que lhe eram características — os romances não fazem parte da vida humana? O amor é mais velho que eu e mais sábio também.

Na semana seguinte, o bispo teve uma experiência que pertence a essa parte da história da Comunidade. Certa noite, já bem tarde, ele estava retornando para a Comunidade, andando pela rua com as mãos para trás, quando dois homens pularam a sua frente, saindo de trás de uma cerca velha de uma fábrica abandonada, e o encararam. Um deles apontou um revólver para seu rosto, e o outro o ameaçava com uma madeira pontiaguda, evidentemente arrancada da cerca.

— Ponha as mãos para cima sem demora! — disse o homem que portava o revólver.

O lugar era deserto, e o bispo não ofereceu resistência. Fez o que lhe disseram, e o homem com o pedaço de pau começou a revistar-lhe os bolsos. O bispo estava calmo e não tremeu. Enquanto estava ali com as mãos levantadas, um observador desavisado poderia muito bem pensar que ele estava orando pelos dois homens. E estava. Sua oração foi respondida naquela mesma noite e de uma forma bem singular.

Capítulo 27

A justiça irá adiante dele, cujas
pegadas ela transforma em caminhos.

O bispo não tinha costume de andar com muito dinheiro, e o homem com o pedaço de pau, que o estava revistando, começou a xingar quando viu que ele tinha somente uns trocados. Enquanto xingava, o outro disse com toda brutalidade:

— Tire o relógio dele! Vamos pegar o que pudermos!

O assaltante com o pedaço de pau estava para pôr a mão na pulseira para abri-la, mas ouviu o barulho de passos que se aproximavam.

— Para trás da cerca! Ainda nem o revistamos direito! E você, fique de boca fechada. Se não ficar quieto...

O homem com o revólver fez um gesto com a arma e, junto com o comparsa, empurrou e puxou o bispo através de uma abertura na cerca. Os três ficaram ali no escuro, quietos até que os passos deixaram de ser ouvidos.

— Então, já pegou o relógio? — perguntou o que segurava o revólver.

— Não. A pulseira está presa! — e xingou de novo.

— Então pode arrebentar!

— Não! Não a arrebentem — disse o bispo, e era a primeira vez que ele falava. — A pulseira foi presente de um amigo que prezo muito. Seria muito ruim vê-la quebrada.

Ao ouvir a voz do bispo, o homem com o revólver estremeceu, como se tivesse sido atingido pela própria arma. Com um rápido movimento da outra mão, virou a cabeça do bispo na direção de uma luz que vinha da rua, enquanto se aproximava dele. Então, para surpresa do seu comparsa, disse asperamente:

— Esqueça o relógio! Já pegamos o dinheiro. Isso chega!

— Isso chega? São cinquenta centavos! Você não sabe contar?

— Deixe o relógio com ele. E devolva também o dinheiro. É o bispo que estamos assaltando. O bispo, entende?

— E daí? Nem que fosse o presidente dos Estados Unidos!

— Estou lhe dizendo, devolva o dinheiro, senão vou estourar sua cabeça com esse revólver! — respondeu.

Por um momento o homem com a madeira pareceu hesitar diante dessa estranha reviravolta, como se estivesse avaliando a intenção do comparsa. Então jogou o dinheiro de volta no bolso que havia revistado.

— Pode abaixar as mãos, senhor.

O assaltante baixou o revólver devagar, mas ainda vigiando o comparsa e falando asperamente, mas com respeito. Aos poucos o bispo abaixou as mãos junto ao corpo e olhou amistosamente para os dois. Na penumbra era difícil distinguir os rostos. Ele estava livre para ir embora, mas ficou ali, imóvel.

— O senhor pode ir, não precisa mais ficar aqui por nossa causa.

O homem que estivera falando o tempo todo virou-se e sentou-se sobre uma pedra. O outro ficou cavando o chão com o pedaço de pau, olhando fixamente para baixo.

— Mas é justamente por vocês que resolvi ficar — respondeu o bispo. E sentou-se sobre uma tábua que se despregara da cerca.

— O senhor deve gostar da gente. Às vezes as pessoas acham difícil se separar de nós — disse o homem dando uma gargalhada, enquanto se levantava.

— Cala a boca! — gritou o outro. — Estamos a caminho do inferno. Precisamos de melhores companhias, que não seja a nossa ou a do Diabo.

— Se vocês permitirem que eu os ajude... — disse o bispo de modo gentil, até carinhoso.

O homem sentado sobre a pedra olhava fixamente para o bispo no meio da penumbra. Depois de um instante de silêncio, resolveu falar como se tivesse mudado de ideia.

— O senhor se lembra de mim?

— Não — respondeu o bispo. — Está muito escuro e não consigo enxergá-lo direito.

— Está me reconhecendo agora? — disse ele, tirando o chapéu, enquanto se levantava e chegava bem perto do bispo. Seus cabelos eram negros como carvão, exceto uma mecha branca no alto da cabeça, do tamanho da palma da mão.

Quando o bispo viu aquilo, estremeceu. As lembranças de quinze anos atrás começaram a lhe ocorrer. O homem o ajudou a se lembrar.

— O senhor se lembra de um dia, já faz uns quinze anos ou mais, um homem chegou em sua casa e contou-lhe uma história sobre a esposa e o filhinho que haviam morrido num incêndio num cortiço em Nova York?

— Sim, estou me lembrando agora. — O outro assaltante parecia estar ficando interessado na conversa. Parou de cavar o chão com o pedaço de pau e ficou quieto, escutando o que os dois falavam.

— O senhor se lembra de como me recebeu em sua casa naquela noite e no dia seguinte passou o tempo todo procurando emprego para mim? Quando o senhor conseguiu um trabalho num depósito, eu prometi que iria largar a bebida, porque o senhor havia me pedido que tentasse?

— Lembro-me disso agora. Espero que você tenha mantido sua palavra.

O homem deu uma risada colérica. E bateu com a mão na cerca com tanta força, que chegou a verter sangue.

— Mantido a palavra! Depois de uma semana eu estava bêbado de novo! E não parei mais de beber. Mas nunca me esqueci do senhor nem de sua oração. O senhor se lembra da manhã seguinte, em que fui a sua casa, vocês faziam uma reunião de oração depois do café da manhã, e o senhor me convidou para ficar e participar com os outros? Aquilo mexeu comigo! Minha mãe tinha o hábito de orar! Consigo enxergá-la ajoelhada ao lado da minha cama quando eu era garoto. Meu pai chegou uma noite e chutou-a enquanto ela estava de joelhos orando por mim. Eu nunca me esquecerei da sua oração naquela manhã. O senhor orou por mim do jeito que minha mãe fazia e não parecia se importar com o fato de eu estar mal vestido, com uma aparência repugnante e meio bêbado quando bati em sua porta.

— Mas que vida eu tenho levado! Eu vivo dentro dos bares, um verdadeiro inferno na terra. Mas aquela oração que o senhor fez ficou para sempre comigo. Minha promessa de parar de beber foi logo quebrada, eu perdi o emprego que o senhor tinha conseguido para mim e acabei indo parar numa delegacia dois dias depois, mas nunca vou me esquecer do senhor nem de sua oração. Não sei que bem ela pode ter me feito, mas nunca me esqueci dela. E não vou encostar a mão no senhor nem deixar que alguém lhe faça mal. Então o senhor está livre para ir. É por isso.

O bispo não se mexeu. Em algum lugar um relógio de igreja soava, marcando uma hora da manhã. O homem colocou o chapéu de volta na cabeça e foi sentar-se sobre a pedra. O bispo estava pensando com todo empenho.

— Há quanto tempo você está sem emprego? — perguntou ele. E o outro, que estava em pé, respondeu pelo comparsa:

— Já faz mais de seis meses que não trabalhamos, nenhum de nós dois, a não ser que o senhor considere que assaltar seja trabalho. Acho um tipo de trabalho muito cansativo, principalmente quando numa noite como esta não conseguimos nada.

— Se eu arrumasse trabalho para vocês dois, vocês largariam esta vida e começariam tudo de novo?

— P'ra quê? — disse o que estava sentado, demonstrando irritação. — Já me recuperei uma centena de vezes. Cada vez vou piorando minha situação. O Diabo já está fechando o cerco sobre mim. Tarde demais!

— Não! — respondeu o bispo. Ele nunca havia sentido pelas almas perdidas o que estava sentindo naquele momento. Durante todo aquele tempo, estivera orando: "Ó, Senhor Jesus, dá-me o coração desses dois, e eu os darei a ti!".

— Não! — repetiu o bispo. — O que Deus quer de vocês dois? Não importa tanto o que eu quero. Mas ele quer o que eu vou fazer nesse caso. Vocês dois são de valor infinito para ele.

Então sua incrível memória veio socorrê-lo para que fizesse um apelo como ninguém jamais havia feito em tais circunstâncias. Ele se lembrara do nome do assaltante, apesar de todos aqueles anos que haviam passado entre aquela hora e o dia em que o homem havia ido a sua casa.

— Burns — disse ele, numa demonstração de grande preocupação pelos dois — se você e seu amigo aqui forem para casa comigo esta noite, eu conseguirei para vocês dois um emprego honrado. Vou acreditar e confiar em vocês. Vocês dois são relativamente jovens. Por que Deus haveria de desistir de vocês? O que importa é que recebam o amor do nosso grande Pai. O fato de que eu devo amá-los não representa tanto. Mas se vocês precisam sentir que existe amor neste mundo, haverão de acreditar em mim quando digo:

"Meus irmãos, amo vocês e, no nome daquele que foi crucificado pelos nossos pecados, não posso permitir que se percam. Venham, coragem! Tentem de novo, Deus está do lado de vocês. Ninguém, a não ser Deus, vocês dois e eu, precisa saber do que aconteceu aqui esta noite. Ele lhes terá perdoado o que fizeram no momento em que lhe pedirem. Vocês vão ver que é verdade. Venham! Vamos lutar juntos, vocês dois e eu. Vale a pena lutar pela vida eterna. Foi para os pecadores que Cristo veio. Farei o que puder por vocês. Ó, Deus, dá-me a salvação desses dois homens! — e irrompeu numa oração que era a continuação do apelo que lhes fizera. Não havia outra forma de dar vazão a seus sentimentos reprimidos.

Não muito tempo depois de começar a orar, Burns estava chorando, sentado com as mãos no rosto. Onde estavam agora as orações de sua mãe? Haviam sido acrescentadas ao poder da oração do bispo. E o outro, mais resistente, menos tocado, sem conhecimento prévio do bispo, inclinava-se sobre a cerca, a princípio impassível. Mas, à medida que a oração continuava, ele começou a ser atingido pela força sobrenatural do Espírito Santo, que se movia sobre sua vida brutalizada, violenta e desumana. A mesma Presença sobrenatural que derrubara Paulo na estrada de Damasco e se manifestara na igreja de Henry Maxwell no dia em que convidou os membros a seguirem os passos de Jesus, a mesma que se mostrou irresistível quando chegou à Igreja da Nazareth Avenue, agora, neste canto imundo de uma grande cidade, manifestava-se também na vida de dois pecadores perdidos. A oração parecia ter quebrado a blindagem que durante anos os havia impedido de ser atingidos pela comunicação divina. E eles mesmos estavam completamente estarrecidos com aquilo.

O bispo parou de orar e, no primeiro momento, nem ele nem os homens percebiam o que acabara de acontecer.

Burns continuava sentado, com a cabeça apoiada sobre os joelhos. O outro olhava para o bispo com uma fisionomia que parecia querer dar espaço para o temor, o arrependimento, a perplexidade. Então o bispo ficou em pé.

— Vamos, meus irmãos. Deus é bom. Vocês vão passar esta noite na Comunidade, e eu cumprirei o que lhes prometi em relação ao emprego.

E os dois o acompanharam em silêncio.

Quando chegaram à Comunidade, já passava das duas da madrugada. O bispo os fez entrar e levou-os a um quarto. E parou por um instante junto à porta. Sua figura alta e imponente e seu rosto estavam iluminados pela glória divina.

— Deus os abençoe, meus irmãos! — disse ele, saindo depois de dar-lhes sua bênção.

Na manhã seguinte, quase sentiu medo de encarar os dois. Mas as impressões da noite não haviam desaparecido. Fiel a sua promessa, conseguiu emprego para eles. O zelador da Comunidade precisava de um ajudante, pois o trabalho ali estava aumentando. E Burns ficou com a vaga. O bispo também conseguiu para o outro homem um emprego de motorista de uma fábrica de empilhadeiras, não muito longe da Comunidade. E o Espírito Santo, atuando na vida desses dois homens marcados pelas trevas do pecado, iniciou sua maravilhosa obra de regeneração.

Capítulo 28

Na tarde do mesmo dia em que Burns começou a trabalhar como auxiliar do zelador, ele estava limpando a escada na frente da Comunidade, quando fez uma pausa e olhou a seu redor. A primeira coisa que notou foi uma placa anunciando venda de cerveja. Com a vassoura, ele podia até tocá-la se quisesse, de tão perto que estava. No outro lado da rua havia dois bares e, logo adiante, mais um.

De repente, abriu-se a porta do bar mais próximo e um homem saiu. Ao mesmo tempo, outros dois entraram. Um forte odor de cerveja chegou até Burns ali na escada. Ele agarrou com força a vassoura e continuou a varrer. Estava com um dos pés na varanda e o outro já no degrau da escada. E desceu mais um pouco para continuar varrendo. Mesmo com uma temperatura amena, o suor escorria-lhe pela testa. Mais uma vez se abriu a porta do bar, de onde saíram três ou quatro homens. Uma criança entrou levando uma jarra e logo saiu com ela cheia de cerveja. Ao caminhar pela calçada bem perto de Burns, o odor da cerveja chegava as suas narinas. Então desceu mais um pouco, ainda varrendo desesperadamente. Os dedos das mãos estavam ficando roxos, de tanto que apertavam o cabo da vassoura.

De repente, subiu um pouco e começou a varrer onde já estava limpo. Então se arrastou com muito esforço, voltando para a varanda, e dirigiu-se à extremidade mais distante do bar. E começou a clamar:

— Meu Deus! Se o bispo estivesse aqui! — o bispo havia saído com o dr. Bruce para algum lugar, e não havia ninguém por perto que ele conhecesse. Então ficou varrendo ali por alguns minutos, estampando no rosto a agonia que enfrentava. Aos poucos foi outra vez na direção da escada e começou a descer. Olhou para baixo e viu que havia deixado um degrau sem varrer, o que lhe parecia uma boa desculpa para descer e terminar seu serviço.

Agora na calçada, enquanto varria o último degrau, mantinha o rosto virado para o edifício da Comunidade, parcialmente de costas para o bar. E varreu o mesmo degrau uma dezena de vezes. O suor escorria-lhe pelo rosto e pingava sobre seus pés. Aos poucos, sentiu que estava sendo atraído para a extremidade do degrau que ficava mais próxima do bar. Era possível sentir nitidamente o odor da cerveja e de outras bebidas. Era uma coisa infernal, como se ele estivesse sendo arrastado pela mão de um gigante.

Agora se encontrava no meio da calçada, ainda varrendo. Limpou o local em frente da Comunidade e avançou um pouco até uma valeta, para também varrer ali. Tirou o chapéu e esfregou a testa com a manga da camisa. Seus lábios estavam esbranquiçados, e os dentes batiam uns contra os outros. Seu corpo todo estava tremendo, inclinando-se para a frente e para trás, como se já estivesse bêbado. A alma estava agitada dentro dele.

Agora já havia avançado um pouco mais e estava em frente ao bar, olhando para a placa e espiando pela janela, de onde podia ver as garrafas de cerveja e de outras bebidas empilhadas em forma de pirâmide. Então molhou os lábios com a língua, deu mais um passo à frente, olhando furtivamente em sua volta. Então a porta se abriu de novo e alguém saiu. Outra vez sentiu o forte odor da bebida e deu mais um passo na direção da porta, que se havia fechado. Quando colocou os dedos na maçaneta da porta, um homem alto surgiu na esquina. Era o bispo.

Ele agarrou Burns pelo braço e levou-o de volta até a calçada. Extremamente agitado e louco para beber, começou a xingar e socou o amigo com grande violência. Não se pode ter certeza se ele realmente sabia quem estava tentando afastá-lo da ruína. O soco acertou o rosto do bispo, cortando-lhe a bochecha. Mas ele não abriu a boca para dizer uma só palavra, e em seu rosto se delineou uma grande tristeza.

Então levantou Burns como se fosse uma criança e praticamente o carregou escada acima, de volta para casa. Colocou-o ali no vestíbulo e fechou a porta, dando-lhe as costas.

Burns caiu de joelhos, chorando e orando. O bispo ficou ali, ofegante pelo esforço que havia feito, apesar de Burns não ser muito grande nem pesado. E foi tomado por uma compaixão indescritível.

— Ore, Burns, ore! Ore como nunca, porque nada mais vai poder salvá-lo.

— Meu Deus! Por favor, ore comigo. Salve-me! Salve minha alma do inferno! — clamava Burns. Então, ajoelhando-se ao lado dele, o bispo orou como só ele sabia orar.

Em seguida, os dois se levantaram, e Burns foi para seu quarto. Naquela noite, ele deixou o quarto como se fosse uma criança envergonhada. E o bispo saiu daquela experiência mais maduro, levando no corpo as marcas de Jesus. Com certeza estava aprendendo o que significava seguir os passos do Mestre.

Mas, e o bar? Continuava ali, junto com todos os outros, enfileirados pela rua, como se fossem armadilhas preparadas para Burns. Por quanto tempo ele resistiria ao odor daquela coisa maldita?

O bispo saiu até a varanda. O ar da cidade inteira parecia impregnado com o odor de cerveja. Então orou:

— Até quando, Senhor, até quando?

O dr. Bruce também saiu até a varanda, e os dois amigos ficaram conversando sobre a tentação que tudo aquilo representava para Burns.

— Você já procurou saber de quem é este imóvel aqui ao lado? — perguntou o bispo.

— Não, eu ainda não parei para fazer isso. Mas faço agora mesmo, se você achar que vale a pena. Mas, Edward, que poderemos fazer contra os bares desta cidade tão grande? Eles são uma sólida instituição como as igrejas e a política. Que poder seria necessário para acabar com eles?

— Deus haverá de fazer isso na hora certa, do mesmo jeito que ele acabou com a escravidão neste país — foi a resposta do bispo.

— Enquanto isso, acho que temos o direito de saber quem controla este bar tão perto da Comunidade.

— Eu vou descobrir — respondeu o dr. Bruce.

Dois dias depois, Bruce foi ao escritório de um dos membros da Igreja da Nazareth Avenue e pediu para falar com ele por um momento. A ex-ovelha recebeu-o com toda cordialidade, levou-o até seu escritório e insistiu para que ele não se preocupasse e que ficasse o tempo que fosse necessário.

— Pedi para vê-lo para falar-lhe sobre o imóvel ao lado da Comunidade em que moramos eu e o bispo, conforme você sabe. Vou ser muito direto, porque o assunto é muito sério, e a vida, breve demais. Clayton, você acha que é certo alugar aquele imóvel para um bar?

A pergunta do dr. Bruce foi clara e direta, do modo que ele avisou que seria. O efeito que ela causou sobre sua ex-ovelha foi instantâneo.

Denunciando toda sua profunda emoção, o sangue tomou conta do rosto daquele homem, ali sentado debaixo de um quadro que retratava os negócios de uma grande cidade.

Então ele ficou pálido, colocou a cabeça entre as mãos e, quando a levantou, o dr. Bruce ficou impressionado ao ver que uma lágrima lhe escorria pela face.

— Dr. Bruce, o senhor sabia que naquela manhã na igreja eu assumi o compromisso junto com os demais?

— Sim, eu me lembro disso.

— Mas o senhor nunca soube como tenho sido atormentado por minha consciência. Eu nunca cumpri minha promessa nesse ponto específico. Sou o dono daquele imóvel, uma grande tentação do Diabo na minha vida. É o investimento que hoje me dá o maior lucro entre todos. Dois minutos antes de sua chegada aqui, eu estava em grande agonia, sentindo remorso por perceber como um pequeno ganho nesta vida estava me levando a negar o próprio Cristo, cujos passos prometi seguir. Sei muito bem que Jesus nunca aceitaria receber dinheiro de aluguel de uma fonte como aquela. Dr. Bruce, o senhor não precisa dizer mais nada.

Clayton estendeu a mão, o pastor o cumprimentou com força e pouco depois foi embora. Mas foi só bem mais tarde que ele ficou sabendo de toda a verdade sobre o conflito que Clayton estava vivendo. Era só um pedaço da história que pertencia àquela memorável manhã na Igreja da Nazareth Avenue, quando o Espírito Santo sancionou o compromisso que os membros assumiram.

Situados bem no centro de toda aquela ação divina, nem mesmo o bispo e o dr. Bruce tinham consciência de que, por toda a cidade, o Espírito estava atuando com poder, esperando que novos discípulos aceitassem o desafio de sofrer e de se sacrificar, enquanto tocava o coração de empresários e investidores frios e calculistas, deixando-os incomodados com a grande luta que travavam por mais riquezas e movendo-se por meio da igreja como nunca havia acontecido em toda a história daquela cidade. O bispo e o dr. Bruce, apesar de estarem há pouco tempo na Comunidade, já haviam testemunhado grandes maravilhas. E logo iriam ver coisas maiores, manifestações impressionantes do poder de Deus como nunca pensaram que seria possível nesta vida.

Depois de um mês, o bar ao lado da Comunidade foi fechado. O contrato de aluguel não fora renovado pelo proprietário, que não só fechou o local, mas o entregou ao bispo e ao dr. Bruce, para que se utilizassem dele a serviço da Comunidade, que estava crescendo muito e já precisava de mais espaço físico para o desenvolvimento de suas atividades.

Um dos trabalhos mais importantes era o departamento de culinária, cuja criação Felicia havia sugerido. Nem um mês depois de Clayton entregar o imóvel para a Comunidade, Felicia já estava instalada ali, no mesmo local onde as almas se perdiam com a bebida, e era a chefe do departamento de culinária, liderando também um curso para empregadas domésticas destinado a moças que precisavam trabalhar. Ela agora morava na Comunidade, onde encontrou um lar ao lado da sra. Bruce e de outras moças da cidade que também moravam ali. Martha, a violinista, continuou vivendo no mesmo local, mas ia algumas noites à Comunidade para dar aulas de música.

— Felicia fale-nos mais sobre suas ideias — disse o bispo certa noite, num raro momento de descanso das atividades que o pressionavam muito. Ele estava com o dr. Bruce, e Felicia havia entrado, vindo do outro prédio.

— Bom, tenho pensado bastante no problema das moças que precisam trabalhar fora — disse Felicia com um ar de sabedoria que fez a sra. Bruce sorrir ao olhar para uma jovem com todo aquele entusiasmo e beleza, alguém que havia se transformado numa nova criatura ao assumir o compromisso de viver uma vida semelhante à de Cristo. E continuou Felicia:

— E cheguei a algumas conclusões que vocês, homens, ainda não conseguem entender, mas a sra. Bruce me compreenderá.

— Reconhecemos nossa ignorância, Felicia; continue — disse o bispo com toda humildade.

— O que me proponho a fazer é o seguinte: o prédio ao lado onde ficava o bar tem bastante espaço para que se criem cômodos como os que existem numa casa de verdade. Meu plano é preparar o lugar e oferecer um curso para empregadas domésticas às moças que depois irão trabalhar fora. Será um curso com duração de seis meses, em que ensinarei culinária, limpeza, rapidez e amor pelo trabalho.

— Calma lá, Felicia! — interrompeu o bispo — não estamos mais na era dos milagres!

— Então vamos voltar a ela — respondeu Felicia. — Eu sei que tudo isso parece impossível, mas quero tentar. Conheço várias moças que farão o curso e, se pudermos estimulá-las com um espírito de equipe, tenho certeza de que o curso lhes será de grande valor. Sei que a culinária natural está causando uma revolução no meio das famílias.

— Felicia, se você conseguir fazer metade disso, será uma bênção para a comunidade — acrescentou a sra. Bruce. — Não sei como você vai fazer isso, mas o que sei é que Deus vai abençoar sua tentativa.

— É o que todos pensamos! — exclamaram o dr. Bruce e o bispo.

Então Felicia arregaçou as mangas e começou a implementar suas ideias com o entusiasmo de uma discípula que dia a dia se tornava mais prática e serviçal.

Neste ponto deve-se dizer que o plano de Felicia alcançou um sucesso que superou toda expectativa. Ela desenvolveu incríveis técnicas de persuasão e com uma rapidez impressionante ensinava às moças tudo o que se relacionava ao cuidado de uma casa. Com o passar do tempo, as moças que haviam feito o curso na escola de culinária de Felicia começaram a ser valorizadas como profissionais muito competentes. Mas estamos nos adiantando aos fatos. A história da Comunidade ainda não foi escrita. Quando for, a parte de Felicia será de grande importância.

O rigor do inverno encontrou Chicago, como toda cidade grande, apresentando aos olhos da cristandade o nítido contraste entre ricos e pobres, entre cultura, requinte, luxo e ignorância, depravação, privação e a amarga luta pelo pão. Foi um inverno rigoroso, mas animado.

Por um lado, havia festas, recepções, bailes, jantares e banquetes por toda a cidade. O teatro de ópera nunca estivera tão abarrotado de gente tão sofisticada. Nunca houvera tamanho desfile de joias, roupas finas e acessórios. Mas, por outro lado, nunca as carências haviam sido tão profundas, e o sofrimento, tão cruel, agudo e fatal. Nunca os ventos haviam soprado tão gelados sobre o lago e sobre as paredes finas dos cortiços nos arredores da Comunidade. Nunca o povo da cidade precisou tanto de alimentos, óleo combustível e roupas.

Todas as noites, o bispo e o dr. Bruce, acompanhados por seus auxiliares, saíam para ajudar a resgatar homens, mulheres e crianças no meio da tortura infligida pela privação material. As igrejas, instituições de caridade, autoridades civis e associações filantrópicas faziam expressivas doações de alimentos, roupas e dinheiro para os pobres. Mas onde estava o toque pessoal dos discípulos cristãos? Onde estava aquele cristianismo de obediência à ordem do Mestre, que dizia que os cristãos deviam ir pessoalmente aos que sofrem e se doar junto com suas doações? As pessoas podiam doar dinheiro, mas era dinheiro que não lhes fazia falta nem lhes representava sacrifício algum. Davam o que era fácil dar, aquilo que menos os incomodava. E onde entrava o elemento do sacrifício? Por acaso, era isso que significava seguir Jesus, por onde quer que ele fosse?

No contato com membros de suas próprias igrejas elitizadas e ricas, ele ficara pasmo por perceber como eram poucos os membros das classes altas que realmente sofriam alguma inconveniência por amor aos que viviam no meio do sofrimento. Será que caridade é o mesmo que doar roupas velhas? Uma nota de dez dólares doada a um representante que ganhava para trabalhar em alguma associação filantrópica da igreja? Por acaso, as pessoas nunca iriam e se dariam elas mesmas? As mulheres nunca se privariam de uma festa, um concerto, uma recepção, para realmente irem e tocarem as feridas causadas pelo pecado nas grandes metrópoles? Será que a caridade continuaria a ser feita de forma simples e conveniente por alguma organização? Seria possível organizar os sentimentos para que o amor pudesse fazer o trabalho desagradável por meio de terceiros?

O bispo, cercado pelo pecado e pela tristeza daquele inverno rigoroso, fazia-se essas perguntas. Ele carregava sua cruz com alegria. Mas ficava indignado ao ver que tantas pessoas transferiam para algumas poucas a responsabilidade do amor pessoal. Mas o Espírito continuava a atuar em silêncio e com poder sobre as igrejas, cujos membros da elite, ricos e acomodados, evitavam o terror dos problemas sociais como se estivessem evitando uma doença contagiosa.

Certa manhã, essa realidade foi percebida de uma forma chocante pelos que trabalhavam na Comunidade. Talvez nenhum outro incidente naquele inverno revelasse com mais clareza o grande ímpeto gerado pelo movimento da Igreja da Nazareth Avenue e pelas ações do dr. Bruce e do bispo decorrentes do compromisso que assumiram de fazer todas as coisas como Jesus faria.

Capítulo 29

O café da manhã na Comunidade era a única hora do dia em que todo o grupo se reunia para desfrutar de momentos de descontração e confraternizar. Era quando as pessoas dividiam experiências e também se divertiam. O bispo e o dr. Bruce costumavam contar casos e histórias engraçadas. Era um grupo de discípulos bem-humorados, apesar da atmosfera de dor e tristeza que os cercava constantemente. O bispo costumava dizer que o bom humor era um dom de Deus e, em seu caso, era a única válvula de escape para toda a pressão que costumava pesar sobre ele.

Naquela manhã, ele estava lendo em voz alta alguns trechos de um jornal, e outros o ouviam. De repente, parou, e sua fisionomia ganhou um ar grave e triste. As pessoas olharam para ele e correram para a mesa onde se encontrava.

"Morto a tiros enquanto furtava carvão de dentro de um vagão! A família estava passando frio, e ele, desempregado há seis meses. Seis filhos e esposa vivendo em três cômodos. Uma das crianças enrolada em trapos dentro de um armário!" Eram manchetes que ele ia lendo devagar. Então começou a ler o relato detalhado sobre os tiros e sobre a visita de um repórter ao cortiço onde vivia a família. Terminada a leitura, todos estavam em silêncio ao redor da mesa. A alegria daquela hora fora colocada de lado por essa fração da tragédia humana.

A cidade rugia, encarando a Comunidade como se fosse um animal feroz. A vida humana fluía como numa grande correnteza que passava pela Comunidade. Os que estavam empregados corriam por ela em grande número. Mas milhares estavam sendo levados pela correnteza, agarrando-se às últimas esperanças, morrendo numa terra de fartura, porque o benefício do trabalho lhes havia sido negado. Os residentes da Comunidade comentavam as notícias. Um dos que haviam chegado fazia pouco tempo, um jovem que se preparava para o ministério pastoral, disse:

— Por que será que esse homem não procurou ajuda das instituições de caridade? Ou das autoridades civis? Com certeza não é possível, por pior que seja esta cidade cheia de cristãos, que ele não fosse socorrido em sua necessidade de alimento e combustível para se aquecer do frio.

— Concordo com você — respondeu o dr. Bruce. — Mas não sabemos a história de vida desse homem. É possível que tenha pedido ajuda tantas vezes, que, num momento de desespero, resolveu agir por conta própria.

Já vi outros casos assim neste inverno.

— Isso não é o pior da história — disse o bispo. — O que é medonho nisso tudo é o fato de ele estar desempregado há seis meses.

— Por que essas pessoas não vão para o interior? — perguntou o aluno de Teologia.

Estava na mesa alguém que havia feito um estudo especial sobre as oportunidades de trabalho no país. E foi essa pessoa que respondeu. De acordo com ela, os locais no interior onde havia emprego fixo eram raríssimos, e em quase todos os casos as vagas eram preenchidas por homens solteiros. E se a esposa ou algum filho estivesse doente? Como ele poderia mudar-se para o interior? Como pagaria a mudança, por mais simples que fosse? É provável que houvesse um grande número de razões que levaram esse homem a ficar onde estava.

— E agora estão lá sozinhas a esposa e as crianças — disse a sra. Bruce. — Que coisa terrível! Onde você disse que fica esse lugar?

— Pois é, fica a três quadras daqui, dentro do "distrito Penrose". Acho que o próprio Penrose é dono de metade das casas que ali se encontram. Estão entre as piores construções neste lado da cidade. E Penrose é membro de igreja.

— É verdade. Ele pertence à Igreja da Nazareth Avenue — respondeu o dr. Bruce em voz baixa. O bispo levantou-se da mesa, parecendo a própria encarnação da ira divina. E abriu a boca para fazer denúncias que raramente fazia, quando a campainha tocou, e um dos residentes foi abrir a porta.

— Diga ao dr. Bruce e ao bispo que preciso falar com eles. Meu nome é Penrose, Clarence Penrose. O dr. Bruce me conhece.

A família reunida em torno da mesa do café escutava tudo que ele dizia. O bispo olhou para o dr. Bruce, e os dois na mesma hora retiraram-se da mesa, dirigindo-se para a porta.

— Entre, Penrose — disse o dr. Bruce. E os dois acompanharam o visitante até a recepção, fecharam a porta e ficaram sozinhos com ele.

Clarence Penrose era um dos homens mais elegantes de Chicago. Vinha de uma família de elite muito rica e de grande distinção social. Era extremamente rico e tinha muitos imóveis em diferentes bairros da cidade. Há muitos anos era membro da igreja que o dr. Bruce pastoreara. Ele olhou para os dois ministros com uma fisionomia de agitação que mostrava claramente o sinal deixado por alguma experiência fora do comum. Estava bem pálido, e seus lábios tremiam enquanto falava. Quando Clarence Penrose já havia se dobrado diante de uma emoção tão estranha?

— Os tiros! Vocês estão sabendo? Leram nos jornais? A família morava em uma de minhas casas. Foi uma coisa horrível. Mas não é principalmente por isso que vim até aqui.

Ele gaguejava e olhava ansiosamente para os dois. O bispo estava com uma fisionomia séria. Não conseguia deixar de pensar que aquele homem elegante poderia ter feito muita coisa para aliviar os horrores dos cortiços de sua propriedade, evitando essa tragédia, se tivesse sacrificado um pouco do luxo e do conforto pessoal para melhorar as condições de vida do povo de seu distrito.

Penrose voltou-se para o dr. Bruce. — Doutor! — exclamou, aterrorizado como uma criança. — Vim aqui dizer que tive uma experiência tão incomum que só pode ser explicada como sobrenatural. O senhor se lembra de que eu estava entre os que assumiram o compromisso de fazer o que Jesus faria. Eu pensava, como fui tolo, que sempre estivera fazendo o que se esperava de um cristão. Contribuía generosamente para a igreja e para obras de caridade. Mas nunca dei a mim mesmo, a ponto de me sacrificar. Desde que assumi o compromisso tenho vivido num perfeito inferno de contradições. O senhor deve se lembrar que minha filhinha Diana também assumiu o mesmo compromisso junto comigo. Ela tem me feito muitas perguntas sobre os pobres e sobre onde eles moram. Fui obrigado a dar-lhe uma resposta. Ontem à noite, ela pôs o dedo em minha ferida quando me perguntou: "O senhor é o dono das casas em que aqueles pobres moram? São casas boas e quentinhas como a nossa?". O senhor sabe como são as perguntas de uma criança.

— Fui para a cama atormentado com aquilo, e agora reconheço que foi um peso que Deus colocou em minha consciência. Eu não conseguia dormir. Foi como se eu estivesse no dia do juízo final. Estava diante do juiz. Ele me pediu que fizesse um relato do que eu havia feito neste mundo. "Quantas almas eu havia visitado na prisão? O que eu havia feito com os bens que Deus me dera para administrar? O que eram aqueles cortiços, onde as pessoas ficavam congeladas no inverno e sufocadas no verão? Tive alguma preocupação com relação a elas que não fosse receber os aluguéis? Onde estava o sofrimento na minha vida? Será que Jesus faria o que eu havia feito e estava fazendo? Havia eu rompido meu compromisso? Como havia usado o dinheiro, a cultura e a influência social que eu possuía? Tinha sido para abençoar as pessoas, para aliviar-lhes o sofrimento, para levar alegria para os aflitos e esperança para os desanimados? Eu havia recebido muito. Mas quanto eu tinha dado?"

— Tudo isso me ocorreu numa visão que tive acordado, e foi tão claro como também é clara a visão que estou tendo de vocês e de mim neste momento. Não consegui entender o final da visão. Por minha mente passava uma imagem confusa do Cristo sofredor apontando seu dedo para me condenar, mas o resto estava envolto em trevas e neblina. Estou há 24 horas sem dormir. A primeira coisa que vi esta manhã foi a notícia dos tiros no depósito de carvão. Li o relato com um sentimento de pavor que ainda me acompanha. Sou uma criatura culpada diante de Deus.

Penrose parou de falar de repente. Os dois olhavam para ele solenemente. Com que poder o Espírito Santo havia atuado na alma deste homem que sempre fora independente, elegante, estudado, que levava uma vida social tranquila, sem se preocupar com as tristezas de uma cidade grande e praticamente ignorava o que significa sofrer por amor de Jesus? O poder que tomou conta daquele recinto era o mesmo que sobreviera à igreja de Henry Maxwell e da Nazareth Avenue. O bispo colocou a mão sobre o ombro de Penrose e disse:

— Meu irmão, Deus tem estado muito perto de você. Vamos lhe dar graças.

— Sim, claro — respondeu Penrose aos prantos. Então sentou-se numa cadeira e cobriu o rosto com as mãos. Depois da oração do bispo, Penrose perguntou:

— Vocês podem me acompanhar até aquela casa?

Como resposta, os dois vestiram seus casacos e dirigiram-se à casa em que morava a família do homem falecido.

Esse era o começo de uma vida nova e desconhecida para Clarence Penrose. No momento em que pôs os pés naquele casebre miserável e viu pela primeira vez na vida o desespero e o sofrimento de uma família, algo que ele conhecia só de ouvir, uma nova vida teve início. Precisaríamos de muito tempo para contar como, em obediência ao compromisso assumido, ele começou a fazer com os cortiços de sua propriedade o que achava que Jesus faria se estivesse em seu lugar ou se fosse o proprietário de outros cortiços em qualquer cidade grande. Qualquer pessoa que possa imaginar quais seriam as verdadeiras respostas a essa pergunta saberia dizer o que Clarence Penrose começou a fazer.

Antes que o inverno chegasse ao auge, muitas coisas aconteceram na cidade com relação à vida das personagens dessa história dos discípulos que prometeram seguir os passos de Jesus.

Por pura coincidência, certa tarde Felicia saiu da Comunidade com um cesto de pratos prontos, que ela estava levando como amostra a um padeiro no distrito de Penrose. E aconteceu de Stephen Clyde abrir a porta da carpintaria e sair em tempo de encontrá-la quando ela chegava à calçada.

— Por favor, permita-me carregar seu cesto — disse ele.

— Por que você diz "por favor, permita-me"? — perguntou Felicia, passando-lhe o cesto enquanto caminhavam lado a lado.

— Gostaria mesmo de lhe dizer algo diferente — respondeu Stephen, olhando para ela com alguma timidez misturada com uma coragem que o assustava. Ele a amava cada dia mais, desde que a vira pela primeira vez e principalmente desde o dia em que ela apareceu na carpintaria com o bispo. Agora, passadas algumas semanas, estavam novamente um na frente do outro.

— Diferente? — perguntou Felicia — caindo ingenuamente na armadilha.

— Bom — disse ele, virando o rosto na direção de Felicia e olhando para ela com um olhar de alguém que se sentia muito satisfeito com a vida — eu gostaria de dizer: "Eu levo seu cesto, minha querida Felicia".

Felicia nunca tinha estado tão bonita. Caminhou um pouco mais sem olhar para ele. Sabia no coração que havia se apaixonado por Stephen algum tempo atrás. Por fim, ela se virou e disse com timidez, enquanto seu rosto ia ficando rosado, e seus olhos, meigos:

— Então, por que você não diz?

— Posso mesmo? — exclamou Stephen, sem prestar atenção no cesto que carregava, tanto que Felicia lhe disse:

— Opa, não vá derrubar as minhas guloseimas!

— Minha querida Felicia, por nada neste mundo eu deixaria cair algo tão precioso — e passou a andar nas nuvens por muitos quarteirões. O que eles disseram durante a caminhada é assunto particular dos dois, e não temos o direito de saber. Apenas a título de informação, naquele dia o cesto não chegou ao seu destino. Mais tarde, vindo do distrito de Penrose, o bispo caminhava em silêncio por uma rua meio deserta, próxima da periferia do distrito onde ficava a Comunidade. Foi quando ouviu uma voz conhecida dizer:

— Conte-me, Felicia, quando foi que você se apaixonou por mim?

— Foi naquele dia quando o vi na sua oficina! — disse outra voz com um riso tão claro, tão puro e tão doce, que fazia bem ouvi-la.

— Aonde vocês estão indo com esse cesto? — perguntou o bispo, tentando parecer sério.

— Estamos levando para... Para onde estamos levando isso, Felicia?

— Meu caro bispo, o estamos levando para casa, começar...

— A fim de começar a cuidar dos interesses de nossa casa — completou Stephen para socorrê-la.

— É mesmo? — disse o bispo. — Espero que me convidem para fazer parte disso. Sei muito bem da qualidade dos pratos que Felicia prepara.

— Bispo, meu caro bispo! — disse Felicia, sem esconder sua felicidade — o senhor será o nosso convidado de honra. Está satisfeito?

— Sim, estou — respondeu ele, interpretando as palavras de Felicia do jeito que a moça desejava. Então fez uma pausa e disse com toda gentileza: — Deus abençoe vocês dois — e seguiu seu caminho com lágrimas nos olhos e uma oração no coração. E deixou-os ali com a alegria que era deles.

Ah! o mesmo poder divino do amor que pertence à terra não seria vivido e cantado pelos discípulos do Varão de Dores que carregou os nossos pecados? Claro, com toda certeza. Aquele rapaz e aquela moça andarão de mãos dadas por meio do grande deserto da dor humana na cidade, fortalecendo um ao outro, crescendo em amor no contato com as tristezas do mundo, seguindo os passos de Jesus ainda mais de perto, por causa do amor que têm um pelo outro, abençoando milhares de criaturas miseráveis, pois os dois terão um lar para compartilhar com os que não têm onde morar. "Por isso", disse o Senhor Jesus Cristo, "deixará o homem pai e mãe e se unirá a sua mulher".

Felicia e Stephen, seguindo o Mestre, amam-no com profunda consagração e com verdadeira disposição para servir, por causa da afeição terrena que o próprio céu sanciona com sua bênção solene.

Pouco depois desses fatos, Henry Maxwell, pastor de Raymond, foi a Chicago com Rachel Winslow, Virginia Page, Rollin, Alexander Powers e o diretor Marsh. O motivo era uma reunião na Comunidade, organizada pelo bispo e pelo dr. Bruce, que havia conseguido convencer o sr. Maxwell e seus discípulos em Raymond a virem participar do evento.

Foram convidados também para a reunião pessoas desempregadas, gente que havia perdido a fé em Deus e nos homens, anarquistas e incrédulos, livres pensadores e pessoas que nem se davam ao trabalho de pensar. Quando a reunião começou, estavam ali, de frente para Henry Maxwell e para os outros discípulos, representantes do que havia de pior na cidade, os elementos mais perigosos e depravados. E o Espírito Santo moveu-se sobre a cidade marcada por egoísmo, pelo amor aos prazeres do mundo, manchada pelo pecado, mas que estava sob os cuidados de Deus, sem saber o que a aguardava. Todos os participantes puderam ver o lema da Comunidade escrito pelo estudante de Teologia e colocado sobre a porta de entrada: "O que faria Jesus?".

Henry Maxwell, assim que entrou no recinto, foi tomado de uma grande emoção, lembrando-se do apelo daquele jovem maltrapilho, que havia ido ao culto da manhã na Primeira Igreja de Raymond.

Será que o desejo que ele expressara naquele dia estava para ser realizado? Iria o movimento iniciado em Raymond realmente se espalhar por todo o país? Maxwell tinha ido para Chicago com seus amigos em parte para saber se a resposta a essas perguntas seria achada no coração de uma cidade grande. Em poucos minutos estaria frente a frente com aquelas pessoas. Havia ganhado experiência e coragem desde a primeira vez que falara aos operários da estrada de ferro, mas, assim como naquele dia, agora também implorava ajuda com toda a sinceridade do coração. Então entrou e, com os outros discípulos, viveu uma das maiores e mais importantes experiências desta vida. De alguma forma sentia que aquela reunião representava uma resposta a sua pergunta perene: "O que faria Jesus?"

Naquela noite, olhando para o rosto de homens e mulheres que há anos eram estranhos à igreja, inimigos dela, seu coração clamou: "Ó, meu Senhor, ensina à igreja, a tua igreja, como seguir melhor os teus passos!". Será que a oração de Henry Maxwell estava para ser respondida? Iria a igreja na cidade obedecer ao chamado para segui-lo? Andaria em seus passos marcados por dor e sofrimento? O Espírito atuava sobre a cidade inteira. Ó, não o entristeçais! Pois ele nunca esteve tão disposto a revolucionar este mundo como agora!

Capítulo 30

Ouvindo-o Jesus, disse-lhe: Uma coisa ainda te falta: vende tudo o que tens, dá-o aos pobres e terás um tesouro nos céus; depois, vem e segue-me.

Henry Maxwell enfrentou naquela noite na Comunidade um público muito variado, algo que não acontecia em Raymond; nem mesmo no Retângulo poderia ser encontrado um número tão grande de homens e mulheres totalmente fora da influência da igreja, do cristianismo e mesmo de outras religiões.

Qual foi o assunto de sua preleção? Ele já havia decidido sobre o que falaria. Com uma linguagem muito simples, explicou o que aconteceu em Raymond depois que algumas pessoas assumiram o compromisso de seguir os passos de Jesus. O público que o escutava já tinha ouvido falar de Jesus Cristo. Tinha alguma ideia de seu caráter e, por mais que as pessoas fossem duras com relação ao cristianismo institucionalizado e com relação ao sistema social, ainda preservavam alguma noção de certo e errado que haviam extraído das informações que tinham sobre o Homem da Galileia.

Portanto, estavam interessadas no que Maxwell tinha falado: "O que faria Jesus?". Ele começou a aplicar a pergunta a problemas sociais em geral, depois de ter contado a história de Raymond. O público prestava atenção com todo respeito. Na verdade, era mais que respeito. Era interesse genuíno.

Enquanto Maxwell falava, os ouvintes inclinavam-se para a frente, num claro sinal de interesse, coisa rara de ser vista mesmo em igrejas. "O que faria Jesus?"

Suponha que fosse esse o lema não apenas de igrejas, mas de empresários, políticos, jornalistas, operários, pessoas da sociedade. Quanto tempo seria necessário para que se causasse uma revolução no mundo? Qual era o principal problema deste mundo? Ele estava sofrendo de uma doença chamada egoísmo. Ninguém mais do que Jesus conseguiu superar tanto o egoísmo. Se as pessoas o imitassem, sem se preocupar com as consequências, o mundo logo começaria a desfrutar de uma nova vida.

Maxwell não sabia quão extraordinário era o fato de estar prendendo a atenção de um público como aquele. O bispo e o dr. Bruce, sentados ali e olhando para as pessoas em volta, viam rostos que representavam o desprezo pela fé, o ódio contra a ordem social, contra o preconceito e contra o egoísmo. E ficaram maravilhados pelo fato de, em tão pouco tempo, sob a influência da vida na Comunidade, já se haver iniciado um processo de restauração nas almas, muitas das quais haviam ficado amargas como vítimas de negligência e indiferença.

Mesmo assim, apesar do respeito pelo preletor, ninguém ali, nem mesmo o bispo, podia ter certeza dos sentimentos que passavam pelo recinto naquela noite. Entre os que tinham ficado sabendo da reunião e responderam ao convite estavam vinte ou trinta desempregados que haviam passado em frente à Comunidade naquela tarde; viram o anúncio da reunião e resolveram comparecer, alguns por curiosidade, outros para fugir do frio gelado das ruas. Por causa do frio intenso, os bares estavam lotados. Mas em todo o bairro, com mais de trinta mil moradores, a única porta aberta ao público, com exceção dos bares, era a porta da Comunidade. Para onde iria uma pessoa sem lar, sem trabalho e sem amigos, a não ser para um bar?

Era costume que, em reuniões daquele tipo, a palavra fosse franqueada para todos os presentes que quisessem opinar sobre algum assunto. Quando Maxwell terminou de falar, o bispo, que naquela noite estava dirigindo a reunião, levantou-se e avisou a todos que podiam ficar à vontade para fazer perguntas, expressar sentimentos ou declarar convicções. A única regra era que deveriam respeitar o tempo de três minutos para cada participante, por causa do grande número de pessoas presentes.

No mesmo instante, vários dos que já haviam participado de outras reuniões na Comunidade, exclamaram: Apoiado! Apoiado!

O bispo sentou-se, e logo um homem se levantou e começou a falar.

— Gostaria de dizer que as palavras do sr. Maxwell nesta noite despertaram-me grande interesse. Eu conhecia Jack Manning, o rapaz que morreu na casa do sr. Maxwell. Eu trabalhei ao lado dele numa gráfica na Filadélfia. Foram dois anos trabalhando juntos. Ele era uma boa pessoa. Certa vez, quando eu estava em dificuldades, ele me emprestou cinco dólares. Nunca tive oportunidade de devolver-lhe o dinheiro. Ele se mudou para Nova York, por causa de uma decisão administrativa da gráfica que o atingiu com demissão. Nunca mais o vi depois daquilo. Quando apareceram as máquinas de linotipo, fui mais um a perder o emprego como ele. Desde aquela época tenho passado mais tempo desempregado do que trabalhando. Dizem que a tecnologia é uma coisa boa. Nem sempre a vejo assim, mas acho que sou suspeito para falar, pois perdi o emprego para uma máquina que tomou o meu lugar.

— Quanto a esse cristianismo de que ele falou, tudo bem. Mas nunca esperei ver muita gente de igreja fazendo sacrifícios. Até onde posso perceber, essa gente é egoísta, gananciosa, ávida por dinheiro e sucesso como qualquer outra pessoa que não frequenta igreja. Menciono aqui o bispo, o dr. Bruce e alguns outros como casos de exceção. Mas, quando o assunto é dinheiro ou negócios, nunca vi muita diferença entre as pessoas do mundo, como costumam ser chamadas, e os membros de igreja. Uma classe é tão ruim quanto a outra.

Gritos de "é isso aí!", "você tem razão!" e "isso mesmo!" interromperam o rapaz que estava falando e, assim que ele se sentou, dois homens que estavam sentados no chão, levantaram-se e começaram a falar juntos. O bispo pediu ordem e apontou quem falaria primeiro. Então ele começou a falar:

— É a primeira vez que venho aqui, e talvez seja a última. Já esgotei todos os meus recursos. Perambulei por esta cidade procurando emprego até cair doente. Há muitos na mesma situação que a minha. Gostaria de fazer uma pergunta ao ministro, se não houver problema. Posso?

— O sr. Maxwell é quem vai dizer-lhe se pode — disse o bispo.

— Com toda certeza, sim — respondeu Maxwell sem demora. — Mas não posso garantir que minha resposta o deixará satisfeito.

— Minha pergunta é a seguinte — então inclinou-se para a frente com o braço levantado, revelando uma força que vinha naturalmente de sua condição de ser humano. — Gostaria de saber o que Jesus faria no meu caso. Não acho nenhum trabalho já faz dois meses. Tenho esposa e três filhos, e os amo da mesma forma que os amaria se tivesse um milhão de dólares. Estou vivendo de algumas pequenas economias que fiz de meu último emprego. Sou marceneiro profissional e tentei de todas as formas arrumar um trabalho. O senhor diz que nosso lema deve ser "O que faria Jesus?".

O que ele faria se estivesse desempregado como eu? Quero trabalhar. Daria qualquer coisa para terminar o dia exausto, depois de dez horas de trabalho, do jeito que acontecia comigo. Devo ser condenado por não conseguir trabalhar por conta própria? Preciso viver; minha esposa e meus filhos também precisam viver! Mas como? O que faria Jesus? O senhor afirma que é essa a pergunta que devemos fazer.

Maxwell, sentado ali, olhava para o rosto das pessoas, todas voltadas para ele. Ele parecia não ter uma resposta para aquela pergunta. Então orou em silêncio: "Ó Deus, essa pergunta envolve todo o problema social, com todos os desdobramentos causados pelos erros dos homens e sua condição contrária aos planos de Deus para o bem-estar de um ser humano. Haverá coisa tão horrível quanto ver um homem plenamente sadio, capaz e ansioso por trabalhar para seu sustento, praticamente incapaz de conseguir qualquer coisa para fazer e levado a escolher uma destas três alternativas: mendigar, suicidar-se ou morrer de fome? O que faria Jesus?" Era uma pergunta justa. A única que podia fazer, supondo ser ele um discípulo de Jesus. Mas que pergunta difícil de responder para qualquer outra pessoa vivendo nas mesmas condições!

Essa e outras coisas fizeram Maxwell meditar profundamente na questão. Todos os outros estavam fazendo o mesmo. O bispo estava com um aspecto grave e triste, de tanto que a pergunta havia mexido com ele. O dr. Bruce estava de cabeça baixa. Desde que assumira o compromisso, deixara a igreja e organizara a Comunidade, o problema humano nunca lhe havia parecido tão trágico. O que faria Jesus? Era uma pergunta terrível.

E lá estava o homem, alto e magro com o braço estendido num apelo que a cada segundo ganhava força. Por fim, Maxwell falou:

— Há algum discípulo de Cristo nesta sala que tenha passado por uma situação semelhante e tentado fazer o que Jesus faria? Se houver, com certeza poderá oferecer uma resposta melhor que a minha.

Houve um instante de agitação e burburinho no recinto, até que um homem, lá da frente, levantou-se devagar. Era uma pessoa de idade, e sua mão, apoiada no encosto de outro banco, tremia enquanto ele falava:

— Acho que posso dizer que muitas vezes passei por situações semelhantes a essa e sempre tentei agir como cristão em qualquer condição que me encontrasse. Não sei se perguntei exatamente "O que faria Jesus?" nas vezes em que estive desempregado. O que sei é que sempre tentei ser um discípulo de Jesus — e o homem prosseguiu com um sorriso triste que, para o bispo e Maxwell, era mais tocante do que a atitude de desespero do outro. — Sim, eu mendiguei e recorri a instituições de caridade. Nas vezes em que fiquei desempregado sem ter como me sustentar, fiz tudo o que me era possível para conseguir comida e proteger-me do frio, exceto roubar e mentir. Não sei se Jesus teria feito algumas coisas que fui obrigado a fazer para me sustentar, mas sei que nunca fiz nada de reprovável sempre que eu ficava desempregado. Às vezes, fico pensando que Jesus teria passado fome em vez de mendigar. Eu não sei.

A voz do idoso tremia enquanto olhava com timidez para as pessoas que o cercavam. Seguiu-se um período de silêncio, que foi interrompido por um homem sentado a três fileiras do bispo. Ele era grande, tinha cabelos negros e uma barba extensa. Quando começou a falar, praticamente todo mundo se inclinou para ouvi-lo em sinal de grande interesse. O homem que tinha perguntado o que Jesus faria no lugar dele sentou-se e cochichou para o vizinho:

— Quem é ele?

— É Carlsen, o líder socialista. Agora você vai ouvir coisa boa!

— P'ra mim, isso é tudo bobagem — começou Carlsen, tomado de grande ira. — Todo o nosso sistema está falido. O que chamamos de civilização está podre. Não adianta tentar encobrir esses fatos. Vivemos numa época em que a ganância do capitalismo representa a morte para milhares de homens inocentes, mulheres e crianças. Graças a Deus, se é que existe um Deus, e duvido muito, nunca me atrevi a casar e constituir família. Isso é um verdadeiro inferno! Haverá um inferno pior que o inferno em que se encontra aquele homem com mulher e filhos? E ele é só um caso no meio de milhares! Além disso, esta cidade, e qualquer outra cidade grande neste país, tem milhares de cristãos professos, que vivem com todo luxo e conforto, vão à igreja aos domingos para cantar hinos que falam de dedicação total a Jesus, de seguir seus passos e de salvação! Não digo que não exista gente de bem entre eles, mas se o ministro que nos falou aqui nesta noite fosse a qualquer igreja de elite, dentre as várias que posso mencionar, e propusesse aos membros que assumissem o compromisso de fazer o que Jesus faria, eles logo ririam dele, tomando-o por louco ou fanático. Não, o remédio não é esse. Isso não vai levar a lugar algum.

— Precisamos começar tudo de novo em matéria de governo. Todo o sistema precisa ser reformado. Não espero que alguma reforma social eficaz saia de dentro das igrejas. Elas não estão ao lado do povo. Estão com os aristocratas, com gente que tem dinheiro. Empresas e monopólios são comandados por membros das igrejas. Os pastores são seus escravos. O que precisamos é de um sistema que parta da base do socialismo, fundamentado nos direitos do povo.

É claro que Carlsen estourou o tempo de três minutos. Estava iniciando um discurso que, pelo que diziam os que o conheciam, levaria pelo menos uma hora. Mas um homem que estava atrás dele, puxou-o para baixo, fazendo com que se sentasse. E então se levantou. Carlsen ficou indignado a princípio e ameaçou perturbar a ordem, mas o bispo lembrou-lhe da regra de três minutos, e ele se submeteu, resmungando de dentro de sua espessa barba. Enquanto isso, o outro orador começava a defender com vigor a ideia de imposto único como solução para todos os males da sociedade. Depois dele, veio outro, que fez um ataque violento às igrejas e pastores, declarando também que os dois grandes obstáculos para uma verdadeira reforma social eram os tribunais de justiça e as máquinas eclesiásticas.

Quando se sentou, outro, que tinha todos os dados de um trabalhador de rua, ficou de pé e despejou impropérios sobre as grandes empresas, principalmente as do ramo ferroviário. Acabado seu tempo, outro se levantou, apresentando-se como ferreiro profissional, e declarou que a solução para as mazelas sociais estava nos sindicatos. Segundo ele, os sindicatos seriam a salvação acima de qualquer outra coisa. Depois deste, levantou-se alguém que dizia que as invenções e a tecnologia eram diabólicas, responsáveis pelo desemprego de muita gente. E foi aplaudido efusivamente pelos outros.

Por fim, o bispo declarou que não havia mais tempo para outras manifestações e convidou Rachel para vir e cantar. Durante o período de um ano que passara em Raymond, depois de assumir o compromisso na igreja de Maxwell, Rachel havia se transformado numa cristã sensata, humilde e forte. Seu grande talento para a música tinha sido colocado integralmente a serviço do Mestre. Quando começou a cantar, passou a orar em pensamento, pedindo que Deus abençoasse os resultados obtidos com sua voz, que agora ela usava para Jesus. Com certeza, enquanto cantava, sua oração foi sendo atendida. O hino, que ela havia escolhido a dedo, dizia: "Esta é a voz de Jesus, que diz: Vem, alma perdida, vem!".

Novamente Maxwell, ali sentado, lembrava-se de sua primeira noite no Retângulo, quando Rachel cantou e fez o povo da tenda se aquietar. O efeito estava sendo o mesmo naquela hora. Que poder tem uma voz consagrada ao serviço do Mestre! A moça era tão competente, que poderia ter se tornado uma das mais famosas cantoras líricas da época. Com certeza, o público ali presente nunca tinha ouvido uma voz com tanta qualidade. Não poderia ouvi-la cantar nem mesmo "no mundo", como dizia o bispo, porque, pelo privilégio de ouvi-la, seu empresário simplesmente iria cobrar um valor que eles não teriam condições de pagar.

A música fluía pelo ambiente como se estivesse dando uma amostra da própria salvação. Carlsen levantou o rosto com sua barba espessa e negra, absorto que estava pela música que ele tanto apreciava por causa de sua nacionalidade. Uma lágrima corria-lhe pela barba, enquanto sua fisionomia relaxava e se tornava quase nobre. O desempregado que queria saber o que Jesus faria em seu lugar estava boquiaberto, com a mão apoiada no banco da frente, e pôde por um momento se esquecer de sua trágica situação. Enquanto durou, a música foi para ele alimento, calor, trabalho e união com a esposa e os filhos. O outro que havia criticado igrejas e pastores estava sentado com a cabeça levantada, em princípio demonstrando rigidez e resistência, como se não quisesse admitir algo que estivesse, mesmo remotamente, associado com igrejas ou cultos. Mas aos poucos foi se rendendo ao poder da música que invadia os corações ali presentes, e dentro de pouco tempo já se pôde perceber em seu rosto um olhar triste e compenetrado.

Naquela noite, o bispo dizia, enquanto Rachel cantava, que, se o mundo doente, depravado e perdido ouvisse o evangelho pregado pela voz de profissionais como Rachel, a vinda do reino seria apressada de uma forma que nenhuma outra força poderia fazer.

— Por quê? — dizia ele no coração enquanto ouvia — Por que esse maravilhoso tesouro representado pela música é mantido tão longe do povo? Só pode ser pela ganância por dinheiro que demonstram os que foram abençoados com esse dom. Será que não haveria outros que se sacrificariam, doando sua voz, a exemplo de todos os outros dons que as pessoas consagravam ao serviço do reino?

Maxwell lembrava-se do público do Retângulo, ansiando por um avanço maior dessa forma de discipulado. O que ele tinha visto e ouvido na Comunidade dera-lhe a certeza de que os problemas das cidades seriam resolvidos se os cristãos que vivem nelas seguissem os passos de Jesus do jeito que ele ordenou. O que representavam para a igreja pessoas negligenciadas e pecadoras como as que ali se encontravam? Era gente desse tipo que o Mestre viera salvar, apesar de seus erros, preconceitos, miséria e falta de esperança. Era esse pensamento que mais o entristecia. Estaria a igreja tão afastada de Jesus, que teria perdido sua influência sobre o tipo de pessoa que a cristandade do primeiro século conseguiu ganhar aos milhares? Até que ponto o líder socialista estava certo quando afirmou que não adiantava esperar que da igreja saísse alguma reforma social ou redenção, de tão egoístas e reclusos que se mostravam seus membros?

Ele estava cada vez mais abismado ao perceber que aquele número relativamente pequeno de pessoas presentes no recinto, no momento apaziguadas pela voz de Rachel, representava milhares de outras como elas, para as quais igrejas e pastores não ofereciam, em termos de conforto e felicidade, mais do que ofereciam os bares e cervejarias. Isso precisava ser assim?

Se os cristãos fossem todos fiéis ao compromisso de seguir Jesus, será que haveria hostes de desempregados pelas ruas, centenas deles acusando a igreja, e milhares considerando a bebida como a melhor companhia? Até que ponto os cristãos podiam ser responsabilizados por aquele problema social tão bem ilustrado na reunião daquela noite? Seria verdade que, de modo geral, as igrejas das cidades grandes se negariam a seguir os passos de Jesus e realmente sofrer por amor a ele?

Maxwell continuou a fazer essas perguntas, mesmo depois que Rachel terminara de cantar e a reunião havia chegado ao fim, depois de uma confraternização bem informal. E continuou a perguntar enquanto um pequeno grupo de residentes e os visitantes de Raymond estavam tendo um momento de estudo bíblico e oração, como era costume na Comunidade. E ainda fez as mesmas perguntas durante uma conversa que teve com o bispo e o dr. Bruce até uma hora da madrugada. E foram as perguntas que permaneceram com ele enquanto orava de joelhos antes de dormir, pedindo um avivamento espiritual sobre as igrejas do país. Eram perguntas que o acompanharam no dia seguinte enquanto andava pelo distrito em que ficava a Comunidade e observava a vida que as pessoas levavam, tão diferente da vida abundante. Será que os membros das igrejas, os cristãos, não somente nas igrejas de Chicago, mas pelo país inteiro, iriam se recusar a seguir os passos de Jesus, se precisassem tomar uma cruz para então segui-lo? Essa era a pergunta que até o momento havia ficado sem resposta.

Capítulo 31

❧

Quando foi para Chicago, Maxwell havia planejado voltar para Raymond no domingo seguinte para pregar em sua igreja. Mas, na sexta de manhã, recebeu do pastor de uma das maiores igrejas da cidade um convite para ocupar o púlpito no culto da manhã e da noite.

Em princípio, ele ficou em dúvida, mas depois aceitou, vendo naquilo a mão orientadora do Espírito Santo. Além disso, poderia colocar à prova sua pergunta. Queria testar se era falsa ou verdadeira a acusação feita contra a igreja na reunião da Comunidade. Até que ponto a igreja estaria disposta a fazer renúncias por amor a Jesus? Seguiria mesmo seus passos bem de perto? Estaria a igreja pronta para sofrer pelo seu Senhor?

Maxwell passou quase toda a noite de sábado em oração. Ele nunca tinha vivido um conflito tão grande, nem mesmo durante as experiências mais intensas em Raymond. Na realidade, ele estava tendo novas experiências. A definição de seu discipulado era mais uma vez colocada à prova, e ele, conduzido à compreensão de uma verdade poderosa do Senhor.

Na manhã do domingo, a grande igreja estava abarrotada de gente. Ao chegar ao púlpito depois de uma noite sem dormir, Henry Maxwell sentia a pressão da grande curiosidade que se via nas pessoas. Esta e outras igrejas sabiam do que acontecera em Raymond, e a recente atitude do dr. Bruce fizera que o interesse pelo assunto do compromisso aumentasse mais ainda. Além dessa curiosidade, havia algo mais sério e mais profundo, o que também era percebido por Maxwell. Então, consciente de que a presença do Espírito era sua força viva, pregou sua mensagem para a igreja naquele dia.

Ele nunca havia sido exatamente um grande pregador. Não tinha o poder e a qualidade que notabilizam os grandes comunicadores. Mas, desde que havia prometido fazer o que Jesus faria, vinha ganhando uma boa capacidade de persuasão que lhe dava o essencial em termos de retórica. Naquela manhã, as pessoas sentiam toda a sinceridade e humildade de um homem que havia conhecido profundamente uma grande verdade.

Tendo narrado sem demora alguns resultados que o compromisso trouxe para sua igreja em Raymond, Henry Maxwell prosseguiu para fazer a pergunta que ele mesmo estava se fazendo desde a reunião na Comunidade. Havia escolhido como base para o sermão a história do jovem que se dirigira a Jesus para perguntar o que deveria fazer para obter a vida eterna. Jesus o havia colocado à prova. "Vai, vende tudo que tens, dá-o aos pobres; e terás um tesouro no céu; então vem e segue-me." Mas o jovem não estava disposto a sofrer tanto. Se seguir Jesus significava sofrer daquele jeito, ele desistiria da ideia. Até gostaria de segui-lo, mas não se o sacrifício fosse muito grande.

"Seria verdade" — continuou Maxwell, com o rosto brilhando pela emoção do apelo e desafiando as pessoas como nunca tinham sido desafiadas — "seria verdade que a igreja de hoje, a igreja que leva o nome de Cristo, se recusaria a segui-lo se isso implicasse sofrimento e perdas materiais? Na semana passada, numa reunião da Comunidade, um líder dos trabalhadores declarou que era inútil olhar para a igreja em busca de alguma reforma ou redenção da sociedade. Qual seria a base dessa declaração? É claro que ele estava pressupondo que as igrejas abrigam homens e mulheres que, em sua maioria, pensam mais no luxo e no conforto e não nos sofrimentos e carências da humanidade. Até que ponto isso é verdade? Estariam os discípulos deste país dispostos a submeter seu discipulado a uma prova? E os homens que possuem muitos bens? Estariam prontos a lançar mão dessa riqueza e usá-la do jeito que Jesus faria? E os homens e mulheres de grande talento? Estariam desejosos de consagrar esse talento à humanidade da forma como Jesus sem dúvida faria?

"Não seria verdade que esta geração está sendo chamada a um novo conceito de discipulado? Vocês, moradores desta cidade grande e pecaminosa, devem saber disso melhor que eu. Seria possível que vocês vivessem a vida sem se importar com a pavorosa condição de homens, mulheres e crianças que estão morrendo, tanto física quanto espiritualmente, necessitados da ajuda dos cristãos? Será que vocês se preocupam pessoalmente com realidades como as bebidas alcoólicas, que matam pessoas aos milhares, muito mais do que a guerra?

"Causa-lhes sofrimento o fato de um número incontável de homens capazes e desejosos de trabalhar vagarem pelas ruas desta cidade e de muitas outras, suplicando emprego e apelando para o crime ou para o suicídio ao ver que não conseguiram atingir seu objetivo? Poderiam vocês afirmar que não têm nada a ver com isso? Que cada um deve cuidar de si próprio? Não seria verdade que, se todos os cristãos deste país agissem como Jesus, a sociedade, o mundo dos negócios e o próprio sistema político sob o qual nossas atividades comerciais e governamentais são conduzidas passariam por uma mudança tão grande, que o sofrimento humano seria reduzido a níveis bem mais modestos?

"Que aconteceria se todos os membros das igrejas desta cidade tentassem agir como Jesus agiria? Não é possível prever com detalhes o efeito que isso teria. Mas é fácil dizer, e isto é fato, que o problema da humanidade começaria de forma instantânea a encontrar uma resposta adequada.

"Qual é a prova do discipulado cristão? Não é a mesma dos tempos de Cristo? Será que ela foi modificada pelo nosso ambiente? Se Jesus estivesse aqui hoje, não haveria de desafiar alguns membros desta igreja a fazer o mesmo que ele ordenou ao jovem e pedir-lhes que abrissem mão da riqueza para o seguir? Acredito que ele faria isso, caso percebesse que os membros das igrejas estão preocupados mais com suas posses do que com o Salvador. Hoje a prova seria a mesma daquela época. Creio que hoje Jesus exigiria, e ele exige, o mesmo nível de sacrifício, sofrimento e abnegação que exigiu de seus seguidores quando esteve neste mundo e disse: 'Assim, pois, todo aquele que dentre vós não renuncia a tudo quanto tem não pode ser meu discípulo'.

"O que aconteceria se cada membro de igreja desta cidade começasse a fazer o que Jesus faria? Não é fácil prever os resultados de modo detalhado. Mas todos sabemos que algumas coisas que hoje os membros praticam seriam impossíveis. O que faria Jesus com as riquezas? Como faria uso delas? Que princípio nortearia a forma como o dinheiro seria gasto? Será que ele viveria no meio do luxo e gastaria dez vezes mais com a aparência pessoal e com diversão em comparação com o dinheiro empregado para atender as necessidades das pessoas que sofrem nesta vida? Como ele ganharia seu dinheiro? Receberia aluguéis de donos de bares e de outros imóveis de reputação duvidosa, ou de cortiços construídos de tal forma que os moradores não tivessem recursos básicos como privacidade e higiene?

"Que faria Jesus diante do enorme exército de desempregados e desesperados que perambulam pelas ruas e criticam a igreja, ou são indiferentes a ela, mergulhados numa luta penosa pelo pão que se torna amargo de tão difícil que é conquistá-lo? Será que Jesus não se importaria nem um pouco com essas pessoas? Seguiria seu caminho tranquilo e confortavelmente? Será que ele diria que isso não é problema dele? Será que se isentaria da responsabilidade de extirpar as causas de tal condição?

"O que faria Jesus no meio de uma civilização que corre tanto atrás de dinheiro, que as próprias moças que trabalham fora não recebem o suficiente para sua subsistência sem que enfrentem tentações medonhas, tão grandes que várias delas caem e são varridas para o abismo da perdição? O que ele faria em lugares onde as exigências do comércio sacrificam centenas de rapazes numa atividade que despreza todos os deveres cristãos para com eles em termos de educação, ensino moral e afeição pessoal? Será que Jesus, se estivesse aqui hoje e participasse de nossa indústria e comércio, não sentiria nada, não faria nada e não diria nada diante dos fatos que todo empresário conhece?

"O que faria Jesus? O discípulo não deve fazer o mesmo? Ele não deve obedecer, seguindo seus passos? Até que ponto o cristianismo dos dias atuais representa sofrimento por Cristo? Estaria ele mesmo se negando, por causa de facilidades, conforto, luxo e alto nível de vida? O que o mundo mais precisa hoje? Não é de sacrifício pessoal? Estaria a igreja cumprindo seu dever de seguir Jesus quando contribui com um pouco de dinheiro para sustentar missões ou minorar casos extremos de necessidade? Poderíamos chamar de sacrifício um homem com patrimônio de dez milhões de dólares que contribui com dez mil para obras de caridade? Não estaria ele doando alguma coisa que não lhe custa praticamente nada em termos de sofrimento pessoal? É verdade que muitos discípulos hoje, na maioria das igrejas, levam vidas fáceis, tranquilas e egoístas, algo que nem de longe pode ser chamado de sacrifício? O que faria Jesus?

"O que precisa ser enfatizado no discipulado de hoje é o elemento pessoal. Não adianta dar sem se doar. O cristianismo que tenta terceirizar o sofrimento não é o cristianismo que Cristo pregou. Todo cidadão e empresário que se diz cristão precisa, como indivíduo, seguir os passos de Jesus ao longo do caminho do sacrifício pessoal por amor a ele. Hoje não há um caminho diferente do caminho que havia nos tempos de Jesus. Ele continua sendo o mesmo. O que precisamos é ouvir e fazer o desafio por uma nova forma de discipulado, mais parecido com o cristianismo apostólico dos primeiros dias, quando, com toda simplicidade, os discípulos largavam tudo e literalmente seguiam o Senhor. Só isso pode ser capaz de enfrentar o egoísmo destrutivo de nossos dias com alguma esperança de sobrepujá-lo.

"O número de cristãos nominais é bem grande hoje. Precisamos de mais cristãos legítimos. Precisamos de um avivamento do cristianismo ensinado por Cristo. De forma inconsciente e com toda preguiça, egoísmo e formalidade, temos produzido uma forma de discipulado que o próprio Jesus não reconheceria como genuíno. Quando clamássemos a ele, dizendo 'Senhor, Senhor', ele nos responderia: 'Nunca vos conheci'. Estamos dispostos a levar nossa cruz?

"Se nossa definição de cristianismo se reduz a desfrutar os privilégios da adoração, sermos generosos se isso não nos custar nada, divertir-nos cercados de amigos e coisas agradáveis, viver uma vida respeitável e ao mesmo tempo evitar as maiores dificuldades geradas pelo pecado, fugindo da dor que ele causa, então estaremos longe de seguir os passos de Jesus, que percorreu seu caminho com gemidos e lágrimas de angústia pela humanidade perdida, suou gotas de sangue e gritou do alto da cruz: 'Deus meu, Deus meu, por que me desamparaste?.'

"Estamos dispostos a viver uma nova forma de discipulado? Estamos desejosos de reconsiderar nossa definição de cristianismo? O que é ser cristão? É imitar Jesus. É fazer as coisas do jeito que ele faria. E seguir os seus passos."

Ao encerrar o sermão, Henry Maxwell parou e olhou para os ouvintes de uma forma que eles nunca esqueceriam e que, naquele momento, não entenderam. Aglomerados numa igreja sofisticada, naquele dia havia centenas de homens e mulheres que durante anos viviam um cristianismo fácil e nominal. Um enorme silêncio pairou sobre a congregação. No meio desse silêncio, os ouvintes perceberam algo que há anos lhes era desconhecido: o poder de Deus. Todos achavam que o pregador iria fazer um apelo convidando voluntários que quisessem assumir o compromisso de seguir os passos de Jesus. Mas Maxwell havia recebido do Espírito a orientação de apenas apresentar sua mensagem e esperar os resultados.

Então encerrou o culto com uma oração carinhosa que manteve sobre os ouvintes a sensação da presença de Deus; as pessoas levantaram-se vagarosamente e começaram a sair. Então, presenciou-se uma cena que não poderia ser provocada por simples esforço humano na busca de resultados.

Homens e mulheres em grande número aglomeraram-se em volta do púlpito para falar com Maxwell e prometer-lhe que se comprometiam a fazer todas as coisas apenas depois de perguntar "o que faria Jesus?". Foi uma iniciativa voluntária e espontânea que superou todas as suas melhores expectativas. Mas não era exatamente isso que ele havia suplicado em oração? Foi uma resposta que satisfez a todos os seus desejos do coração.

Depois dessas coisas, houve ainda uma reunião de oração em que se reproduziram os mesmos sentimentos e impressões vividos em Raymond. No culto da noite, para grande alegria de Maxwell, a sociedade de jovens em peso foi à frente, a exemplo do que fizeram muitos membros na parte da manhã, e de forma solene e séria todos assumiram o compromisso de seguir os passos de Jesus.

Perto do fim da reunião, uma grande onda de batismo espiritual cobriu os presentes, trazendo resultados indescritíveis em termos de alegria, comunhão e afeto cristão.

Foi um dia inesquecível na história daquela igreja, mas muito mais na história pessoal de Henry Maxwell. Quando saíram, já era bem tarde. Então Maxwell foi para seu aposento na Comunidade, mas não sem antes gastar algum tempo conversando com o bispo e o dr. Bruce, quando puderam recapitular os fatos maravilhosos do dia.

Antes de dormir, Maxwell ajoelhou-se para orar, como tinha o costume de fazer. E foi de joelhos que, acordado, teve uma visão do que poderia acontecer no mundo quando o novo discipulado tivesse penetrado a consciência da cristandade. Ele sabia que estava acordado, mas teve certeza de ter visto alguns resultados com grande clareza. Alguns eram realidades reservadas para o futuro, outras eram anseios de que se tornassem realidade. E foi isto o que Maxwell viu em sua visão naquela noite:

Primeiro ele se viu voltando para a Primeira Igreja de Raymond, vivendo uma vida bem mais simples, de mais renúncia ainda, pois havia encontrado meios de ajudar outras pessoas que realmente dependiam de sua ajuda. Viu também que chegaria uma hora em que, por causa da oposição dos que não concordavam com sua interpretação da conduta de Jesus, ele iria passar por mais sofrimento. Mas isso não estava claro na visão. No meio de tudo aquilo, ouviu as palavras: "A minha graça te basta".

Ele também viu Rachel Winslow e Virginia Page prosseguindo com o trabalho no Retângulo e levando ajuda a lugares fora dos limites de Raymond. Rachel estava casada com Rollin Page, e os dois, totalmente consagrados ao serviço do Mestre, seguindo seus passos com uma vontade purificada pelo amor de um pelo outro. E Rachel continuava cantando nos bairros pobres e tenebrosos, onde reinavam o pecado e o desespero, atraindo almas perdidas de volta para Deus.

Ele viu o diretor Marsh, que se valia de seu aprendizado e grande influência para sanear a cidade, inspirar patriotismo, incentivar os jovens que gostavam dele e o admiravam a levar uma vida de serviço cristão, sempre ensinando-lhes que a educação significa grande responsabilidade para os fracos e ignorantes.

Ele viu Alexander Powers enfrentando adversidades amargas na vida em família, triste pela reação da esposa e dos amigos, mas sempre mantendo a honra, servindo o Mestre em todas as coisas, mesmo tendo perdido riquezas e prestígio social.

Ele viu Milton Wright, o comerciante, passando por grandes dificuldades advindas de uma série de fatores que envolviam interesses comerciais contrariados, mas sempre irrepreensível na conduta e, no final, conseguindo reverter a situação sem perder a honra, para novamente chegar a uma posição em que podia ser exemplo para centenas de jovens, mostrando-lhes como Jesus agiria no comércio.

Ele viu Edward Norman, editor do *Diário de Notícias*, por meio do patrocínio financeiro de Virginia, fortalecer-se no jornalismo, vindo a ser reconhecido como um dos fatores que contribuíam para a formação de uma nação cristã, um exemplo diário da força que a imprensa cristã podia ter. O *Diário* era só o primeiro de uma série de jornais administrados por outros discípulos que assumiram o mesmo compromisso.

Ele viu Jasper Chase, que havia negado seu Senhor, cada vez mais envolvido numa vida de frieza e cinismo, escrevendo livros que faziam sucesso com o público, mas em todos eles se via o ferrão do amargo remorso que nenhum sucesso profissional poderia retirar.

Ele viu Rose Sterling, depois de depender alguns anos da tia e de Felicia, casando-se com um homem bem mais velho, aceitando o fardo de uma relação sem amor de sua parte, em troca de uma vida ao lado de um homem rico, que podia fazê-la voltar a desfrutar do luxo que ela tanto valorizava. A visão de Rose não era clara, mas havia sombras medonhas que a impediam de ver detalhes.

Ele viu Felicia e Stephen Clyde, casados e felizes, vivendo juntos uma bonita vida de casal, com entusiasmo e alegria, mesmo em meio ao sofrimento, espalhando a fragrância de um serviço de grande alcance pelos lugares onde predominavam as trevas, resgatando almas por meio da influência pessoal do seu lar.

Ele viu o dr. Bruce e o bispo dando continuidade ao trabalho na Comunidade. Parecia ter visto que a placa com as palavras "O que faria Jesus?", na entrada do prédio da Comunidade, estava agora maior. Todos os que entravam passavam a viver por esse lema, seguindo os passos de Jesus.

Ele viu Burns e seus amigos, ao lado de um grande grupo de homens como eles, redimidos e alcançando outras pessoas, superando os vícios pela graça de Deus e provando a cada dia a realidade do novo nascimento, mesmo na vida dos que haviam chegado ao fundo do poço da existência.

Em seguida a visão ficou turva. Ele se viu ajoelhado e orando, e a visão era mais de uma esperança do que de uma realidade futura. A igreja de Jesus naquela cidade e por todo o país! Seguiria ela os passos de Jesus? Será que o movimento iniciado em Raymond chegaria a algumas poucas igrejas como a da Nazareth Avenue e aquela onde havia pregado na última noite, mas em seguida entraria em declínio, não passando de um movimento local e superficial, sem alcance de profundidade e distância? E sentiu-se agoniado com aquilo. Pensava que veria a igreja de Jesus abrir o coração para o mover do Espírito, levantando-se para oferecer o sacrifício de sua comodidade e do seu egoísmo em nome de Jesus. Pensava que veria o lema "O que faria Jesus?" inscrito na entrada de todas as igrejas e no coração de todos os membros. A visão esmaeceu depois disso.

Mas voltou bem mais nítida, e ele viu as sociedades de jovens de todo o mundo reunindo-se em grandes congressos, para os quais se dirigiam em enormes grupos que carregavam estandartes onde se lia "O que faria Jesus?". E pensou ter visto no rosto dos jovens o futuro, que lhes reservava alegria em meio ao sofrimento, perdas, renúncias e martírio.

Quando essa parte da visão começou a desvanecer, ele viu o Filho de Deus, que chamava a ele e a todas as outras personagens que participaram da história de sua vida. Ouviu um coro angelical que cantava. Era como o som de muitas vozes e um grito como de vitória. E a imagem de Jesus crescia em esplendor. Maxwell estava no fim de uma longa escadaria. "Sim! Sim! Ó meu Senhor, por acaso não é chegada a hora de raiar o milênio da história do cristianismo? Ah! faze brilhar a luz e a verdade sobre a cristandade desta era. Ajuda-nos a seguir teus passos por onde quer que fores!"

Então ficou em pé, aterrorizado por ter visto aquelas realidades celestiais. E sentiu mais do que antes a força do pecado humano sobre o mundo. Mas, tomado pela esperança que anda de mãos dadas com a fé e o amor, Henry Maxwell, discípulo de Jesus, deitou-se para dormir. E sonhou com a regeneração da cristandade. Agora via em seu sonho a igreja de Jesus sem manchas nem rugas, obediente e seguindo os passos do seu Senhor por onde quer que ele fosse.

Sobre o autor

Charles Monroe Sheldon nasceu em 1857, em Wellsville, Nova York. Filho de pastor, foi incentivado a ler diariamente a Bíblia, o que despertou nele, desde cedo, uma profunda paixão pela literatura. Aos 12 anos, começou a contribuir para um jornal de Boston. Em seguida, surgiram dezenas de pequenas obras e centenas de artigos para revistas e jornais. A influência do pai pôde ser percebida também na vocação pastoral. Formado pelo Seminário Teológico Andover, Charles marcou seu pastorado por iniciativas inéditas à época, disseminando clubes de leitores, jardins de infância, ministérios com trabalhadores e apoio aos pobres. Aposentou-se do púlpito em 1919, mas continuou trabalhando como editor por vários anos. Faleceu em 1946, aos 89 anos, vítima de derrame.

Compartilhe suas impressões de leitura,
mencionando o título da obra, pelo e-mail
opiniao-do-leitor@mundocristao.com.br
ou por nossas redes sociais

Esta obra foi composta com tipografia Janson Text e impressa
em papel Pólen Natural 70 g/m² na gráfica Imprensa da Fé